Con pasión absoluta
Carol Zardetto

CAROL ZARDETTO

ConPasión
Absoluta

Con pasión absoluta
Carol Zardetto
Primera edición

© Carol Zardetto
Impreso en Guatemala

F&G Editores
31 avenida "C" 5-54 zona 7,
Colonia Centro América
Guatemala
Telefax: (502) 24332361
email: fgeditor@guate.net
www.fygeditores.com

Ilustración de portada: "La Pasión", Nina y Viviana Silvia Orozco.
www.elcuartoscuro.com

La primera edición de este libro contó con un apoyo financiero de
la Fundación Soros Guatemala, mediante la adquisición de
ejemplares para bibliotecas públicas.

ISBN: 99922-61-42-0

Guatemala, agosto de 2005

A las mujeres
que tejieron mi infancia.

He desgarrado la tela de mis vestiduras:
las he desechado.
Si tú no estás cómodo totalmente desnudo,
cúbrete con tu hermoso manto de
palabras, y... duerme.

Jalalal-ud-din Rumi

En el principio era el deseo, primera semilla
de las cosas.

Himno de la Creación. Rig Veda

*No dejar el papel en blanco es lo
principal. Aparte de eso, nada
importa porque al fin y al cabo,
el papel aguanta. Todo está ya
escrito. Aun así, queremos
poner palabra tras palabra
para contar la misma historia,
la única posible.
Sólo los accesorios son nuevos,
como cuando uno saca del
armario un viejo vestido que
todos han visto y le coloca ese
cinturón recién compradito y
presume de haber descubierto el
mundo, el universo, el ser...*

I

Los días pasan suaves y lentos en las entrañas de Guatemala. Siempre se apodera de mí el silencio. No más diálogo interior. No más elucubraciones, ni ideas. Sólo un enorme silencio que me hace recordar a los budistas y sus reflexiones sobre la taza vacía... la mente del principiante que reencuentra el asombro.

Hay algo aquí que no arribo, que no arribaré nunca a comprender... excepto en ese milimétrico instante en que una zambullida en el lago de Atitlán me arroje inesperadamente en los brazos de otra realidad y quede enmudecida, ensimismada.

Quizá los mayas mantienen sostenida esta tierra del tenue hilo de la magia (y ésa es su última esperanza). Quizá caminamos con pasos sacrílegos sobre un enorme altar impregnado de inciensos y flores rituales, de veladoras de sebo amarillo, de sonidos profundos o estridentes que tocan las cuerdas de los nervios hasta golpear los huesos. Una tierra tejida en telares milenarios, hecha no de tierra sino de lienzos con el diagrama del universo en colores chillones.

Los volcanes fue lo primero que vi, esa madrugada desde la ventanilla empañada del avión. Las puntas de los conos perfectos salían a respirar por encima del encierro difuso de las nubes. El paisaje insólito me sacó del malhumor de esa mala noche. El Pacaya humeante, el de Agua, sereno, como la enorme madre de los otros. El Tajumulco, el Tacaná... venía yo a Guatemala a la fuerza. No quería regresar.

Me veo con los ojos del recuerdo. Mis pasos recorren otra vez el camino de regreso: soy testigo de mí misma. Estoy presente en ese momento al que escojo llamar "entonces". Y porque estoy "presente" deja de ser pasado. ¿Qué juego es éste?

Al finalizar los trámites migratorios salgo a un súbito encuentro con la calle. Me arrepiento de no haber avisado de mi llegada, pues estoy sola con mis maletas a merced de un grupo de hombres dudosos que hacen esfuerzos por captar mi atención con distintas voces. Hablan al mismo tiempo, ofreciéndome un taxi. Al fin escojo uno cualquiera, con un recelo que se desvanece al darme cuenta que el peso de mi voluminoso equipaje será suficiente para desmotivar cualquier intento de fuga.

Los taxis destartalados hacen fila esperando a los turistas que escasean. Al discutir el precio del viaje, constato que la larga ausencia me ha mantenido ajena a los cambios de los últimos años: el precio dolarizado me parece una exageración y ocasiona mi reproche. Recibo del taxista una respuesta agria, inesperada bienvenida al país.

Las calles se van abriendo a mis ojos que escudriñan cuanto va apareciendo: anuncios plagados de expresiones en inglés, de una fealdad que asalta los sentidos; transeúntes con ropas estampadas de colores fuertes a los que estaba ya desacostumbrada y que encajan bien con la luz insidiosa; camionetas infestadas de pasajeros colgando de las puertas que escupen chorros de humo sobre los motoristas zigzagueando como moscardones entre el tráfico desordenado y ruidoso.

Me doy cuenta de que regresar es una imposibilidad.

No se vuelve nunca a lo mismo, ni somos ya los mismos. Las calles de mi infancia desaparecieron sepultadas bajo estas otras, demasiado pequeñas para contener el caos que las abarrota. El polvo tiñe de sepia el ambiente pesado. Mi rostro de entonces desapareció también, bajo otras líneas, en esta otra mirada.

Entro y salgo de un pretérito anterior como quien lucha contra el sueño.

Vivíamos entonces en la zona seis, lo cual no me creaba ningún conflicto, mientras daba vueltas en círculo con un triciclo sobre el piso a cuadros, amarillos y rojos, del salón de belleza que mi madre tenía abierto en la 15 avenida.

Ella y mis tías cortaban el pelo, hacían *manicure* y permanentes con una máquina eléctrica que conectaban a las señoras. Me gustaba meter la cabeza bajo el aire caliente de las secadoras y sentir que mis cabellos volaban libres y en desorden. Daba incansables vueltas en el triciclo sobre las montañas de pelo que caían al piso. Pasaba metódicamente encima de cada promontorio, mientras escuchaba a medias las conversaciones de las mujeres. La risa desatada de mi tía Ibis interrumpía a cada rato mis pensamientos, se enredaba con los pedazos sueltos de conversación que yo añadía a los que escuchaba en la cocina con mi abuela. Hilos sueltos, impresiones recortadas que iban tejiendo con paciencia el mundo.

Estaban de moda los peinados altos, sostenidos con horquillas y ganchos sandinos, el tizado y una generosa aplicación de laca. Me sorprendían las caras esperpénticas de las señoras con los pelos parados y llenos de nudos, las cabezas agigantadas con los tubos de colores, el enervante olor de los tintes y de la permanente. Pero a nada le tenía tanta aversión como al corte *italian boy*, pues las enormes trenzas, las cabelleras largas, terminaban en el suelo de un tijeretazo. Las nucas descubiertas eran entonces rasuradas con una gillette, dejando unos pelos hirsutos parados al aire, como patas de mosca atrapadas en aquellos cuellos blancuzcos.

Me agradaban las anchoas que dejaban los cabellos rizados y suaves, el *manicure* por la crema perfumada con olor a rosas, las pinturas de uñas que yo ensayaba en mis propias manos y pies y que delataban mi condición de manicurista aficionada.

Las actividades del salón variaban en intensidad conforme el calendario: las fiestas de Candelaria, el carnaval, la Semana Santa, la época de graduaciones, primeras comuniones y Navidad, cuando esperábamos con la cena servida a que mis tías sacaran a las clientas rezagadas. Calientes todavía de la secadora o con la gomina fresca, salían corriendo para llegar a su casa antes de las doce.

Por aquellos tiempos, mis tías eran adolescentes. Rondaban el salón los muchachos del barrio, tratando de enamorarlas. Para facilitarlo, ellas se paraban en la puerta –*a ver pasar gente*, decían–

con sus jóvenes cuerpos sudando la lentitud y el calor de la tarde.

Cada una tenía su clientela. Las más escandalosas y conversadoras iban directo con Ibis. Mentirosa y exagerada, tenía el pelo pintado de rojo, usaba vestidos ceñidos y fumaba. Las clientas nuevas, las más tímidas, las serias, buscaban a Aura o las Violetas. Con sus manos pequeñas, eficientes y de largas uñas, elaboraba las complicadas edificaciones de pelo que ella podía elevar más que ninguna. Callada y taciturna, de figura finita y envuelta en su larga melena negra, parecía siempre un poco ausente... como si nada pudiera tocarla.

Mi madre hacía los tratamientos especiales y cuidaba la caja. No obstante, las propinas llenaban siempre los bolsillos de mis tías con incontables monedas. Yo me mantenía muy pendiente de ello, porque con frecuencia me daban plata para ir a la tienda de la esquina, donde en grandes frascos de vidrio esperaban los *café con leche*, las bolitas ámbar de miel, las salporosas, las milhojas...

Las tres tenían nombres sacados de novelas que emocionaban a mi abuela. Sentada en el corredor, las leía y releía con los ojos llorosos. Yo le decía, tratando de evitar su llanto: "pero abuela, si allí cuentan historias de mentiras" y, ella me replicaba con la mirada vidriosa: "aunque usted no lo crea Irenita, esas cosas... hasta a uno le pasan". El repertorio incluyó, en su momento, a Vargas Vila, por entonces proscrito, de donde sacó el nombre de *Aura o las Violetas* para mi tía Viole, la de las uñas largas.

El taxista corta mis pensamientos con un par de observaciones, quiere entablar conversación. El

Parque Central luce desmantelado, sin sus candiles de hierro, sin las viejas bancas de piedra. Es ahora una ancha torta de cemento líquido donde la bandera azul-desteñido se agita al viento. Comenta las noticias una voz nasal que sale de la radio. El taxista insiste: se queja del gobierno, tiene curiosidad de saber si soy de aquí. Contesto que sí y eludo la conversación, que se marchita mientras nos acercamos al viejo barrio del Cerrito del Carmen, que aparece con sus lomos desnudos, ahogado en medio de las calles populosas.

Allí me tomaron la foto con aquella muñeca. Era regalo de mi padre, como otros que llegaban siempre en las navidades. Los llevaba don Carlos, su secretario, pequeño y nervioso como un ratón. Cajas enormes con muñecas gigantes. No podía jugar con ellas debido a su desmesura y quedaban abandonadas como estáticas presencias que con los años fueron poblando los roperos. Puedo recordarme, pálida y delgada, como en aquella foto. El fotógrafo de los domingos con su caballito de palo, los niños se montaban en él, luciendo unas botas viejas y el sombrero vaquero. Yo no quise. Me abracé fuerte a la pierna de mi tía Ibis. Listo y labioso, el fotógrafo la convenció de retratarme con la muñeca que tanto parecía gustarme. Nos sentaron en la grama. Tenía los ojos cerrados por el sol, pero las briznas iluminadas y traslúcidas de la hierba me quedaron grabadas con una tinta de olor verde, dulce y vegetal.

En las colinas del Cerrito del Carmen brillan las matas de ilusiones de tallos suaves. Siento cómo se plegaban bajo los cartones sobre los que nos deslizábamos cuesta abajo. El perro de la abuela nos acompañaba. Se llamaba *Chocolate* y fue el único que admitió en la casa llena de canarios. Ladraba al vernos derrapar con los cartones hasta llegar abajo, donde la caída nos dejaba revolcados entre el polvo. Nos alcanzaba entonces para lamernos, haciéndonos cosquillas en las orejas y las narices. Nuestras risas y sus ladridos recortaban un espacio donde siempre nos encontrábamos a solas aunque hubiera mucha gente. Mi hermano y yo. El viento mecía con suavidad los barriletes. Desde el suelo, veíamos temblar sus alas frágiles de papel de china sobre el azul penetrante de los cielos de noviembre. Nos miraban de regreso con sus grandes ojos fijos. Tirados en el monte, dejábamos que la tarde pasara.

El taxi cruza y se precipita por la avenida.

A esa calle le dicen la *Avenida de los Árboles,* aunque árboles ya no quedan. Me gustaba caminar en las aceras agrietadas, jugando a no pisar la rayita. Las rayas eran ríos poblados de lagartos, o las líneas de la cara de un monstruo que abarcaba todo el universo, o cortadas sobre un gran pastel de piña sobre el cual yo paseaba cuidándome de no caer en los tajos, donde adivinaba inmensos precipicios. Entonces la felicidad era fácil y no una incierta tierra prometida.

Tenía un triciclo muy viejo, heredado de mi hermano. Dijo una vez mi madre que cuando me compraron uno nuevo, ya nunca quise usar ni el nuevo, ni el viejo. No me acuerdo del nuevo. Quizá no fuese más que un mito, de esos que nos cuentan de cuando éramos niños y que nunca se llega a saber si son verdad. En cualquier caso, sin percatarse, mi madre rompió el encanto de un triciclo único que a veces era caballo y tenía una gotita de oro sobre el timón descascarado.

El semáforo marca un alto, justo frente al viejo portón rojo de aquella que fue nuestra casa. Me acerco a la ventanilla del auto. Aquella mano de mujer con los dedos largos y finos, cada dedo un anillo, cuelga su imperturbable lealtad sobre la puerta. Por las noches, se cerraba con una tranca atravesada al fondo del zaguán largo y oscuro. Sabíamos que marcaba un término inapelable: ponía fin a las fiestas, visitas y romances. Era un toque de queda. Minutos después las luces se apagaban y la casa se dejaba envolver por las sombras.

A esa hora, metida en las chamarras con mi abuela, oía las historias que le fascinaba contar: la ciguanaba, cara de caballo, se ganaba a los hombres mujeriegos; la llorona, con su cuerpo de tusa, bajaba a lavar la ropa al río amedrentando a las mujeres; el cadejo, un perro de ojos como brasas, guardián de los borrachos a quienes acompañaba hasta su casa cuando salían de las cantinas; el sombrerón, un pequeño hombrecito que llevaba serenata a las mujeres de cabellos largos antes de seducirlas, era el causante de que ellas enflaquecieran hasta la muerte y de las crines trenzadas con las que amanecían los caballos en los potreros de las fincas.

Pasaba horas escuchándola y ella, con infinita paciencia, repetía una y otra vez los vericuetos y senderos que me sabía de memoria. Caminos de un mundo perdido que traían su vertiente a mi mar.

—Abuela, ¿por qué ya no aparecen los espantos?

—Porque llegó la luz eléctrica, mija. Y se quedaba rumiando su creciente desavenencia con una realidad cada día más ajena: —Ahora ya nada sirve. Ahora, todo es al revés...

El taxi llega a mi destino en el barrio de La Parroquia. *Ferretería Rondolino,* anuncian las letras rojas y pesadas. Allí vive mi madre con su otra familia.

Nunca pensé volver. Me fui para siempre el día que me fui. Vestida de blanco, como quería mi madre, quien me agradeció *oficialmente* años después esa condescendencia. Salir vestida de blanco, cumplir con tanta hipocresía. Quería cumplir... Me río de mí misma: la suerte me acompañó: sufrí un desengaño. El matrimonio podía ser un conjunto vacío, un espacio lleno de nada.

He recorrido un círculo perfecto: salir de esta casa, de este país, para regresar a este país, a esta casa, feudo tenebroso de Don Asunción.

Cuando tenía cinco años, en las correrías por la calle frente a mi casa, se me acercó una mujer harapienta. Tenía el rostro profusamente arrugado que luego del susto inicial, me fascinó por sus encías sin dientes. Habló de la Navidad cercana, me invitó para ir con ella a su casa, a jugar con muchos niños, habló de un cuarto lleno de regalos. La falsedad de la historia era evidente: su aspecto llevaba impresas la miseria y la suciedad más extremas, pero le creí. Me extendió una mano de largas uñas negras que tomé sin reparo.

Mi abuela daba de comer por esos días a los policías de tránsito de un cuartel vecino. Uno de aquellos comensales me vio con la vieja. Al entrar y pedir el almuerzo, se lo mencionó de paso. Ella se alarmó. El policía, al darse cuenta de que el asunto era grave, dejó la sopa servida y salió corriendo. Tenía una bicicleta, en la que *raudo y veloz* fue a buscarme.

Me he preguntado muchas veces cuál hubiese sido mi historia si las cosas no hubieran sucedido de esa manera. Quizá me hubiesen hecho jabón como dijo mi abuela. En todo caso, el policía que me rescató esa tarde fue después el marido de mi madre y existe algo de paradójico en que ese día, cerca de Navidad, mi salvador fuese Don Asunción, quien habría de hacer añicos el tenue cristal que resguardaba mi infancia.

Me bajo del taxi insegura. El lío de maletas me resta la dignidad que deseo exagerar frente a la puerta. Después de un largo momento lleno de impaciencia, abre Emiliana, la sirvienta que lleva años con mi madre. Hace un gran alboroto al verme, reproducido por dos loros que en una jaula hostigan el silencio. Se ríe con nerviosismo, asombrada me soba con fruición el brazo. Se cubre la boca para ocultarme que ha perdido algunos dientes, pero más que eso, ha perdido aquella lozanía de los brazos, del torso, de su cuello. Pareciera que se agacha, que se retrae dentro del saco grande y arrugado de piel.

Pregunto por mi madre. Contesta con su marcado acento cachiquel que corta y sibila las palabras. Me brinda mil explicaciones, de las que logro rescatar que mi madre no ha llegado, fue a recoger a la abuela al hospital. "Dice que ya no aguanta, Doña Toya quiere morirse en su cama", repite con el tono melodramático de costumbre. Finalmente, me hace entrar y me ofrece un café.

Me resisto a esta casa, ajena sin la presencia de mi madre. Si no fuera por la gravedad de la abuela, no estaría aquí. De ella no me quedaba sino ese último retrato. Sentada en el corredor, leyendo un libro con una pose muy elegante, como quería que la recordara. Su pelo corto, rizado, un vestido floreado, los largos aretes, labios pintados de rojo, cejas bien delineadas. La conocí así, pulcra, trayendo con su presencia un orden benevolente y claro al mundo. Esta imagen contradecía las historias complicadas que de ella contaban. La mujer pasional, la rígida, la violenta, eran para mí rostros de una desconocida.

Envió la foto acompañada por los reproches de costumbre, que por qué estaba lejos, que ya no la iba a ver viva. Y la misma pregunta a la que nunca puede responder: ¿por qué la gente se va? Nunca escuché sus reclamos, sin embargo fue ella quien me trajo de vuelta. La voz de mi madre anunció por el hilo del teléfono: "Si no venís ahora, no vas a volver a verla."

La casa está silenciosa. Llegan de la cocina los aromas del almuerzo. No deja de parecerme curioso que aquí se cocine desde media mañana. Platos elaborados, salsas de mil matices, un rito que ocupa por lo menos media jornada. El reino *benigno* de las mujeres es la cocina.

Don Asunción llega y su figura queda recortada en el dintel de la puerta.

"¿Ya la vio su mamá?", pregunta por todo saludo.

Me levanto confusa del sillón donde me había acomodado. Recuerdo –y el recuerdo es borroso, como si llegara de un lugar muy lejano– que antes de irme tenía muchos años de no hablarle. Las palabras están entumecidas entre los dos. Alcanzan para poco. Sólo atino a pararme y decirle más secamente de lo que hubiera querido: "No, no me ha visto".

Incómodo, estira la mano con forzada cortesía. Con levedad, rozo su piel callosa y manchada de grasa. Se aparta de nuestro contacto con más brusquedad de la que hubiera deseado. Camina hacia la cocina, vocifera a Emiliana, y yo pienso que desquita con ella su incomodidad, sus preguntas sin respuesta, su malestar por mi presencia. Me asomo a verlo: es ahora un hombre pequeño y delgado, con el pelo encanecido y unos gruesos lentes que hacen que sus ojos se vean desmesurados y punzantes. Era un Tarzán de los trópicos, moreno, exageradamente musculoso, le gustaba exhibir su fuerza cargando a la gente. A mi madre la colgaba sobre el hombro y la paseaba por toda la casa. Ella, desde lo alto, pataleaba y gritaba indignada.

Hijo de un campesino italiano emigrado a América hacia principios del siglo pasado, Asunción vivió una niñez miserable. El padre viajaba a la costa, en busca de oportunidades en las grandes fincas. Sus ausencias eran largas y agónicas, porque entonces todo faltaba en la casa. Su madre tenía que acudir a cualquier subterfugio para sobrevivir con los hijos hasta que él regresaba. Pero un día se hizo de otra mujer y no volvió.

Asunción era el mayor. Sintió que era su deber y privilegio ocupar el lugar del padre. Era apenas adolescente. Para mantener la casa repartía pan en bicicleta, balanceando un gran canasto sobre la cabeza... oficio difícil que muchos podrían considerar poco viril. Quizá lo haría sentirse humillado. Pero él idolatraba a su madre. Cuando enfermó siendo muy joven, se volvió sagrada. No hubo bajeza que no soportara por ella.

Cuando murió, Asunción dejó la casa a sus hermanos para rentar un cuarto con piso de tierra en una vecindad cerca de la línea del tren, barrio habitual de las prostitutas más miserables y más baratas.

Sin embargo, no eran las mujeres lo que le interesaba. Compró una enciclopedia que leía por las noches a la luz de una bombilla pálida y solitaria. Se armó de conocimientos que asimiló de una forma excéntrica. De allí nacieron universos apocalípticos, delirantes explicaciones del mundo, extravagantes y sesgadas concepciones de las cosas.

Su recién adquirida sabiduría le dio un nuevo sentido de sí mismo. Con extrema autoridad, exponía sus teorías con lujo de detalles a cualquiera que cayera en la trampa de oírlo. Cualquier comentario podía ser el detonante. No admitía interrupciones, ni se fijaba en el tiempo, exasperante, que demandaba de sus oyentes.

El destino quiso que consiguiera una plaza en el cuartel de policía y Asunción reverenció su buena estrella. *La Policía* habría de servirle para reivindicarse frente al mundo. Vestido con uniforme, investido de autoridad, *Don Asunción* encontró un goce profundo.

En mi mente repaso la calle que pulula afuera. Ahora que llegó, su presencia transforma la casa y la atmósfera se vuelve densa. A mí me pasa como entonces: tengo ganas de irme. Quizá por eso me casé, proyecto fallido que, de antemano sabía, terminaría en ruptura. Sólo para irme de una vez por todas. Trato de aniquilar elucubraciones sobre cosas que nunca sabré a ciencia cierta. Los pensamientos agobian con su peso muerto. Hace calor y esto está muy quieto. Me seduce la idea de la calle extendida más allá de la puerta de hierro. La casa donde crecí está allí, al final de la otra cuadra, quieta como un barco que ha naufragado.

Atravieso presurosa el jardín y salgo. En plena acera, una señora ha instalado una hoguera de carbón con la que cocina e impregna el ambiente de olor a grasa rancia. Los negocios informales llenan las calles. Son las llamadas de atención de una pobreza que desborda. Me repugna el olor y la fealdad de la imagen: la señora rellena de carnes prepara repollo en un tazón amarillo, sirve vasos de un atol blancuzco a la clientela. Los comensales se sientan en bancos de madera, interrumpiendo el paso de los peatones. Me saluda "Buenos días, hermana"; evangélica, pienso.

Los negocios de la cuadra se han multiplicado: una imprenta, una panadería, una funeraria, una librería... El bullicio, el movimiento, el tráfico agobiante, marean. Polvo y humo entran en connivencia. Forman una nube difusa que no deja respirar. Recostados contra una puerta cerrada, dos borrachos duermen malolientes.

Camino —vacilante— hacia la esquina. Antes estaba allí la farmacia; en la vecindad, la Foto Serra con la vitrina llena de retratos: novios tiesos, infantes regordetes, con frecuencia desnudos, quinceañeras con canelones y amplios vestidos.

Cerca de la esquina, la Escuela México era el límite permitido a mis correrías. Vivían allí Beatriz y Catalina, las hijas del director de la escuela. Las veía de lejos caminar de la mano de Don Chus, su padre. Era un hombre alto, con una impresionante barriga que colgaba por encima de su cinturón. Los pantalones parecían a punto de caérsele. Parecía un tipo dividido: por arriba calvo, bigotudo y malgenioso, por abajo el remedo de un payaso, como si una mitad quisiera desdecir a la otra. Su mujer, Doña Estela, era tan gorda que parecía un cántaro, inflada por en medio. De cabecita pequeña, el moño de canas que recogía su nuca no hacía sino acentuar esa peculiaridad.

Pasamos una tarde frente a la escuela. Doña Estela estaba en la puerta, con sus hijas. Ella y mi abuela platicaban, mientras las niñas y yo nos mirábamos con curiosidad, intuyendo un mundo de juegos pendientes. El día llegó. Mi abuela me alistó con moñas y vestido elegante. Llevé en signo de buena voluntad una de mis mejores muñecas. A ellas se les permitió, excepcionalmente, sacar sus juegos de té, guardados con pulcritud arriba del armario.

Nos entretuvimos tanto que, entusiasmadas porque las dejábamos hacer oficio en paz, mi abuela y Doña Estela acordaron que la visita se repitiera al día siguiente y luego el otro día, hasta que ya no dejé de venir. Mi permanencia en esa casa se alargaba y perdía su educada rigidez cada día. Ya para fines de mes, venía por la mañana y me iba al anochecer.

La madre hacía helados que vendía a los estudiantes. Las pelotitas de nance, congeladas y dulces, los pedacitos de coco rayado, el ácido punzante del tamarindo, eran sabores alucinantes y fueron la piedra de tropiezo en mi inicial intención de causar buena impresión y de *portarme bien,* como cada día me dejaban recomendado. Como *eran para negocio* –según se nos advertía– tenían el atractivo adicional de ser prohibidos, y por lo tanto, los hurtábamos con compulsión. Prometíamos tomar uno solo, pero la tentación nos incitaba a pecar otra vez. Abríamos el congelador y sacábamos los helados a escondidas, hasta que los envoltorios de papel de cera quedaban desparramados por todas partes.

Al darse cuenta Doña Estela, salía de la cocina con su enorme figura y una paleta en mano. Sofocada por la cólera y la obesidad, gesticulaba de manera amenazante. Beatriz, consciente de ser la mayor y por tanto protectora nuestra, nos arrebataba la mano con brusquedad, haciéndonos correr con atropello y al tope de nuestras fuerzas por el largo corredor. Catalina y yo, con las mejillas coloradas, reíamos con histeria por la emoción de la huida.

Durante las vacaciones, la escuela vacía era ideal para jugar. Los grandes corredores y patios, las pizarras y yesos de colores, estaban a nuestra disposición. Era un territorio inmenso que nos hacía crecer las fantasías, con sus recodos para contar secretos y sus escondites liberadores de la omnipresencia de los mayores. Tenía lugares prohibidos, como las oficinas cerradas con llave o los orinales de uso exclusivo para varones, que aun en vacaciones apestaban a orines rancios y pungentes. Lugares aterrantes, como los zaguanes largos e inciertos o las aulas iluminadas apenas, pobladas de telarañas, donde los escritorios viejos se amontonaban en altas pilas.

En medio de ese universo vacío de gente, pero dotado de infinitas puertas a nuestra imaginación, silencioso, pero lleno de voces que nos hablaban al oído, podíamos transformarnos a nuestro arbitrio, descubrirnos como la encarnación del más desatado deseo.

No fue casualidad que el azar nos premiara con el encuentro de algo mágico: el salón de actos, y en él, un escenario. A partir de entonces fue el único lugar que existía.

Comenzamos por ser cantantes, trayendo a escena con voces destempladas retazos de boleros, canciones rancheras que oíamos en la radio, olvidando y revolviendo letras que comprendíamos a medias. Con los días vino el teatro. Lentamente, pasamos a una fantasía más compleja que, de una trivial historia, se fue transformando en una vida sustituta.

De la casa fueron desapareciendo collares, zapatos de fiesta, lencería, medias, lápices de labios, sombreros y cuanta cosa pudiera apuntalar nuestra fantasía. Todo empezaba con la repartición de las prendas, la discusión de quién iba a usar la combinación color negro que nos colgaba hasta la mitad del pecho plano, los fustanes predilectos con muchos holanes que hacían ruido al caminar, los collares largos de perlas de plástico, o los aretes más llamativos; a quién le tocaban los zapatos de tacón alto, o las sandalias verdes, el único sombrero. Las bocas pintadas de rojo, la exageración del colorete, un lunar cerca de la boca. Para el papel de galán no teníamos muchos recursos: una corbata vieja, un sombrero beige, una colonia Old Spice para la ambientación.

Viajábamos en un trasatlántico repleto de gente sofisticada, reiteración de los personajes que aparecían en la tele en las películas en blanco y negro del canal tres. Gente sofisticada, pero sobre todo hombres, con quienes inventábamos apasionados romances al estilo Hollywood. A una le tocaba ser el galán.

Había en ese juego algo profundamente seductor: el galán y la vedette de turno tenían un romance que incluía besos y caricias reales. Yo quería ser siempre la vedette y que Beatriz fuera mi novio, porque ella besaba rico, sus besos mojados e intensos, sus labios carnosos. Aparte, Catalina estaba perdiendo los dientes y no tenía ninguna gracia besar a un galán desdentado.

El juego era secreto. Sabíamos que caminábamos terrenos prohibidos y ello nos producía una fascinación que no pudo opacar, ni la muñeca enviada desde Francia por mi padre, aun cuando hablaba en francés tirando de una cuerda, ni los trastecitos de cocina y la licuadora de baterías de las niñas. Los juguetes pronto eran abandonados por cualquier parte, desplazados por el juego favorito.

Los años pasaron, la huella quedó: siempre colocaría el amor en un escenario, envuelto en la intriga y el dramatismo del maquillaje y los ropajes que visten para el amor. Una escena aparte que, para abrirse, precisaba la indefinición y levedad de la sinuosa cortina. Un paso en falso, un sendero cuyo misterio podía transitarse sólo bajo el amparo del equívoco, de lo fantástico, del travestismo. (*¿Sería entonces que empecé a amarte?*)

Dejé de visitar a las niñas antes que terminaran las vacaciones. Los aviones daban vueltas en el cielo. La radio anunció el estado de sitio. Había caído otro gobierno. No me dejaban salir de la casa y los días se estancaban. Cuando al fin me dieron permiso, fui corriendo a la escuela. La puerta estaba cerrada y nadie salió a abrir en respuesta a mis interminables toquidos.

Los rumores empezaron a correr. Don Chus y su familia se habían ido, la gente dijo que huyendo. Mi abuela elucubraba: "Don Chus era *arbencista*... Por eso no se cansa uno de decirles que no se metan a babosadas..."

No volví sin saber de las niñas. Fue en un baño turco, mucho tiempo después, donde encontré a Beatriz. Resultó ser la señora obesa que de espaldas me había llamado la atención por su enorme cuerpo, fofo y gelatinoso. Al voltearse, se dibujó en su cara la misma sonrisa de muchacho de entonces. Una chispa de complicidad en sus ojos pareció encenderse sobre la memoria de una libertad preciosa que al crecer fueron engrilletando las condescendencias.

La casa de la Avenida de los Árboles se mira vieja, con una manera absoluta de ser vieja. Por aquellos días, se estaba cayendo a pedazos. Las puertas, con hoyos de polilla, describían paisajes de riscos y montañas inconmensurables. Terminé por ya no examinarlos el día que descubrí una de las larvas responsable de las poderosas esculturas enroscarse con viscosidad entre las hendiduras.

Las paredes descascaradas revelan varias capas de pintura.

Esos pellejitos se podían arrancar despacito, o pasando velozmente la mano por encima de las paredes, corriendo por el corredor, sintiendo un cepillo de cosquillas en la mano y dejando una estela de confeti sobre el suelo.

A medio patio, la enorme pila se llena de moho.

Con un palo se podían dibujar verdes paisajes silvestres, mientras la abuela lavaba sobre la piedra la ropa, la retorcía con las manos coloradas, la sacudía mandando los chisguetes de agua sobre mi cara caliente y los tendía sobre los lazos al sol.

En cuanto viene la lluvia, la casa cambia de tono.

Las tardes se volvían graves. Los techos de lámina eran sacudidos por los miles de soldados de plomo que caían del cielo. Mi hermano y yo nos quedábamos encerrados viendo la tele. Yo dibujaba con un lápiz en las paredes y lo veía de reojo. Armaba enormes ejércitos de fósforos que hacía enfrentarse por horas, sin concederme un segundo de atención. Mi abuela nos llevaba de la cocina *franceses con frijoles* y chocolate caliente. El encierro se volvía placentero. Con los pies sucios de andar descalza en medio de los juguetes tirados que nunca tendría que recoger, era yo la reina de aquel reino.

En la sala, las goteras caen sin misericordia.

Nos hacían buscar botes viejos de pintura para ponerlos a recibir el agua de lluvia que se escurría por el techo. Cada gota tenía un sonido que caía en distinto momento, formando un ritmo, una armonía que acompañaba mi tiempo, mis inventos, mis mundos, cobijados por el amor de mi abuela que siempre estaba allí en la cocina, o allí cosiendo o allí en la noche, dispuesta a que me metiera a la cama con ella, dispuesta a que enredara mis piernas entre las suyas, dispuesta a espantar mis miedos, dándome conversación, arrullándome hasta que me deslizaba despacio al sueño, sin sentir.

Me acerco al tocador y casi con temor golpeo la puerta. El silencio es rotundo. Vuelvo a tocar y el sonido metálico resuena contundente esta vez.

"Allí no vive nadie", anuncia el vendedor de periódicos recostado en el viejo árbol frente a la casa, reiterando una verdad que ya presentía. Miro por una hendidura: el viejo salón vacío, la luz mortecina entra apenas por un tragaluz.

El salón se cerró. Los muebles permanecieron, tapados con sábanas, como fantasmas de un tiempo impreciso. A escondidas, mi hermano y yo entrábamos a jugar. Llenábamos el lugar de bulla como queriendo exorcizarlo: dábamos vueltas a los sillones giratorios, poníamos a funcionar las secadoras, escribíamos cosas en la superficie polvorienta de los espejos.

Ibis fue la primera en irse. Un convertible rojo trajo a un mulato de apellido francés frente a la casa una tarde. Alborotada, fue a abrir la puerta. La visita era para ella. Lo mismo el siguiente día y los restantes. La abuela se fue incomodando. No soportaba la presencia del mulato y –no entrés a ese hombre a la casa– la mandaba a la calle con él. Luego –parece que estás deteniendo la puerta, entráte ya, vas a agarrar mala fama–, la regañaba por estar afuera.

Pero ella (la oveja negra de siempre) le desobedecía. Se salía con el mulato y se subía al auto estacionado a la sombra de la noche, cuestión absolutamente prohibida para una señorita respetable. En algunas oportunidades, a escondidas, hasta se iban juntos. Una vez, la oí contar en secreto que habían ido *hasta el puerto*.

Mi abuela no terminaba de aceptar las visitas *del morado ese*. Pero Ibis estaba empecinada. Se escapaba, se escondía, inventaba historias, mentía para verlo. Mi abuela se enredó con ella en una batalla campal de gritos y reclamos, de regaños y hasta violencia física: al rebalsar su ira, bajaba del clavo el viejo chicote y la latigueaba. Nada la incomodaba tanto como la desobediencia de sus hijos. Después de estas golpizas, mi tía ganaba terreno, le sacaba salidas: bajo la condición de que llevara algún acompañante, que casi siempre éramos mi hermano y yo. Aprovechábamos la circunstancia que nos caía del cielo para *pedir gustos*, ir a Pecos Bill, por ejemplo, donde nos atorábamos de hamburguesas, papas fritas y batidos de chocolate, mientras ellos se besaban interminablemente.

Un día de tantos, el mulato no vino. Desapareció por largas semanas. Ibis se desesperó y recurrió al mejor remedio que conocía: el centro de brujería donde Doña Paula le fumaba al mulato flautas de puros gruesos y apestosos, mientras lo llamaba por su nombre. Se iba con ella bajo el puente Rodriguitos y repetían una y otra vez la letanía: "que el hijo de puta regrese arrastrado a mis pies..."

Yo la oía contar estas cosas sin perder detalle. Su voz susurraba al oído de las mujeres, sibilante. Ellas asentían en silencio con los ojos encendidos, mientras yo me quedaba atenta, escudriñando los rostros, tratando de adivinar el efecto del secreto, queriendo ver a través de sus miradas, cosas ocultas e irresistibles.

El día llegó en que el mulato apareció como fuera vaticinado. Venía a decir adiós. Se armó un escándalo mayúsculo cuando se lo hizo saber. No había terminado el discurso que tenía preparado, cuando Ibis empezó a gritar en el salón. La escuchamos hasta en la cocina, desde donde acudimos alarmados. En medio de la clientela, mi tía, con ojos manchados de pintura, con la nariz colorada y abriendo la boca en una gigantesca mueca de llanto, repetía a gritos: "¡No dejen que se vaya! ¡No dejen que se vaya!" Luego, añadió con la voz vencida: "Estoy embarazada".

La estupefacción nos mantenía callados. Mi hermano y yo tuvimos que retirarnos ante una mirada imperativa de mi madre. A las pocas clientas que permanecían en el salón –otras habían salido asustadas al iniciarse el escándalo–, las sacaron a la fuerza. El salón se cerró a pesar de que era apenas media tarde.

Se reunieron durante horas, y nada pudimos averiguar de lo que acontecía. Más tarde nos enteramos: la condena de la familia había sido unánime. La reputación de mi tía estaba en peligro y tenían que casarse. La sentencia fue notificada a los transgresores, a quienes se hizo saber lo que harían: se cumplirían las formalidades para que la gente *no hablara* y luego, si no la quería, la podría devolver a la casa. La condena era inapelable.

Las vecinas del barrio ayudaron a mi abuela a cocinar ollas de pollo encebollado que inundaron la casa de olor a tomillo, enormes apastes de ensalada rusa, para lo cual la factoría improvisada, enarbolando sus cuchillos, cuadriculó cientos de zanahorias, güisquiles y papas que sumergieron primero en el sancocho de vinagre y sal y luego en mayonesa.

Se veía preciosa el día de su boda, a pesar de la barriga de casi seis meses que disimulaba el vaporoso vestido blanco. Se hizo una fiesta en la casa, con pino en el piso y marimba. Las parejas bailaban y yo, debajo de una mesa, me entretenía viendo cómo el pino se les enredaba en los pies.

Los comensales visitaban con asiduidad el tonel de ron con Coca-Cola y no les importaba hacer una larga fila para servirse el líquido oscuro donde flotaban los cubos de hielo y los cuartos de limón. Avanzada la tarde, muchos estaban borrachos. Las risas y las voces eran cada vez más bulliciosas. A algunos se les pasó la mano, como a mi hermano, que terminó dormido bajo las mesas, acurrucado sobre un volcán de pino.

Los últimos invitados se fueron entrada ya la noche. Cuando dejaron la casa desierta, mi tía se cambió el vestido y salió. Se miraba frágil y desconcertada con una pequeña maleta en la mano, mientras la otra sobaba inadvertidamente su barriga.

El mulato nunca la quiso y se la tuvo que llevar como un objeto desvalorizado que ya nadie quiere. Él tomó la exigencia de cumplirle como una humillación, algo por lo que haría pagar a todos –pero especialmente a ella y al hijo que estaba por nacer–, con una maldad violenta y perpetua que moldearía sus vidas, como a la roca la persistencia de las olas del mar.

Aura o las Violetas consiguió un empleo. Su salario podía comprar las cosas que siempre había querido. Empezó a frecuentar amigas de fuera del barrio, hijas de militares. Las cosas de la casa empezaron a disgustarla. Se quejaba de no tener carro o teléfono, cosas imprescindibles para asegurar la pertenencia a ese otro rango social.

Llegó el momento en que decidió irse. Alquiló una habitación en una casa de huéspedes, limpia, pulcra, donde en una ventana mantenía una mata de violetas, detalle que a ella le parecía original –mantener una maceta de las flores que tenían su nombre– y que más bien tendía a subrayar su adhesión a los más almibarados lugares comunes. Reflejaba, sin que ella pudiera ocultarlo, su angustioso deseo de tener cabida. No podía comprender que sus esfuerzos serían inútiles. La sociedad que anhelaba era –y lo sigue siendo– clasista y excluyente.

El salón se cerró. Me asalta su imagen, nítida, en medio de la ausencia que el tiempo depositó en él: los espejos nublados de polvo, la máquina de la permanente desarticulada y vieja, las grandes cabezas de las secadoras como estatuas petrificadas, los cajones, donde las cucarachas presurosas sustituyeron a los tubos, y esa presencia implacable del lavacabezas parado inútilmente en una esquina.

Estaba allí el día aquel que de pie, tras el mostrador que guardaba los productos para el cabello, las uñas, los faciales, vi entrar a mi hermano. Se quedó detenido en el dintel de la puerta, mirándome desde sus grandes anteojos. Estaba tenso, cansado, con su pesada mochila en la espalda, las mejillas rojas. Era casi de noche. Toda la tarde la casa había sido un revuelo... no había regresado del colegio.

Después de darle muchas vueltas y discutirlo con mi abuela, mi madre se atrevió: fue a la abarrotería a prestar el teléfono, aparato que sólo había usado antes en situaciones muy graves.

"Sí, se quedó castigado, pero se fue hace ya una hora."

Sin embargo, no llegaba y no llegaba. Mi abuela no cesaba de repetir: "¿Cómo así que lo dejaron castigado?, y uno aquí tronándose los dedos..."

Mi madre salía a la calle, caminaba hasta el Cerrito del Carmen y regresaba. No podía estarse quieta. Jugando por allí, revolviendo las cosas del mostrador, fui la primera en verlo aparecer. No lo podía creer... Allí estaba.

Ella se abalanzó para abrazarlo, mientras él contaba que el cura lo dejó castigado al final del día, porque no había querido entregarle los sellos postales con los que jugaba abstraído y que lo tenían ausente de la clase de historia. Yo lo escuchaba atenta, viendo sus dedos nerviosos manchados de tinta. Comprendía como nadie su resistencia con el cura. A veces me parecía que sólo yo podía verlo cuando desaparecía encerrado en el misterio de sus inescrutables mundos.

Él continuaba el relato, no tenía dinero para la camioneta, así que se había venido caminando solo desde el Liceo Guatemala.

"¿Cómo que viniste caminando solo desde allá?"

Yo, lo admiraba muda. Comprendí que nunca sería como mi hermano, rebelde y valiente. Capaz de cosas enormes como resistir al cura, o caminar desde el Liceo Guatemala hasta la casa, sin miedo. Yo nunca podría ser capaz de un gesto así. Curiosamente, empecé a quererlo de otra forma: con una ternura tal, que a pesar de ser yo más chica, quería cuidarlo y protegerlo porque detrás de sus rabiosos ímpetus de libertad y osadía podía ver la vulnerabilidad de los seres puros, incapaces de hacer transacciones con la vida.

Fue desde entonces mi héroe. Y desde ese momento en el dintel de la puerta, donde lo vuelvo a encontrar con sus anteojos gruesos, victorioso de su aventura escolar, escupiendo de frente a cualquier figura de autoridad, se desdoblan las mil imágenes de su retrato.

Hace veinte años que cerré el libro de palabras compartidas con él. Fue una curiosa manera de cerrarlo, porque un albañil revolvía mezcla de cemento y arena con una cuchara que al golpear en el cemento del piso, hacía un ruido desolado que me destemplaba los dientes. "¿Cuándo terminarán con todo eso?", pensaba. Al lado, los ladrillos apilados esperaban su turno para incorporarse a la pared. A tus compañeros de la Escuela de Medicina les costó trabajo cargar tu ataúd.

No, no quería regresar, y estoy aquí hace un año, cansada como si recién hubiese regresado de un largo viaje, llena del polvo del camino, con un montón de artefactos extraños de otros lugares. Ya nadie me siente de aquí, y yo sólo a veces, como ahora, sentada en medio de la noche en este muelle donde se oye a las ranas cantar ese extraño canto de tribu alrededor de una fogata, de tribu contando cuentos ancestrales, en este momento, me siento de aquí.

II

Aquí cuando llueve, diluvia. A borbotones, en gotas grandes, a cántaros...

Había olvidado esta lluvia en otra lluvia. Finita, delgada, perpetua. Finas agujas de un cielo bajo, algodonoso. Lluvia gris sobre un mar de plomo. Se confunden cielo y mar en un color sucio, de charco. La lluvia en Vancouver mantiene las calles mojadas y brillantes. Parece que un espejo se plantara enfrente haciéndonos mirar sólo para adentro. Desciende con cierta geometría sobre los jardines verdes y manicurados de Kitsilano. Tan silenciosos que parecen deshabitados, casas de revista, fotos. Y con desasosiego en Robson Street, sobre las sombrillas rojas, amarillas y a cuadros de los transeúntes presurosos y un poco ausentes que se desplazan a lo largo de la calle repleta de vitrinas y restaurantes.

Los comentarios sobre el clima son la primera cosa del día en los cafés de cada esquina.

—Llueve.

—Sí. Llueve y llueve.

—Empezó hoy hace ya una semana.

—¡Qué tiempo tan horrible!

Y si finalmente salió el sol, cuando ya sólo los más crédulos lo esperaban,

—¿Vio qué lindo día?

La gente se vuelca sobre English Bay. Se abren las terrazas de los cafés, los perros salen a correr a la playa y una multitud de patinadores, ciclistas y caminantes escapan de sus encierros para respirar el aire frío y cortante.

Yo escogía las escaleras de la Galería de Arte para tomar el almuerzo, mientras me distraía con los malabaristas, los hombres-estatua, los jugadores de ajedrez, que buscaban unos dólares de los paseantes que siempre tienen buen humor en un día soleado. Me sentaba, en el graderío, oyendo al fondo, como en un mundo propio, a los estudiantes chinos que se reían de todo y se divertían en una lengua disonante y nasal que subrayaba mi sensación de ser ajena.

Ajena. Así me sentí esos primeros días en estas calles estrechas y sucias, infestadas de polvo y de pobreza. La gente me parecía fea, el tránsito frenético, plagado de bocinas estridentes y rudas. De repente llegó el invierno: los relámpagos latigueando los cielos encendidos, los rayos anunciando un cataclismo próximo.

Parada en *La Reforma*, intentaba atravesar la ancha avenida. De súbito la lluvia. Las gotas enormes caían de golpe, abriendo camino en el pelo, corriéndome por la cara, arrasando el maquillaje. Se me colaban por el cuello, bajo la blusa, por la falda, hasta empozarse en los zapatos, que saltaban y corrían intentando no caer de lleno en las correntadas que se apresuraban, cada vez más anchas a la orilla de las banquetas. La ropa se me pegó como una segunda piel muerta y fría, los zapatos empapados hacían que mis pies se deslizaran inestables.

Me apresuré con dificultad hasta la otra orilla,

donde en la Embajada Americana una larga cola esperaba una visa. Un vendedor callejero me miró con una sonrisa irónica y me preguntó si quería comprarle un paraguas.

Los olores se levantaron de la tierra mojada y de las hierbas. El trópico se extendió y quiso recogerme. Una memoria aletargada quería despertar y yo me resistía. Porque no quería olvidar esa otra vida a la cual me aferraba. No quería olvidarla porque no quería olvidarte. Porque aún me dueles en el recuerdo, en el silencio que mantienes, en el silencio que mantenemos.

El sobre de papel Manila había perdido su forma y no era sino una piltrafa entre mis manos. Se tornaba impensable presentarme así a la entrevista de trabajo. El currículum vítae no se había salvado. Parecía como si el universo no funcionara, como si alguna pieza faltara y trastabillara su ritmo.

Ordenar el caos que se empeñaba en prevalecer me pareció inútil y lo solté: arrojé dentro del tragante el sobre deshecho y me puse a caminar. Pero... ¿adónde?, ¿adónde ir si no había ningún sitio para respirar en aquella ciudad atorada de aire sucio y carros? Mojada, el maquillaje corrido, el pelo pegado a la cara, me sentía caer por una pendiente, me deslizaba hacia abajo.

Sophos apareció en una esquina, con sus libreras y rincones de mesas tranquilas. Decidí entrar como último recurso. Me paseaba por los estantes llenos de libros, cuando de pronto vi tu rostro, mucho más viejo, pero con los mismos ojos azules tras los espejuelos redondos, sonriendo con picardía, como si lo supieras todo, allí en la portada de la biografía de Ernesto Cardenal. No dudé en comprarlo. Pensé en nuestras bromas. Sería lindo dejarlo en la puerta de tu casa, anónimo, para que te quebraras la cabeza sin saber quién dejó allí ese rostro, que era tu rostro, tu imagen, viéndote y riéndose, igual que tú, pero desde tiempos futuros.

Supe que de primera impresión mi gesto desataría tus miedos paranoicos. Te inventarías una historia complicada, llamarías a unos cuantos para averiguar con disimulo sobre el asunto. Supe que luego, nos reiríamos con esa complicidad que siempre fue nuestro mejor terreno.

Pero ya no era posible ir a la calle Waterloo. Cruzar el puente de Lions Gate con sus viejos leones de piedra, sobre ese mar que extiende sus brazos por todas partes. A continuación el de Burrard, hacia el oeste de la ciudad, hasta llegar a Broadway, doblar a la derecha, hasta la callecita cerrada con sus árboles de cerezo y, allí, a mitad de la cuadra, tu casa, las escaleras de la entrada...

Recorrí ese camino con mi mente mientras encendía un cigarrillo, el cuarto de la jornada, a pesar de que me proponía otra vez dejar de fumar. Vi con claridad tu puerta cerrada. Mi corazón palpitaba como siempre, frente a esa puerta. El deseo y el temor golpeando juntos, sin saber, sin nunca saber... Subí por las escaleras hasta tu cama, esa antigüedad de bronce con el escudo heráldico de una vieja familia bonaerense. Te vi dormido, rubio y vulnerable y te recorrí con una mirada que volvía a besarte.

Tu casa, quieta y muerta, como en aquellos últimos días en que sin tu presencia se desplomaba bajo el peso del silencio. Se confunden los tiempos, las visiones.

En aquellos tiempos de nuestro primer encuentro, los sillones amarillos a la derecha eran azul pálido.

(El día que te conocí fue un día común. No hubo eclipses, relámpagos o movimientos telúricos. Ningún signo que pudiera presagiar mi paso a través de tu extraño umbral. De allí que son pocos los recuerdos que puedo rescatar: era una fiesta de la comunidad guatemalteca, la tarjetita con la leyenda "Cónsul del Uruguay", las pequeñas gafas inundadas del color azul de tus ojos y esas palabras en español, siempre bienvenidas cuando la nostalgia por mi tierra estaba viva.

Nuestra conversación, íntima a pesar de ser nuestro primer encuentro. Ese día te escribí una nota: me hiciste sentir hoy que mi nombre, mi cara, mi historia tienen aquí un lugar y un sentido. Quería desde entonces, transgredir con vos una frontera, escribir esa otra historia.)

Más lejos, el piano de cola, desafinado, lleno de retratos que yo asumí como *la galería de los fantasmas*, sin atreverme a verlos de cerca, a preguntar. Con el tiempo, conocí los detalles de esos recortes de tu vida, estudiante en UBC, barbado y pelo largo, con botas y pantalones gauchos en un campo del Uruguay, Marino con su bandoneón y atrás Gabriela, su eterna amante, Luciana, desde niña hasta adolescente.

Sí... Los fantasmas estuvieron siempre remarcadamente ausentes de tu casa: la dedicatoria que escribí en Mar del Plata, en el libro desastroso de aquel autor de moda, cercenada con cuidado, ninguna foto de parientes o de la infancia en el viejo barrio de Montevideo. Ninguna foto de... ella.

(Con el tiempo desapareció también esa otra foto. Tú y yo en Toronto. La ciudad imponente y tus colegas del cuerpo consular rígidos y serios, casi todos demasiado viejos. No pude sino darme cuenta que también me había convertido en perdurable y fantasmal.

En aquel viaje me besaste por primera vez. Un beso sencillo que hubiese pasado por un simple beso de buenas noches, si no hubiese sido porque me lo diste en plena boca. Te fuiste, sin decir más, a tu habitación contigua y ninguno de los dos pudo ya dormir, porque sabíamos que del otro lado de la pared estaba el otro esperando. Esa noche, recordé mil veces tu presencia en mis labios.)

Vuelvo a ver mi imagen replicada en el viejo espejo francés. Sobre la mesa reposaba, abandonado, un berimbau.

(Nuestra historia... me equivoqué tanto tratando de escribirla. No, no me refiero a este momento cuando sólo me queda su memoria... me refiero a ese entonces, cuando se gestaba, formándose a partir de instantes que nacían y morían sin que pudiese desentrañar su sentido. Pensé que eras un nuevo romance en mi vida y quise domesticar la relación, pero las cosas nunca fueron como yo quería. No se ajustaban a mi imagen, a esa proyección ideal con que siempre queremos doblegar la realidad. Ibas y venías de mi vida a tu antojo. Llamadas y silencios. Me quebraba siempre frente a tu silencio. La primera marca de ti, esa primera señal dolorosa. Esa roca tan dura, que luego aprendería a abrazar.)

A la izquierda, tu estudio, el retrato de Emiliano Zapata, la sonrisa del Che, la vieja placa de bronce del almacén de tu abuelo en Montevideo: "Zacharias Becher, 1924".

(Cuántas noches heladas y silenciosas... Tu beso sobre el tirante negro de mi sostén. Las calles vacías, la tormenta de nieve, tus besos calientes, las hojuelas blancas de la nieve en las pestañas, el pelo, la ropa. Cada uno de esos momentos rotos por un mar de espera, mar de silencio, un mar de nada. Y luego, la espera, el silencio y la nada, rotos por el mar de tu presencia que me envuelve y luego se deshace como una ola, imposible de atrapar.)

Cinco pasos al frente, el mueble tailandés con los sifones azules.

(Ése lo compramos juntos aquella tarde en San Telmo. Habíamos almorzado a deshora milanesas y ensalada de berro por el desvelo de una noche de Clericot y confesiones. Me asombraba que la heladería estuviera abierta a las tres de la madrugada. Tus besos fríos con sabor a dulce de leche, y luego, la calle Besares, subir por las escaleras estrechas hasta aquel ático de libros empolvados donde dormimos. Nos reíamos de la humildad de nuestro refugio, y pensaba que era mi sueño hecho realidad, vivir así con vos, apenas de amores y de besos. Nos bebimos la botella de Champagne que teníamos reservada para nuestra despedida de Buenos Aires. Tus manos atrapaban la luz de las velas. En medio de la penumbra, parecían un espejismo. ¿Era todo un espejismo? Por el tragaluz, la luna llovía sin freno.)

La Virgen me miró con sus ojos fijos, brillantes con la luz de una veladora...

(Ésa apareció después de una de tus largas ausencias, la trajiste de Brasil. Regresaste distinto, tu

voz fría y calculadora, los ojos traslúcidos, sin expresión. Habías empezado a verte con ella. Vieja, retorcida... poderosa. Ella... su imagen me persigue: los ojos perdidos entre las bolsas de los párpados, la nariz ganchuda, el cuello arrugado de lagartija.)

Los estantes de la cocina guardan copas de cristal checo y una vieja vajilla alemana.

(Me fui aquella madrugada con el aliento sucio a desvelo y a nicotina. Alcancé a mirar por el vidrio trasero del auto tu cuerpo desnudo salir a la calle con un grito ahogado; después de una pausa en que lo sostuvo el desconcierto, se desplomó abrumado en las escaleras de la entrada. La llovizna fría no paraba de caerte. Por el vidrio delantero, la vida se desarmaba frente a mis ojos. Me quebré completa, me perdí totalmente. Me ahogué en ese mar. Tu mar.)

La lámpara de cristal que costó tanto trabajo encontrar, lanza destellos de luz sobre la mesa. Me arrastraste en Montevideo a ver aquel anciano, especialista en lámparas antiguas. Nos dio una paciente explicación de cada pieza, de cada cristal, hasta que estuviste convencido y la compraste.

(Dejarse nunca fue fácil. Volvimos. Faltaba escribir el último capítulo. Fue de común acuerdo, en complicidad, quisimos huir de lo que nadie escapa: la fatalidad del amor. Pero, no imaginábamos entonces que fuésemos a ser culpables de algo brutal. Mientras el destino gestaba su criatura, dejábamos transcurrir una dicha transitoria. La alameda perfumada se alargaba en tardes enarboladas y abría de par en par nuestro asombro. Eras vos el perfume en flor de aquellas tardes.)

Al final del pasillo, el dintel de la puerta trasera y sobre él, la máscara de un conquistador rubio. La traje de Guatemala como un regalo para ti. Le diste la importancia de un talismán y la colgaste en el sitio que sentiste era *su lugar*.

(Una nueva ruptura, un recién estrenado silencio. Ella murió en circunstancias dudosas. Volviste el día de su funeral, después de meses sin saber de vos, sin verte. La iglesia estaba llena de flores. Te sentaste a mi lado, pálido y tembloroso. Los dos comprendimos en silencio que nos arrastraba también a su tumba. Agonizamos, morimos, los tres.)

Nunca pensamos escribir esa historia. En todo caso, ya está y no hay salida. Toda historia, una vez iniciada, conmina a un destino marcado.

Fue la puerta de tu casa la última que cerré la madrugada ventosa y amarilla en que partí. El taxista tocó el timbre, inaugurando la larga cadena de actos que me conducían al olvido –si es posible el olvido–, como a un condenado a su condena.

Los objetos que acompañan las despedidas me parecían abominables en su mentida inocencia: las maletas, las luces y el golpe seco de la puerta detrás de mí. Mis pasos golpearon las escaleras y me parecieron en extremo ruidosos. Quizá mi cuerpo pesaba en exceso después de esa noche agitada, en que tu casa me atrapaba como un ataúd, mientras yo me preguntaba qué hacía allí, sin presencia, como una sombra en el vientre vacío de una ballena, esperando la alarma de un reloj que no sonaba, la luz de un día que no llegaba, anegada en un tiempo detenido.

Los cerezos de la calle Waterloo pasaron uno a uno por la ventana del taxi que corría al aeropuerto, desarticulando por fin esa espera, haciéndola estallar en pedazos.

(La culpa marca con sus mil pasos mi cuerpo tendido como una sábana. Si algún día no fui la que soñaste, si algún día no fui quien soñé–mi vida tocó la tuya con miedo, queriendo salvarse– lo pagué con perderte, con estas ganas de vos que encaminan obsesivamente sus dedos para tocarte...)

Es ya noche y ha parado de llover. El aire pegajoso ahoga las cigarras que elevan el tono álgido de su canto, impregnando el ambiente de una indefinible sensación de nocturnidad.

La ventana de C se ilumina a lo lejos. La silueta del lanchero aguarda silenciosa en el muelle. Siento la misma renuencia acercarse, poderosa como una sombra. Pero me dejo llevar por mi cuerpo, que tiene voluntad propia.

Sé que iré puntual. Entraré y conversaremos un rato. Luego, sin pensarlo, mis labios buscarán y entablarán un diálogo de labios. Diálogo de juegos y de interrogantes que no se pronuncian. Mis manos se enredarán en sus manos con una recíproca complicidad. Buscarán y encontrarán la piel de su espalda y sus muslos. Los senos posarán su peso sobre un pecho mullido que los acogerá en su refugio tembloroso. Los pezones encontrarán una boca que los cubrirá con un hálito mojado.

El cuerpo se olvidará de las fronteras e inaugurará otro tiempo que marcará con su ritmo los instantes. Se perderá en su propio olvido, apuntando hacia un nuevo norte. Se quedará vacío de todo lo otro: la cabeza, el corazón, que vagarán en su propio universo deshabitado.

III

No recordaba lo hermoso de este paisaje. Las costas de Guatemala frente al Caribe, donde hay un río verde de un verde esmeralda que no deja lugar a dudas, un mar que es azul y dorado, un lago que es un espejo y se mimetiza con los colores del cielo. No es ésta la primera vez que lo atravieso con la misma extraña sensación de no saber si navegaba en el agua o en el cielo y la misma ensoñación de que mi barca podía ser la de Isis, o la de Venus deslizándose sobre un manto traslúcido de agua, o de nube...

Qué más da, en medio de toda la serena belleza que me rodea y me hace comprender ese deseo de los hombres de poseer a las mujeres hermosas, queriendo con ese acto poseer la belleza misma. Pero todo se desvanece en un acto fallido, en un agujero que lleva a la nada, porque es evanescente e inaprensible y deja tras de sí tan sólo el vago rastro del deseo.

Así me pasa en medio de este mar, de este río, de este lago, profusamente poblados por el trópico, sus vuelos de ave, sus frondosidades de verde, enredándose, trepando, arrastrándose por arriba, por debajo de los árboles. Las flores insólitas, de colores penetrantes y olorosos invaden mis sentidos con llamados diversos y policromos provocando un éxtasis que podría sólo compararse al que ocurre cuando mis dientes penetran con decisión la suave carnaza de un mango. El jugo cae escurriéndose por las comisuras de los labios, se desliza entre los dedos, a lo largo del brazo, sin dejar lugar a otro pensamiento, ni a otra sensación que no sea el invasor trópico lujurioso.

La etérea suavidad de la brisa, el sordo estertor del minúsculo motor, me sumergen en un limbo que no es sueño y no es vigilia. *Los hombres precisan navegar...* el recuerdo de tu voz llega de siglos atrás y me alcanza. ¿Y las mujeres? A nosotras se nos enseña temprano la importancia de encontrar un puerto donde anclar nuestra nave. Un lugar seguro. La mujer espera. Cose y canta, dice la mitología.

¿Un lugar seguro? Me sorprende la falacia. Los puertos pueden ser lugares sucios, infestados de burdeles, cantinas y otros comercios ilícitos. Aunque por un tiempo su vida bulliciosa y ocupada puede atraparnos, llega el día en que es preciso levar anclas. La inmensidad del mar apabulla a cualquiera. Navegar puede ser terrible. Sin embargo, hay algo en él que deja respirar.

Va quedando la resaca de nostalgia por una tierra prometida. Un lugar que pueda acoger nuestro barco expatriado. Un pedazo de suelo para reinventar la historia, donde se pueda ser como se quiso ser: esa imagen irresuelta, esa imagen que busca corporeidad. ¿Qué es ese lugar? ¿Dónde está? ¿Podría ser éste?

El arreglo de mi estadía en la casa de Don Asunción fue sencillo. El problema se redujo al pago de los servicios, lo cual simplificaba mucho las cosas; reducirlo a un asunto de dinero quitaba de en medio complejidades afectivas. El único problema era que yo no tenía dinero. Estaba desempleada.

Mi madre cubría por mí los gastos sin yo saberlo, ya que Don Asunción no dejaba pasar mis atrasos desapercibidos, pero no me lo decía a mí: la agarraba a ella por su cuenta, con reproches que terminaban en un solapado ultimátum. Si no pagaba, tendría que irme. Ella se las arreglaba para conseguir el dinero, sacándolo de la misma caja registradora de la ferretería, costumbre adquirida a través de los años, ante la increíble tacañería de Don Asunción que decretaba lo que había de gastarse, sin jamás reparar o poner oídos a los precios reales de las cosas. Le entregaba el dinero extraído de su propia caja registradora. Él quedaba complacido, porque reafirmaba que su santa voluntad se cumplía en su reino, como siempre.

Me había instalado en esa otra cama en la habitación de mi abuela. Nunca permitió que la ocupara nadie, excepto Ibis, su hija predilecta, con quien tenía un lazo sentimental apretado, anudado en esos años que las habían mantenido inseparables. Años en que Ibis padecía los abusos del mulato que salió todo lo malo que presintió la abuela cuando lo echaba de la casa. Años en que regresaba moreteada, a deshoras de la noche, con el hijo a cuestas.

La cama me fue cedida, en atención a que estaba *de paso*, noción que yo mantenía vigente: mi ropa permanecía en la maleta y le aseguraba a quien quisiera oír que estaba presta a salir *de este hoyo* en cuanto pudiera. Había venido sólo por la gravedad de mi abuela. En cuanto se pusiera mejor, me marcharía.

Lo cierto del caso es que me encontraba perdida en un ancho y largo limbo. Me sentía al final de muchas cosas, sin saber qué había más allá de un horizonte secuestrado por la niebla.

Dormir con mi abuela no dejaba de tener sus momentos dulces. En las noches en que se sentía *alentada* se levantaba a arroparme y yo me dejaba cubrir por sus manos, sintiendo que esas sábanas que acomodaba amorosamente no reposaban sobre mi cuerpo, sino sobre mis heridas, sobre mi vida desarmada, sobre todo lo que nunca logré poner en orden, y entonces no importaba, porque allí estaba ella, envolviéndome como si fuera la cáscara dura y a prueba de intemperies que cubría un tierno fruto. Podíamos engañarnos pensando que era posible regresar al ayer: yo era una niña y ella podía salvarme del mundo y sus terrores. Podíamos olvidar que ella agonizaba.

Había otros momentos, donde la experiencia semejaba caminar al filo de un abismo que por perversión de las cosas se me mostraba a través de ese umbral tan entrañable. La abuela estaba acabada, tan flaca que su ropa absurdamente grande parecía pertenecer a otra persona. Sus pies, hinchados de forma grosera, cabían sólo en unas pantuflas anchas que hacían ruido de estropajo al caminar.

El abismo tenebroso de la muerte no era el único, ni el más terrible. La abuela andaba a caballo en los mares de la locura. Su cerebro parecía quedar atorado en la repetición abrumadora de acciones cotidianas que ocupaban su último instante de conciencia, olvidando y confundiendo la realidad inmediata, como una máquina descompuesta.

Este ser extraño que se empeñaba en el absurdo, se revestía de la imagen más cotidiana de nuestros recuerdos: la frente bondadosa, las manos con el mapa conocido de arrugas y manchas, la silueta que nos había acompañado toda la vida. Ocupaba el cuerpo de mi abuela, sus recodos entrañables y ella quedaba como desaparecida, desplazada por la lógica, ajena y remota de la sinrazón.

La única que podía hacer que volviera a la cordura era Ibis, su hija querida. Lo hacía con rudeza, grosería y abuso. Estaban de nuevo enredadas en un juego maligno, sólo habían transmutado papeles: Ibis era ahora la madre abusiva y violenta que alguna vez odió en mi abuela, quien ahora jugaba el papel de niña asustadiza, pillada en algo censurable.

Pedía perdón, se sometía, todo antes que sufrir la amenaza permanente de su hija: el abandono. Ibis era implacable, el envoltorio de un dulce tirado en el piso, una comida dejada a medias, la negativa de tomar una pastilla eran suficiente motivo para que la regañara haciéndole mil reproches, la castigara encerrándola en el cuarto y terminara con la acostumbrada cantaleta: "Ya estoy harta. Me voy". Salía dando un portazo, dejándola a merced de la histeria.

Mi abuela golpeaba la puerta del cuarto, pidiendo a gritos que alguien abriera, los loros alborotaban el corredor, la casa entera caía presa del relajo. Exasperados, se apresuraban a abrirle para terminar con el escándalo. Salía como una demente, despeinada y descompuesta, se paseaba por el corredor con una libretita de teléfonos en la mano, mendigando el favor de que alguien llamara a Ibis para que regresara. Pero ninguno le hacía caso, le habían perdido la paciencia.

Se ahogaba entonces en una angustia oscura y espesa. Caminaba de arriba abajo el corredor, por horas, sin tregua, murmurando cosas extraviadas entre sus labios ininteligibles. Ibis regresaba, olvidado ya el agravio, riéndose y ofreciéndole todos los mimos y atenciones. Amándola más que nunca. Amándola más que nadie.

Me dolía verla doblegada por un miedo irracional. Le tenía pánico a algo que se me escapaba, algo que sólo ella vislumbraba. Quise acercarme con la vana ilusión de que mi amor podría persuadirla de que esas visiones suyas, tan angustiosas, no eran reales. Pero, no se dejó consolar. De la muerte, era ella quien sabía. Los demás veíamos el drama desarrollarse desde lejos. Sólo teníamos certezas insulsas que ofrecerle desde nuestro mundo hecho de dudas.

"Me estoy muriendo" decía, y ya nadie la escuchaba.

Un día yo pude escucharla.

"¿Qué te pasa?", quería con mi pregunta llegar más allá de lo obvio. Todos sabíamos de su gravedad, pero su sufrimiento, si la conocía bien, trascendía el hecho clínico y aun el dolor físico.

Ella entendió perfectamente la intención de mi pregunta: "Me estoy muriendo", contestó sencillamente, con seriedad desnuda. La experiencia de la muerte no podía quedar contenida sino en la simpleza de aquellas palabras. Comprendí cuán admirables somos en esas vulnerabilidades extremas cuando la realidad sale de su penumbra y nos permite atisbar su ser iluminado y alucinante.

"Y ¿da miedo morir?", pregunté.

"No", respondió, "pero es difícil".

Anochece y la tormenta arrecia. La luz vacila y amenaza dejarme a oscuras. Me angustio. Mas no es la oscuridad lo que me atemoriza. Es la pantalla en blanco. *Debo escribir. Debo escribir.* Me latiguea esa voz obsesiva.

Los días se escurren. Hace ya un par de meses estoy aquí y apenas unas líneas.

Vivo en este lugar prestado y solitario. Una casa en silencio. Sólo me acompaña un río verde que fluye con entera certeza de su destino, lo cual no termina de asombrarme. Mi única compañía es C, que viene cada semana. Cocemos jaibas y camarones, le damos de comer a las gaviotas, mientras las cigüeñas nos miran de lejos con desconfianza.

¿Quién es C? ¿Qué significa? *An anonymous soul is darkness.* ¿Dónde escuché la frase? Quiere amarme. Lo dejo y no lo dejo. Soy ambigua. Desconfío del amor.

"No existe", amanecí diciendo, conversando conmigo misma. "¡El amor no existeee!..." grité, sacando la cabeza por la ventana, sintiéndome por fin libre de su tiranía.

Más tarde recapacité. Acepté mi exageración, con condiciones: *Si existe, es para semidioses, seres libres,* me dije. *Los otros estamos atados, nuestros deseos no nos pertenecen. Tendríamos que insubordinarnos, tendríamos que transgredir. Debiéramos amarnos, recoger en ese espacio todo lo que no cabe, lo inaceptable, nuestros excesos, lo que se abandona fuera de los límites. La fealdad, la fragilidad, el error quedarían cubiertos. Todos los impulsos incompletos. Debiéramos amarnos y que ello fuera una experiencia salvadora...*

Dentro de mí sabía que corría el riesgo de que no fuera nunca así. Podía caer en la tentación de dejarme atrapar por lo fácil, la caricatura doméstica, plagada de pequeñas crueldades y enormes vacíos que con frecuencia llamamos amor...

¡Eso es! Edifica un edificio de palabras —me recrimina otra voz interna—. *Vuélvelo todo una idea que no puedas alcanzar, un concepto que esté un paso más allá de donde puedas tomarlo. Y mientras lo haces,* me sentencio, *la vida sin amor será una total pérdida.*

Sé que la sentencia es una verdad a medias. Ante la extenuación, sólo el amor podría echar a andar la máquina de mi tiempo interior. ¿Pero, qué sé yo del amor? He caminado un largo camino tratando de encontrarlo. Siempre ha sido un extranjero que habla una lengua extraña.

C pronuncia con frecuencia: a-m-o-r. Me pasa lo irremediable: no puedo atar los actos cotidianos que nos unen con ese atisbo de otra realidad, esa cima desde donde se puede vislumbrar, esa huella que ha dejado grabada en mi vida la misma palabra, como muestra fósil de su increíble existencia. A-m-o-r significa algo distinto que *AMOR*, escurridizo, imposible, inefable como la muerte.

Las horas pasan. La pantalla sigue en blanco, el vacío crece. Lo lleno de estas hormiguitas que caminan y caminan sin saber adónde van.

Caminar, caminar...

"Me estoy muriendo", repetía la abuela. De muy lejos me llega con claridad su voz que vuelve a repetir:

"Iba a buscar a Romelia Santos que vivía lejos. Caminaba en la oscuridad pegajosa de la noche, atravesando el milperío que me aturdía con sus sonidos de tusa seca. Tenía ya los dolores de parto. Me iba a componer esa misma noche. Necesitaba la comadrona para ya. Toqué muy duro, pero ella no quiso levantarse. *Es muy noche*, me contestó desde adentro del rancho, y su voz se oía apenas entre el ladrido del chucherío. No supe qué hacer, sólo se me ocurrió acurrucarme al haz del rancho y llorar..."

Nunca escuché el rumor de las tusas secas. Conocí el mundo por su boca. De allí salieron las imágenes que llenaban la oscuridad del cuarto impregnando las paredes de sus miedos, sus culpas y una convicción inflexible de la manera de ser de las cosas.

"Entonces yo era pura patoja, casi una niña. Pienso en la noche cada poco... siempre me viene el mismo desasosiego, la misma necesidad."

La noche. En este momento, me envuelve implacable. La puerta se entrecierra y se entreabre con un crujido que parece llorar. Es el viento. La lleva y la trae, la lleva y la trae... Le permite hablar.

La voz de la puerta me hace percatarme del absoluto silencio. Si esta casa estuviese llena de gente y no vacía... No sabría yo nada de la puerta y su quejumbrosa realidad obsesiva. Pero no hay nadie aquí y la puerta cobra protagonismo en esta escena, pues es la única que parece tener algo que decir que valga la pena el esfuerzo. ¿Qué sordo estertor la agita? ¿Será su voz otra apariencia de la nada? ¿Una ciega acción del viento? ¿Qué sé yo de las cosas que pasan y de lo que significan?

Recuerdo. Y con el recuerdo el mismo desasosiego, la misma necesidad. Ya no sé si son sus palabras o las mías navegando en las vagas ondulaciones de la memoria. Ya no sé si recuerdo o si añado, mimetizándome, volviéndome ella, metiéndome en sus zapatos. Ya no sé si es su voz, o es la mía, que quiere recomponer aquellos relatos de entonces. Ella me formó el mundo. Pero, ¿no viví yo en otro mundo?

Mi abuela se llamaba Victoria. Tenía apenas catorce años cuando sintió que estaba embarazada del primer hijo. Su cuerpo se lo dijo de muchas maneras, en esa exacerbación repentina de su olfato, en el asco al ver unos huevos fritos flotar sobre la grasa hirviendo, en las burbujas que la sorprendieron al desprenderse de su vientre mientras esperaba el sueño.

La confirmación llegó: las piezas de toalla preparadas para recibir su menstruación quedaron dobladas y limpias en el cajón, mientras ella esperaba por largos días –se convirtieron con exasperante lentitud en semanas– que no fuese cierto.

Pudo haber sucedido cualquier día, quizá en los cafetales, una de esas tardes en que bajó a lavar la ropa al río. Ella nunca mencionó cuándo. Habló, sin embargo, de su inicial estupor frente a *la presencia del hombre* en su cuerpo, habló de ese olor penetrante, de esa sensación de sentirse abierta y descoyuntada.

Nunca le pregunté si le había causado placer. Ella escogió contarlo como una extraña e inesperada incomodidad corporal. También dijo que ese día, con el agobiante pasar del tiempo, el malestar del cuerpo, el ardor en los pezones, se fue convirtiendo en un dolor con otra textura, algo que flotaba como una mariposa negra en su cabeza y hacía pensar en cosas feas, como la suciedad de los fluidos, lo grotesco de las caricias, la violencia del contacto. Ya para la noche, se sintió llena de vergüenza, como si lo sucedido la hubiese vuelto distinta, como si estuviese manchada.

Cuando Mama Amparo se percató del embarazo, la llevó donde los padres de Manuel de la Rosa, a reclamar el matrimonio para su hija menor. Subió a La Castellana, donde sólo subían los mozos cuando iban a cobrar sus tareas a la oficina de la Administración. Pasaron por los patios en los que se secaba el café, por los estanques en que se lavaba. Vacíos en esta época del año, el polvo y la hojarasca se arremolinaban con cada golpe de viento. Todos las miraban, querían saber qué asunto venían a tratar a la casa grande.

El patrón las recibió afuera, en el amplio corredor donde colgaban las macetas de largas colas. Oyó a Mama Amparo hablar, despacio como lo hacía las escasas veces que hablaba. Con pocas palabras, como si le costara un enorme esfuerzo expulsarlas de sí, dijo desde su cuerpo de palo: "La patoja es menor. El hombre ese la arruinó".

La Castellana, la Perla, todas las fincas de los De la Rosa rodeaban Barberena y se adentraban en los caminos a Cuilapa, antes conocida como Cuajiniquilapa. Así también desde San Marcos hasta las

Verapaces, desde Sololá hasta la Costa Cuca. Guatemala era, toda, una gran finca de café.

Hacía casi un siglo, las colinas pobladas de nopaleras habían sido invadidas por las matas de lustroso verde oscuro. Se sembraron entre los surcos de los nopales primero y con el tiempo, fueron obligando a arrancarlos en forma definitiva, para extender hacia arriba, hacia abajo del mapa, su nunca agotada posibilidad de generar riqueza.

La Vega y Cerro Redondo fueron las primeras plantaciones en Santa Rosa. De allí surgió también Viñas, siempre hermosa, que pasó a manos de la Compañía Hanseática de Hamburgo por 200 mil dólares. Junto con Los Diamantes y El Zapote, formaron una extensión de 153 caballerías. El Porvenir, 152, Chocolá, 56, San Andrés Osuna y La Rochela 100, Concepción, 92... Por todo el país se buscaban tierras, grandes extensiones para convertirlas en latifundios.

Y luego, brazos, más brazos, baratos y dóciles. Gente que recibiera conforme su mínimo jornal cada semana, en medallones impresos en las propias fincas. Dinero de mentiras: pedazos de metal redondos, ovalados, triangulares, hexagonales, grabados con el nombre de la plantación, que podían cambiarse en las tiendas, farmacias y cantinas de la finca y que mantenían a los peones atados a ella por ese sutil cordón umbilical.

El transporte hacia los puertos se hacía a lomo de mula o en carreta de bueyes. Cuando la mercancía salía por el puerto de Izabal, caliente e insalubre, el camino pasaba por San José del Golfo, Zacapa, Gualán, atravesaba las montañas del Mico hasta llegar al pequeño puerto de Izabal, cruzaba en bote o vapor a Livingston, y de allí a los mercados internacionales. Un viajero a caballo recorría la distancia en siete días, los patachos de mulas necesitaban cuarenta.

El Gobierno inició la construcción de caminos y muelles en la costa del Pacífico. El floreciente comercio exterior, exigía las condiciones adecuadas: puertos, ferrocarriles, telégrafos, bancos... el futuro llegaba. Ya lo decían los ecos que venían de Francia, había que ser moderno, *absolutamente moderno*. El café, en granos verde azulados, en granos verde jade, como las montañas mismas donde crecía, era el corazón en flor de Guatemala.

Don Onofre de la Rosa y Morel había llegado al país a principios del siglo XX, oriundo de Málaga, donde había sido gobernador. Era eficiente y trabajador. Traía los dineros recibidos por la venta de sus acciones del Ferrocarril de España.

Su fortuna de inmigrante se vio favorecida: antes de la primera gran guerra ya hacía negocios importantes, sobre todo en las exportaciones de café. Compraba y juntaba toda la cosecha de los pequeños productores y poquiteros, la recibía en pergamino y la limpiaba en una retrilla instalada cerca de su casa y luego la exportaba vía Izabal y Belice.

Varios años después, se convirtió en terrateniente. Compró una tras otra, varias fincas de café en Barberena. No tuvo que hacerlas, tarea herculea que había emprendido medio siglo antes William Nelson, norteamericano que había llegado al país como agente comercial de la Panamá Railroad Company. Había visto la oportunidad de expandir sus negocios con un servicio regular de vapores entre Panamá, el Puerto de San José en Guatemala y San Francisco. Por esos años, se empezaba a exportar café a Estados Unidos, principalmente a California, región que atraía a mucha gente por la fiebre del oro.

La dificultad para conseguir mozos fue enorme, pues la gente se rehusaba a trabajar en las grandes fincas. No obstante Mr. Nelson logró conseguirlos en las aldeas de tierras altas, más allá de Quetzaltenango. Indígenas, a los que se obligaba a dejarlo todo por el trabajo estacional en las tierras cálidas. Al cabo de un año se habían limpiado casi seis caballerías de tierra, construido residencias temporales y ranchos para los mozos.

Cuanto más se incrementaba la producción, más exigían los caficultores la provisión de mano de obra. Sin embargo, no era fácil conseguirla. El problema no era la escasez de población, sino la falta de voluntad para trabajar con los finqueros, una cuestión de libertad de escogencia. El indígena estaba atado a su terruño, a cultivar para su sustento, a quemar y rozar la tierra antes de enterrar la semilla del maíz. La creencia en la sacralidad de la tierra no entendía la agricultura comercial dirigida a los mercados internacionales.

Para responder a este problema que frenaba el progreso, el gobierno liberal intervino. Al fin y al cabo, después de todo, ésa era su ideología: que una élite condujera los destinos de la nación. El resto, rostros anónimos, masa informe, tendría que esperar. Ya le llegarían los frutos del progreso.

Pronto las tierras comunales que habían poseído las poblaciones indígenas desde tiempos inmemoriales les fueron arrebatadas, con la razón legal de que las mismas *carecían de título que legitimara su propiedad.*

Se restableció el trabajo obligatorio. Se exigió a los jefes políticos de los departamentos aportar los mozos que fueran necesarios a la producción –*todo pueblo progresista debe perseguir la vagancia*–. Los finqueros a cambio debían proveer a los colonos habitaciones de teja o paja, alimentación sana y abundante, una habilitación diaria, un pequeño terreno en la finca para labrarlo en su tiempo libre y una escuela de primeras letras para los niños de los mozos. La Colonia lo llamó repartimiento de indios. La República lo llamó simplemente *mandamiento.*

El proyecto de Mr. Nelson crecía viento en popa. Muy pronto mandó a traer de Inglaterra la maquinaria para beneficiar el café. Su transporte hasta Barberena no fue nada fácil, ya que la distancia de Izabal a la finca hubo que hacerla en carretas de bueyes primero y, luego, sobre las espaldas de los indios quienes tuvieron que vencer los empinados senderos con piezas que pesaban hasta una tonelada.

Como todavía no había patios para secar el grano, éste se extendía diariamente sobre petates y se recogía de noche. La madera para construir los edificios para el beneficio aún no había llegado; en consecuencia, la primera cosecha de dos mil quintales tuvo que ser preparada con morteros de mano. Después, cuando se niveló una colina lateral, se construyeron allí patios extensos para secar.

Cuando el segundo año la producción arrojó cuatro mil quintales de café, la preocupación de los finqueros fue cómo transportarlos al puerto más cercano. A lomo de mula se llevaron los sacos a Retalhuleu y de allí en carretas de bueyes a Champerico.

Lentamente se fue formando el pueblo, donde se obtenían ciertas provisiones y abastos de toda clase.

Mr. Nelson tuvo que vender su finca en una crisis de bajos precios en el mercado. Don Onofre de la Rosa la adquirió por la entonces fabulosa suma de 100 mil dólares y se estableció definitivamente en Guatemala, contrajo nupcias con Doña Josefina del Águila y procrearon cinco hijos.

Don Onofre llamó a Manuel, para increparlo ante el reclamo de Doña Amparo, pero él no escuchaba la voz áspera que contenía el conocido discurso de su padre. Su mente vagaba en la límpida mañana en que la vio venir por la vereda, montada en uno de los palominos pura sangre de la finca La Concha. Trabajaba en la finca de Ovidio Pivaral y todos la querían *–es una joya la Toyita–*. Traía su pelo reluciente, los labios florecidos en una sonrisa.

Los ojos de su memoria repasaron los brazos fuertes de la Toya lavando los trapos en los lavaderos, su cara abochornada por el calor, sudada y roja, como de hormiga guerrera, su aire suave, como el perfume de las siemprevivas que colgaban del techo de la escuela donde por las noches se encontraban: su boca dura como si se comiera un secreto, que le costaba doblegar para que lo aceptara, para que se volviera suave y abierta, ¡cómo costaba con la Toya!, pero él insistía porque allí estaban sus ojos que contradecían. Sus ojos decían todas las veces sí.

Cuando todos callaron, Manuel de la Rosa habló: "quiero casarme con ella", dijo por toda explicación. Don Onofre sintió un intenso alivio. Manuel era el menor de sus hijos. Soñador, bohemio, *un bueno para nada*, pensaba su padre. Las eternas parrandas, las llegadas de madrugada, borracho, los amigotes que llenaban la cantina, *chupando* a costa de Memito. Y luego, *felices ellos,* subidotes en el camión que le había comprado a regañadientes, porque a él no le gustaba apañar tonteras, pero con los hijos se termina por ser un burro, sobre todo porque la mamá lo consentía.

"Es mi *cume*", enfatizaba su mujer y no le importaba que se fuera de juerga so pretexto de los tales juegos florales. "¡Como si aquí necesitara yo poetas!", se decía y la ira le hacía repetir el almuerzo.

Que siente cabeza, eso quería Don Onofre desde hacía tiempo. *Que siente cabeza,* eso le iba a caer bien. *Además,* su cabeza arañaba alivio, *la patoja era letrada y no una india patarrajada, eso sí que no... Que no le fuera a resultar con vainas con una india envuelta, porque entonces lo crucificaría a palos. Con éste ya no tenía aspiraciones. Mejor solucionaba el problema de una vez por todas.*

Después de un breve silencio, Don Cesáreo respondió –*puesto que así lo quería Memito*–, se *honraría* a la joven que, quedaba entendido, se resignaría a lo que ellos decidieran –¿qué más quería? Iba a emparentar con los patrones–. Se fijó la fecha y se iniciaron los preparativos.

Mientras los acontecimientos se precipitaban, Victoria sentía una creciente inquietud.

"La metieron en el cajón vestida de novia", susurraban bajito las siluetas por el camino y se apuraban para no llegar de noche. Fidelia había muerto, apenas unos días antes de casarse. Era ya tarde, pero ella, todavía muy niña, rogó porque la llevaran al velorio: se le había metido que quería ver a su prima vestida de novia antes que la enterraran. "Sí, la llevo, Toyita, pero cargadita, porque a usté no le abunda el paso". El sombrero de Adelino no la dejaba mirar el camino. Cuando se vio rodeada de gente, se dio cuenta que habían llegado. Fueron directo al cajón de pino donde pálida y tiesa, reposaba Fidelia con el traje lleno de encajes y un velo tapándole la cara.

Los cirios chisporroteando luces hacían danzar siluetas que se enredaban en las paredes; y a ella se le metía en la cabeza que más que sombras eran los vigilantes que venían a recoger a la difunta: contaban que acompañaban a quienes habían de morir desde varios días antes. Luego... se los llevaban.

La letanía cuchicheante de las mujeres rezando, las fragancias de los frijoles de olla y de las hojas de plátano que envolvían los tamales borbollando en el brasero... Vahos que revoloteaban en el ambiente, enredando sus olores con los aromas insolentes de los ramos de nardos y gardenias, el llanto que arreciaba por ráfagas, el rostro de la difunta marcado por las sombras: antes la niña no sabía qué era la muerte.

Había vuelto a recordar a Fidelia en estos días. En sus pesadillas, el vestido de novia, blanco, largo, con sus mangas estiradas y rígidas, le caía encima, se volvía torrente de agua espumosa, la ahogaba.

El terror al traje blanco que parecía una mortaja era insuperable. Fue por eso que tomó la decisión y así se lo dijo a su madre: nunca se casaría.

Mama Amparo vio patente la muerte de su hija dar vueltas por su cabeza mientras le contaba sus sueños. Sin decir nada, fue a la casa grande a deshacer la boda. Manuel de la Rosa lloró... lloró en secreto.

Mi madre fue esa niña que nació grande y tan gorda que pasaron muchas horas sin poderla parir. Era pálida como su padre. No lloró al nacer. Pensaron que estaba muerta, pero mi abuela repitió instintivamente lo que había visto hacer años atrás a una campesina cuando parió frente a sus ojos: metió los dedos en su pequeña boca, hurgando la garganta de donde sacó unas gruesas flemas. La niña gritó fuerte y lloró hasta ponerse morada, mientras la limpiaban y acomodaban en los pañales de manta. El ombligo cercenado, quedó oculto bajo la faja que su madre bordó en los meses de espera.

Caminar... Hace apenas unos meses, vi a la abuela Victoria caminar. No entre el milperío para ver nacer a su primera hija, sino por esa pendiente que lleva a la muerte. De tarde en tarde, tiraba como un buitre de los intestinos de ese cadáver en que se convertía su vida, recuerdos recortados, fotografías impresas en el tiempo de su cuerpo.

Mi vida está suspendida. Con exasperación me percato de que no tengo voluntad para reinventar mi propia historia. El pasado abre su enorme boca, me traga. Quise borrarlo y, ahora comprendo, me miraba de regreso con su intangible reflejo. Huí de él, como una necia de su sombra. Un largo hilo se va desenredando... y ya no sé si son sus palabras, o son las mías en el recuerdo. Ya no sé si recuerdo o añado. Ya no sé si es su voz o es la mía que acude a recomponer aquellos relatos. Ella me formó el mundo. Pero, ¿no viví yo en otro mundo?

"Caminar, caminar... porque la escuela donde salió el nombramiento queda muy lejos, hasta en la cima empinada de aquella montaña azul. Habrá que buscar unas mulas porque los niños son chiquitos y no aguantan. Además está el baúl con las escasas ropas, un par de ollas, las cosas que nos pertenecen..."

"En San Antonio Miramar estaba la escuela. Andábamos de Herodes a Pilatos, con nombramientos de apenas unos meses, un año lo más. Pero esa vez... Esa vez sí que nos mandaron lejos. Conseguimos unas mulas flacas, llenas de garrapatas. Una para la Nena que llevaba cargada a Violetía, en la otra llevaba yo a Ibis."

"Hubo que dejar a Julio César y a Mama Amparo recomendados en la iglesia en Barberena. Por los estudios del patojo, que ya iba adelantado. El hermano Crisóstomo siempre fue bueno con nosotros."

"El baúl se había ido adelante con otro patacho de mulas y estaba esperando por Violetía, que se nos puso bien malita. Tocó limpiar toda la tarde un agua hedionda que le escurría por las piernas."

La niña se veía agotada y macilenta. Tenía fiebre y lloraba todo el día. No había comida porque la poca plata la pagaron al dueño de las mulas. A duras penas les daban algo en el comedor, donde a cambio ayudaban con la limpieza.

Llegó el día.

"Atravesamos el río con las mulas que trastrabiaban sobre las piedras verdosas. Más dentro, el agua les llegaba a la panza y a mí, me subía por las piernas peladas. Se me inflaba la falda como globo de colores. La corriente estaba fuerte. Los animales le hacían la lucha con sus patas flacas.

¡Y no dirá pues! El mío, no aguantó. Cuál no sería mi susto cuando aguadó las patas y allá nos fuimos, río abajo.

Yo, en mis angustias, trataba de agarrarme de las raíces. Las guiñoneaba y se me venían los grandes molotes, como que fueran de pelo. Iba, río abajo, raspándome toda con las piedras, tragando agua revuelta. La mula pasó patas p'arriba. Diga usté que a Ibis la pudo jalar un mozo que se tiró al agua, entre el barullo.

El dueño de las bestias, un hombre arrecho, se amarró a un árbol y se metió al río buscando a la mula. Hizo la cacha pero no la alcanzó. Los mozos se fueron a buscarla más lejos, encaramándose en las piedras por toda la orilla, queriendo vigiar a la mula. Nos tocó esperar un gran rato. Primero se nos secó encima la ropa empapada, que ellos regresar.

La mula esa se murió. La encontraron con los ojos pelados, abiertos. Estaba inflada, trabada en una piedra río abajo.

A todo esto, nos faltaba lo más jodido: subir la vereda que era apenitas y bien empinada. Yo sólo fui a llevarla: me tocó a pie. El barro grueso parecía chicle, me pegaba los zapatos al suelo. Se les desclavaron las suelas, tuve que amarrarlos con unas pitas. Me resbalaba cada tanto y tenía que meter las manos y las rodillas. Las tenía devanadas, todo con tal de no irme para bajo. Allá a las quinientas logramos llegar. Yo ya estaba que caía redonda. Para ajuste de penas, a esa hora empezó a lloviznar."

Aura o las Violetas amaneció grave. Lloraba con los ojos secos. Ardía en fiebre. Pero no había medicina, ni médicos. Se alarmaron por la gravedad de la niña recién llegada, la hijita pequeña de la maestra. "¡Se le va a morir!", decían los campesinos que entierran a varios de sus hijos antes de llegar ellos a la tumba. No tenían nada con qué hacer frente a la muerte. Se recolectaban hierbas para pociones, se contentaba la gente con pañitos calientes, con sobarse los pies con algún remedio hecho en la casa, para que por allí saliera la fiebre. "¡Se le va a morir!"...

Vivía en la aldea una costurera que también hacía trabajos de curandera. Hubo que buscarla en las pequeñas chozas hechas con bloques de lodo y paja, las más sólidas, y con cañas de milpa las más sencillas, como la estructura que albergaba la escuela. Cañas de milpa y techo de tusa que dejaban pasar toda el agua.

Dentro de la choza, la lluvia empieza por caer en breves gotas; cuando arrecia, se instala con comodidad, mojándolo todo. Forma riachuelos que se arrastran bajo los muebles y se deslizan bajo la puerta. Se empoza en pequeños charcos. Como culebra se enrosca sobre el piso de tierra y termina por convertirse en un lodazal.

Hay que buscar refugio, "métanse bajo la mesa", decía la madre, "acuclíllense junto al baúl". Ibis no hacía caso, la *malcabresta*. Correteaba por ahí empapándose toda. Sólo cuando se le enseñaba el chicote corría a esconderse bajo una silla, hasta que pasaba el agua y dejaba otra vez instalado el calor húmedo y pegajoso, azotado por miles de mosquitos.

La costurera dijo que sería cosa de suerte encontrar algún resto de la medicina que consiguió en la capital, las pastillas mágicas. Buscó en las bolsas de retazos, en los tazones que colgaban sobre los rescoldos de brasa, en el gavetero. Al fin recordó... con paciencia hurgó en los hoyitos de la pared donde tenía depositados papeles, agujas, colillas de cigarro, hasta encontrar un papelito doblado que tenía dentro apenas un cuarto de una pastillita de cuajar quesos, blanca, a medias, hecha polvo. "Tome", le dijo a la maestra, "désela deshecha en un sorbo de agua".

"Aprendí a llevarles la mano. Les enseñé a hacer rayas temblorosas, 'aes' torcidas, 'ies' con su puntito arriba, 'dos' que parecían patos. ¡Cómo costaba que aprendieran! Las manos eran tiesas, de palo, curtidas, rajadas, puras piedras. Iguales que sus cabezas, porque eso sí, eran cerrados de la cabeza."

A ese lugar perdido se fueron la señorita y sus hijos. Una mujer sola, con hijos, tan pobres, tan sucios, tan enfermos como sus propios alumnos analfabetos. Pero son hijos de la maestra y el pueblo se quita una parte de la poca comida, frijoles, queso, huevos, para llevarles. Sacrificio para darle de comer a esta familia que no siembra, que no cosecha. Los mantienen de su propia hambre, con sus tortillas, con sus frijoles, con su chile. Les construyen la casa, les arreglan el techo, le ayudan en lo que pueden a *la Seño* para pagar por una educación inútil, que no quita el hambre, que no salva a los niños de la muerte prematura, que no mejora las siembras. De todas formas es *la Seño*, y por esta abstracta cualidad, le guardaban un respeto reverencial, que no admite preguntas.

Les enseñaba cosas básicas: a quitarse los piojos con peines de dientes finos, a sacarse las niguas que se entierran en las uñas, a marchar para el 15 de septiembre, y hacer coronas de flores de papel para el Día de los Muertos.

Por las tardes, los hombres jugaban cartas, los niños los imitaban recogiendo hojas del suelo que les servían de naipe, las mujeres echaban tortillas, con las trenzas todavía mojadas de la poza de agua a donde iban a sumergirse para aplacar el calor húmedo de la tarde. Los maridos rondaban arriba de la caída de agua. Observaban en silencio los cuerpos desnudos de sus mujeres en su diario ritual. Ellas salían a la orilla, desnudas, con los cuerpos morenos de sol, musculosos, peinando sus largos cabellos goteando agua que caía sobre la superficie pulida como un aguacero. Los trenzaban brillantes y pesados enrollándolos sobre la cabeza como un sombrero.

Desde aquella montaña se divisaba el mar. La maestra les contaba cuentos a los niños. Cuentos leídos en libros de la capital, donde los tomaba a escondidas de la librera en la casa de su padre el licenciado. Cuentos de princesas y hadas madrinas, de otros lugares, otros tiempos. Se fue a vivir con él a la capital, para estudiar, porque ella amaba los libros, tenía tantas ganas de aprender. Los niños soñaban con estas historias, con carrozas y zapatillas de cristal, con reyes y reinos. Pero la mujer de su padre nunca la quiso y, en cuanto pudo, la mandó de vuelta a Barberena, al fin y al cabo ya había terminado el sexto año –y *qué más quiere esa muchacha ambiciosa, sólo sacarle el pisto al tata*–. Ella soñaba con conocer el mar, que nunca antes vio y que desde aquí parecía todavía un sueño.

"Los niños de ese lugar eran preciosos, canchitos o pelirrojos, pecosos. Nos dijeron que eran gitanos los que hicieron el caserío. Húngaros, les llamaba mi abuela. –*¡Parecés húngara!*– sentenciaba cuando reprendía mi desorden."

Cuando era niña, le fascinaban los campamentos gitanos: el violín acuchillando la noche que chillaba, y esa música metida por días y días en la cabeza atolondrándolo a uno. La marmita de hierro sobre el fuego echaba chispas entre las mengalas de las mujeres. Era gente alegre, bulliciosa, con vestidos de colores fuertes, pañuelos y collares. Asaltaban el pueblo y después desaparecían, como zompopos de mayo. Con el tiempo, Ubico los recogió por vagos. Algunos huyeron y se refugiaron en los lugares más apartados e inhóspitos.

Qué triste saber que se habían ido a perder a la montaña, para que no los hallaran. Tenían miedo de la autoridad porque eran ladrones y mentirosos. Allí se quedaron, entre las ardillas y los monos saraguates, entre los garrobos y las barba amarilla. "Yo pensaba dentro de mí: ¿Cómo fue que pudieron quedarse quietos? ¿Cómo hicieron para olvidar los caminos? A mi mamá le leyeron una vez la mano: 'te vas a ir en un gran barco a un lugar muy lejos', dijo la gitana. 'Sólo que fuera al lago de Amatitlán', se contestaba ella sola y se reía. Entonces, volvía a contar aquel otro recuerdo: el viaje en lancha con su papá siendo niña."

Una vez al mes, bajaban los hombres cargados con cosas que vendían en el pueblo. Llevaban también flores de papel, coronas y barriletes. Regresaban trayendo las pocas cosas que en la aldea no eran fruto de la tierra: telas, ropa de partida, cintas de colores para el pelo, peines. Al regreso, los recibían con cohetillos y con música de una mínima marimba. Se les hacía el encargo de recoger el salario de *la Seño,* pero el salario no llegaba casi nunca. Se juntaban los meses, se juntaban las deudas...

Al terminar el año, en la pequeña aldea se organizaron los actos de clausura. Los niños sabían recitar algunos poemas, cantar algunas canciones. Hicieron un arco con bajareque y colgaron frutos y flores para simular un escenario. Los hombres accedieron con recelo a marchar, emulando los desfiles militares de las fiestas patrias, todos con su camisa y pantalones hechos de la manta de unos costales de azúcar. Iban descalzos y sus trajes mostraban las huellas desteñidas de las letras rojas impresas en la tela. Ya conocen el alfabeto y una aritmética básica.

A *la Seño* le llegó el ansiado traslado, más cerca de Barberena. Se podrá reunir con Mama Amparo, con Julio César.

"No podía dormir con la angustia de regresar a las aguas pedregosas del río. Recordaba mi cabeza sumergida en las turbulencias, los ojos abiertos de la mula muerta. Me despertaba sudando, pensando en la corriente que se lo lleva todo, en las bocanadas de agua que escupen las mil bocas del río...

Después de tanto penar, cuando se nos llegó el día, sólo había un hilito de agua entre el pedrerío y el bosque de pino."

Ya quiere amanecer. Los pelícanos vuelan sobre la superficie pulida del agua con un movimiento pleno de gracia. Se paran en fila sobre los restos de las grúas abandonadas cerca de la costa de Livingston, y ya no importa que estén herrumbrosas y viejas. Esos árboles sucedáneos llenos de pájaros, el viento perfumado con el salitre y dos negros sobre el muelle atando una barcaza morada, irrumpen en la placidez del horizonte lineal y quieto.

Pienso en mi madre niña, en mi abuela joven. Recuerdo desde lejos a Mama Amparo, mi bisabuela, que para mí fue ya sólo una anciana silente, recibiendo el sol, sentada al fondo del patio. La acompañaba con fidelidad, una lora de ojos rabiosos que me perseguía amenazante cada vez que intentaba acercarme. Decía cosas ininteligibles... "Es la que peló a Seferino..." y se quedaba mirando al vacío, como queriendo divisar en la lejanía algo impreciso que estaría ya por siempre fuera de su alcance.

Y cuando me atrevía a lloriquear ante las amenazas de la lora enfurecida:

"Parecés Juaneligio, ¡dejá ya de chillar cada vez que se te atraviesa una mosca!"

"Y ¿qué es Juaneligio, pues Payo?"

"Cosas de otro tiempo... ¿qué no ves que soy más vieja que Tata Lapo?"

IV

Sentada de siete treinta a.m. a cinco p.m. Pero necesitaba el empleo. Y era toda una hazaña llegar a tiempo. Levantarse, bañarse, maquillarse. Colocarse un traje sastre, unos zapatos altos que resonaban en la casa callada, puntualizando que estaba oscuro, con esa extraña oscuridad de la madrugada que tiene algo de melancólico y pastoso.

El silencio, más pesado que el de la noche, se rompe con esos tacones en los que se presiente la apretura de la garganta. Me alistaba para vencer el tráfico que infesta las calles de gente urgida. Y me invadía la sensación limítrofe de que el tiempo era cerrado, de que mi tiempo era de otros. No existía *tiempo* para dejar que la vida transcurriera con levedad, al ritmo de mi propio tiempo. Sin posibilidad de resistencia, era preciso dejarse arrastrar cada día por ese río de personas que en calles y avenidas transitan cortados en mitades, como espejos reproduciendo imágenes de cosas escindidas e inacabadas. Toda la locura, para estar sentados en algún sitio a las siete treinta de la mañana, frente a un mundo hecho de papeles.

No pensé que fuese a tomar el empleo del anuncio en el periódico. No me interesaba hacer investigaciones y menos aún profundizar en asuntos sociales. Mi hoja de vida decía otra cosa: los altos estudios habían sido mi magro triunfo. Las interrogantes que me parecían fundamentales aún no tenían respuesta.

Necesitaba el empleo. Pero no terminaba de ajustarme a la idea de establecerme de nuevo en Guatemala... Fantaseaba con tomar un avión e irme sin destino fijo. ¿Regresar a Vancouver? El pensamiento reptaba de nuevo. Su movimiento imperceptible me asaltaba cuando ya era demasiado tarde para salir ilesa.

A cualquier sitio menos allá. Estaba vivo en mi piel, su memoria era el mar en que sumergía mi cabeza para encontrar oxígeno. Sabía con claridad que no podía volver. Mi partida había sido un viaje sin posibilidad de retorno. La puerta estaba sellada. Ángeles oscuros con espadas flamígeras vedaban el paso.

No pensé que fuese a tomar el empleo del anuncio, aunque ya me lo auguraba el quiromántico aquel día, en que era media mañana y yo me paseaba por *Commercial Drive*, viendo una calle que desconocía porque sucedía a media mañana un día entre semana.

La conocía nocturna, con sus bares abiertos, cuando la noche extiende sus alas oscuras y salen los engendros del barrio. Gente rara, pelos morados o azules, aros por todas partes, incluyendo la lengua y los pezones. Como si allí vivieran todos los tatuados de la sociedad y fuera el territorio de los *freaks*. Vestidos por completo de negro, los labios morados, adornados con collares de cuero y púas atados al cuello, subrayan su presunta disposición a ser *terriblemente perversos*.

Los estudiantes de inglés de la Academia Britannia, casi todos latinoamericanos, se reúnen siempre en grupitos a fumar. Quizá una mujer vietnamita se acurrucará en una esquina. Tal vez un nigeriano, largo y oscuro, dormitará en una banca de Grandview Park.

Comercial Drive es un barrio *étnico,* como gustan llamarlo los canadienses anglosajones. Así denominan aquello que no es anglo como Yaletown. Costa vive en ese barrio. Para él, Yaletown, con sus galerías de arte y sus yuppies, no es sino *ese obstáculo* entre su casa y el mar...

Aquel último verano atravesamos esas callecitas pobladas de árboles de maple y cerezos hasta el mar, cargados con nuestras mochilas llenas. Llevábamos un almuerzo hecho de aceitunas negras, queso feta, pepinos y tomates, listos para aderezar una ensalada griega. Llevábamos también el aceite de oliva preparado con romero que Costa había almacenado durante el invierno y que luego querría aplicar con sus manos grandes y toscas sobre mi cuerpo desnudo, alargado en la playa nudista de Wreck Beach. Y mientras se ocupaba de ello, yo dejaría mi mirada somnolienta divagar sobre los puntitos de luz que brotaban como luciérnagas de las olas apenas inquietas.

En la esquina, *Santos,* el restaurante portugués donde los viernes, los habitantes de Kitsilano subirán a hacer la noche, dormitaba a esa hora con un par de comensales. Más tarde, ni una aguja encontraría sitio en la barra atorada de gente y una larga fila suspiraría por la fortuna de una mesa, más aún si toca Recailla, el grupo de samba más caliente de la ciudad. No es poco frecuente que por las noches rebalsen las parejas de baile hasta las aceras y las calles. Los automóviles bajan la marcha para condescender con los cuerpos bullangueros cuyo frenético vaivén asombra hasta al más retraído de los mortales.

Busqué a Costa esos últimos meses, acorralada por la ausencia, la soledad y el frío del alma. Lo había conocido una de esas noches cuando, de farra, salía con Victoria y Carmen. Íbamos de un club a otro, buscando alguien con quien bailar. Al menos yo, quería sólo eso: alguien con quien bailar, sin un nombre, sin un rostro, sin una historia que recordar al día siguiente. Ningún enredo personal, pero eso sí, que supiera bailar, que tomara mi cuerpo entre sus brazos y lo llevara con suavidad, con entendimiento, directamente hasta... el olvido.

Ya me había pasado con Charlie, aquel tipo de Zaire. Bailé con él una noche en el Club Anza, donde, cada sábado, se organizan unas fiestas africanas. El *disk jockey* es Marc Fournier, un canadiense francófono que llegó de Montreal, mi amigo por siempre, y entonces también compañero de parranda. Los *Afrodisia Saturdays* eran de antología, porque no había mejor selección de música en la ciudad.

Llegábamos en grupo y bailábamos entre nosotras, sumergidas en el olor penetrante que exhalaban esos cuerpos negros. Una segunda atmósfera se instalaba en el recinto, haciendo dificultosa la respiración. Nos fascinaba observarlos, exuberantes en su abundancia de carnes distribuidas en senos y nalgas inabarcables, o bien, monumentos de perfección anatómica donde la tensión entre los músculos poderosos y los huesos largos y afilados, se adivinaba bajo la uniformidad de la sábana negra de su piel. Cuerpos evocadores, extensas noches en las que dormitaba una aristocracia felina. Visten con ropajes no menos evocadores, telas con estampados y colores de galopantes contrastes, complicados tocados en la cabeza, amplios gabanes donde los cuerpos se insinúan, sueltos y vivos como peces.

También llegan otras gentes. Anglos de los suburbios, sobre todo viejas cincuentonas ávidas de contacto, latinos en busca de música caliente, aquella secretaria francesa de piernas enclenques y lentes gruesos, que se derrite con la música y es la pareja favorita de muchos habituales. Era bien conocida por su consabida destreza para el baile y el fervor con que su cuerpo respondía a ese *alter ego* de su personalidad, regularmente tímida y ensimismada.

El lugar, sucio y descuidado, bien podría encontrar su réplica en Dakar o Timbuktú. Está envuelto en una oscuridad que permite vislumbrar apenas el mobiliario barato y los lamparones en la alfombra de un color indefinido. Sobre ella se habrá derramado, sin duda, infinidad de cervezas o tequilas y apagado sin mayores reverencias cigarrillos subrepticios, ya que fumar es prohibido.

Una tarima de madera preside desde lo alto el salón. Allí se ubica Marc con su equipo, donde todos puedan verlo. Sus enormes ojos azules, ya abiertos, ya cerrados, su cuerpo generoso meneándose a la cadencia de los ritmos, haciendo resonar mil pulseras con el movimiento de sus brazos, recuerdo de sus muchos viajes: Nepal, la India, Zimbabue...

Las parejas suben a la tarima en las horas de la madrugada, cuando la música y el alcohol han hecho su labor desinhibidora. Desde lo alto, hacen gala de sus destrezas de baile. Un par de reflectores verdes apuntan con su luz, dando un toque de vulgaridad a los cuerpos que se pelean por el espacio reducido o se sobijean sin tapujos, sin reparar en quiénes los observan a la distancia.

Nunca bailábamos con los negros. Nos limitábamos a verlos de lejos y a decir un *no, thank you*, cuando alguno se atrevía a irrumpir en nuestro círculo cerrado.

Pero esa noche fue diferente. Las facciones burdas, los exagerados labios violáceos de Charlie no fueron capaces de disuadirme de aceptar su invitación a la pista. Tomó mi cuerpo con una decisión absoluta, por la cintura, sin los preámbulos con los que en silencio plantean sus dudas los cuerpos. Sus manos callosas hicieron transitar un pensamiento prófugo de que quizá fuese un albañil, cosa que olvidé de inmediato al sentir a continuación, su cuerpo moviéndose con un vaivén tan suave que preferí cerrar los ojos. Su cadencia era elástica como un hilo de miel.

Parecía como si mi cuerpo respondiera a una sabiduría propia, a una intuición que me permitía adivinar los próximos movimientos de su cuerpo. ¿Sería posible que el baile habitara en mis genes? Más asombro me causaba poder acoger esta experiencia de nuestros cuerpos, enredados en el fino hilo de un mismo ritmo, deslizándose sin peso, sin límites. Me sentía totalmente abierta, sin defensas, en los brazos de ese hombre cuya única identidad era estar allí, dejándose envolver por mí y conmigo, en la música. Vivía la rara experiencia del abandono total.

Quizá descubrí esa noche el portal de los marginados, resaca que deja el mar en sus orillas. Quizá esta forma de compartir, de abrirse, no era sino una forma de contradecir cosas difíciles de resolver de otra manera, como el invierno omnipresente y a ratos doloroso que reinaba afuera, u otros inviernos, los del alma por ejemplo, que no por intangibles son menos omnipresentes o menos dolorosos.

Quizá un albañil y una mujer como yo, no tienen después de todo tantas diferencias frente a sus nostalgias. Quizá la igualdad entre los seres consiste en actos simples, como mezclar sudores, o ver con los mismos ojos anhelantes, distantes tierras soleadas, descritas en las notas dulces y pegajosas de la música brasileña, senegalesa, de Cabo Verde, cubana, que Marc va escogiendo, interpretando los deseos de las parejas que enloquecen con los ritmos espasmódicos y húmedos del trópico, mientras afuera una lluvia delgada y fría lava las calles.

En *Commercial Drive*, el Club Havana es uno de los lugares más concurridos. Anunciaba por aquellos días una reseña de fotografías de la revolución cubana. En ese rincón reina un tiempo anacrónico detenido en la guerra fría. Los izquierdistas exiliados mantienen los puños alzados contra el poder yanqui, o contra los militares de América Latina. Sitio de encuentro de chilenos allendistas, salvadoreños efemelenistas, guatemaltecos ex guerrilleros, y recientemente, colombianos que huyen ya de otra forma de violencia, más adentrada en la posmodernidad, que mantiene al subcontinente latinoamericano infestado de mafias.

Nicaragua Libre reza un *graffiti* desteñido, sobre una pared sucia y erosionada. Me pareció buena la metáfora que propone el improvisado monumento a una revolución triunfante, pero olvidada de pronto, como el despertar que censura con rapidez todo desborde onírico inaceptable, dejando sólo una huella borrosa y aletargada.

Victoria, Carmen y yo tomamos en serio el asunto del baile. Por alguna razón que se me escapa, nuestra asiduidad parecía ir encaminada a convertirnos en las reinas de la salsa. Aprendíamos pasos nuevos cada noche de parranda, y para la primavera, decidimos registrarnos formalmente en las clases de baile que impartían en East Hastings, barrio un tanto dudoso. El local era pequeño y sofocante. Ya para el final de la clase, hervía como un sauna, y a ello contribuía tanto el sudor de alrededor de veinte aprendices de samba, salsa y ritmos africanos que nos hacinábamos allí, como el caliente ritmo de los tambores que tocaba Jairciño, un negro imponente que a la siguiente hora, era instructor de Capoeira.

Laura Mendes era la instructora bahiana, bailarina de profesión, con huesos largos y cuerpo elástico, nos hacía sudar hasta reventar, mientras ella quedaba suave y serena como una flor. Los viernes y los sábados armábamos el programa. Si teníamos suerte, alguna orquesta estaría de visita en la ciudad, especialmente las cubanas que en los últimos tiempos llegaban con frecuencia. Entablamos relación con los habituales de los centros nocturnos de moda, reyes de esos reinos deleznables que se construyen en las horas nocturnas y sucumben cada madrugada.

Conocí a Costa en el Commodore. Bailaba tan bien que lo confundí con un latino, hasta que me contó con su inglés precario que era griego. Insistía en querer hacer conversación. Yo, evitaba contestarle. Quería sólo bailar, sentir la música a través de otro cuerpo, sudar, moverme hasta llegar a ese suave y dulce cansancio que nos hacía en los meses de verano salir de los clubes de madrugada, ir a la playa vacía de English Bay, donde los chillidos de las gaviotas subrayaban el silencio circundante. Nos reíamos escandalosamente, desafiando la quietud agobiante de la madrugada. Entrábamos despacio en el mar sintiendo que el agua fría nos apretaba los pulmones y nos arrancaba la piel. Nos reíamos con desenfreno, con cierta exageración, queriendo quizá burlarnos de nosotras mismas, de nuestros romances fallidos, de los desencuentros en que se resumían esas noches, de los desencuentros en que se resumían... nuestras vidas.

O sería tal vez que en esos momentos nada importaba, salvo estar vivas y ese dato lo recibíamos a través de la piel. La adrenalina impulsaba fuerte el torrente sanguíneo haciendo palpitar el corazón y las sienes, echando fuera la resaca del alcohol y el cigarro.

Costa y yo nos despedimos aquella noche con una despedida idéntica a cientos de despedidas de otras noches y otros rostros. Garabateó un número telefónico difícil de descifrar, en la tarjeta arrugada y sucia de una lavandería. Yo lo usaría si quería, como lo había aprendido de las féminas canadienses que gustan guardar siempre el control.

Llamé un par de semanas después al número apenas legible. Una llamada escueta porque el inglés de mi interlocutor no daba para más. Acordamos encontrarnos en el *Latin Quarter Cafe*, pero era Halloween y cuando quise acercarme, las multitudes fantasmagóricas eran insospechadamente numerosas. Me vi arrastrada por una avalancha de caras hiperbólicas y monstruosas, vampiros y adefesios de toda índole que con tambores, risas y muecas me fueron orillando al sitio que apodan *Needle Park* porque allí se reúnen los drogadictos consuetudinarios.

En el parque me detuve a ver lo que pasaba: se gestaba el ritual de la quema de una bruja. Un grupo de personas de apariencia monástica, vestidas con largas túnicas negras y capuchas que velaban sus rostros, tocaban redoblantes que le ponían un ritmo terminante y avasallador a la ceremonia.

La atención en los detalles reflejaba una rara maestría en lo siniestro. Una mujer, de piel muy blanca que con el frío se tornaba azulosa, atrapaba en su larga cabellera negra los reflejos de las antorchas de fuego, mientras su cuerpo se contorsionaba al ritmo de los tambores. Lejos de infundir el patetismo de algunas representaciones, ésta dejaba la sospecha de ser *the real thing*, es decir, un verdadero ritual del demonio, esos que ciertas sectas han puesto de moda.

Una cruz estaba plantada a medio parque, con una pila de leños al pie. Ausculté los rostros de la turba y constaté que estaba transida. Parecían absortos en algo que les daba un miedo muy real, para nada parecido a aquellos recuerdos de un Halloween de golosinas y brujitas infantiles o dráculas de kindergarten. Esta gente iba en serio con su adhesión a lo oscuro, último grito de la moda en los barrios marginales, fuente de escape al aburrimiento de todo aquel que se considerara fuera del *mainstream*.

En el momento crucial, del cuerpo de redoblantes dos hombres se desprendieron con antorchas de fuego para incendiar la pira montada bajo la cruz. Costa me abrazó por detrás pegándome un enorme susto. Al voltearme, sin pensar lo abracé de vuelta. Él se rió con su amplia y ancha risa, los ojos brillantes, articulando a medias en su inglés marcado con un acento ostensible. La realidad pasó de lo siniestro a lo leve, porque el brazo de Costa había roto el hechizo aportando el sólido referente de otra realidad.

Tomamos unas cuantas copas en un restaurante bullicioso. Sin consultarme, pidió un gran plato de camarones con su cáscara y cuando el humeante platillo con mucho olor a ajo y albahaca apareció en medio de la mesa, una de sus enormes manos se precipitó para tomar uno. Sus dedos se untaron con la grasa del aceite mientras abría el frágil caparazón. Llevándolo a su boca, lo chupó, lamió, y engulló con un deleite contagioso que me hizo tomar de inmediato el siguiente con todos los dedos, lamer el caparazón y sorber el picante sabor del ajo, para penetrar luego la carnaza dulzona del marisco, sin duda fresco y suave, donde el reciente abrazo fosforescente y salado del mar aún se podía sentir.

Costa, entregado al placer de comer, filosofaba acerca de Dios. Decía que su existencia quedaba comprobada en el sublime sabor del ajo, o en la combinación sagrada del tomate con la albahaca. Reía mucho mientras devoraba con una vitalidad que pocas veces había sentido en alguien. Parecía que se comía la vida misma que entraba por sus dedos, se esparcía por sus labios y bigotes, tocaba su lengua, penetraba su cuerpo y encarnaba, haciéndose parte de él. Luego, la exudaba: salía por la luz de los ojos, por su risa, por esa atmósfera de calidez que se instalaba a su alrededor.

Nos fuimos a bailar a una discoteca oscura. Allí me encontré a Rafael, un tipo que me gustaba hacía tiempo, pero con el que nunca cuajó nada, y me dieron ganas de molestarlo. Empujé a Costa a sobrepasarse conmigo, a que bailáramos como si fuésemos amantes de tiempo atrás. Costa respondió de inmediato, restregando su cuerpo con el mío, metiendo su pierna entre las mías, rozando con sus labios mi cuello, besando mis orejas, abrazándome por la parte más baja de la espalda. Descubrí que esto me gustaba. Era como hacer el amor, pero más sutil. Más sutil, pero infinitamente más excitante. Rafael no dejaba de mirarme desde la barra, añadiendo con su perturbación, intensidad a mi gozo un tanto perverso.

Un impulso como ése hubiera sido inaceptable a mis ojos unos años atrás. Algo me estaba sucediendo: pisaba los límites de mis propias fronteras y yo lo observaba con una mezcla de diversión y de temor. Nacida en un país mojigato y castrador, me sentía francamente libre, dueña de mi cuerpo y sobre todo, de mi curiosidad. La experiencia era excitante, por transgresora y porque sucedía en público, lo cual parecía convalidar mi protesta.

Una imagen de mi madre amonestadora advirtiéndome sobre los peligros de la libertad quiso irrumpir y reducirme de nuevo a la niña obediente que había sido. Pero el torrente de sensualidad que me emborrachaba más que las burbujas del vino blanco espumeante de aquel lugar barato, la arrastró corriente abajo a algún lugar desconocido.

Una señora madura y muy hermosa se acercó a la pista de baile. Era grande y morena. Una mestiza del Caribe. Saludó a Costa con una familiaridad sospechosa. Sin ningún protocolo, lo apartó de mi abrazo, y los dos se pusieron a bailar la pieza de *reggae* que empezaba a sonar. De más está decir que ella y Costa se entendían perfectamente, bailando con una franca y descarada connivencia de los cuerpos que era fantástica.

Como era de esperarse, me excluí pronto de la escena, retirándome al bar, donde por fortuna Rafael ya no estaba. Rumiando un confuso descontento, pedí una Corona. Pensaba, y no cabía duda en mi mente, que Costa tenía la insoslayable obligación de venir a mí y disculparse. Pasaron los minutos y ello no ocurrió. Ofendida y sintiendo una muy extraña torpeza, me acerqué, para despedirme. Nunca había estado en una situación como ésa.

Toqué a Costa en el hombro y le dije, con una mirada que quiso ser un proyectil a quemarropa: "Adiós, Costa. No sé si nos volvamos a ver, así que fue un gusto conocerte..."

Cuando él iba a contestarme, la mujer morena me clavó sus ojos y su sonrisa. Sin mediar palabra, me arrebató en sus brazos y se puso a bailar conmigo. La pieza que sonaba era suave, melancólica y sinuosa. Yo estaba totalmente sorprendida: abrazada al cuerpo de una mujer en medio de la pista de baile. Mi corazón palpitaba fuerte y me hervía la cara. Pero no huí. Me aflojé, me endulcé, el abrazo no dejaba lugar para nada más que entregarse. Tenía una suave textura ese abrazo. Una tibieza inédita de la que emanaba un aroma agridulce: mitad desamparo, mitad consuelo. Nunca me había acercado a esto: una mujer abierta a mí en su aterciopelada sensualidad. La pieza terminó, la morena me sonrió desde sus labios húmedos y desde sus ojos. Costa se reía de puro gozo.

Cerca ya de las dos Costa y yo caminamos abrazados hasta su apartamento, un lugar diminuto cuya austeridad se acercaba mucho a la pobreza. "Paso el día trabajando en una fábrica de piezas para maquinaria de explotación minera", explicó con pesadumbre, como si se tratara de una condena. "Tuve antes un restaurante", continuó hilvanando una conversación entrecortada por los silencios, "el mejor de Dubrovnik..."

"¿Dubrovnik?", pregunté con extrañeza pues había imaginado a Costa viviendo en Grecia.

"Sí... Muchos griegos en Dubrovnik. Había dinero, turistas... vida. Yo hice dinero en Dubrovnik... Me vestía con trajes de lino blanco y sombrero. La ciudad frente al mar era bella, sus viejas paredes, sus altas montañas y... el mar. Eso fue antes que..." Un largo silencio. "La guerra. ¡Se perdió todo! Los restaurantes, los hoteles, los mercados... Mataron la ciudad."

De nuevo el silencio.

"Matar gente, bueno la gente se muere... Pero, ¡matar una ciudad! Su historia venía desde los romanos... ¡Those idiots, those stupid bastards!" Se desesperaba de no encontrar palabras más intensas...

"Bombas, día y noche, día y noche", sus manos no dejaban de gesticular. "Una alta columna de humo, sólo eso quedó. Huimos, muchos huimos. Como hormigas, buscando los caminos. Cuando regresé a Grecia nada era lo mismo. No tenía un centavo, no tenía trabajo. Tuve que marcharme como cocinero en un barco. Me quedé en Londres. Allí conseguí empleo como ayudante en un estudio de fotografía". Se rió con picardía, rescatando sus recuerdos, "esa era la fachada, el negocio clandestino era la pornografía".

"¿La pornografía? ¿Te engañaron?..."

"¿Engañarme? Nada de eso... Me gusta la fotografía, me encanta el sexo. Era el trabajo perfecto, el trabajo con que sueño. Mira, estoy juntando cada centavo que puedo para alquilar una pequeña bodega e instalar mi estudio. Tomar fotos, hacer películas... Pero éste es un país de mierda. Quieren contratos, leyes, demandas. Todo es prohibido", y luego, prosiguió casi a gritos, fuera de sí, "prohibido, prohibido, prohibido. That fucking word. ¡Ah, qué montón de reprimidos, culos apretados!"

Hablamos de las intimidades de su oficio. Me contó que sus mejores modelos fueron gente de la calle, dependientas de almacén, meseras, mendigos, "personas de carne y hueso, no muñequitas de plástico", dijo, "o bien, amigos porque este trabajo se hace jugando. Hay que jugar con el cuerpo, con las telas, con los objetos. Todo se transforma en sexo."

Bajó con entusiasmo los álbumes. Las imágenes eran de una extraña hermosura. Instauraban una atmósfera donde el cuerpo se relacionaba desde el erotismo con todas las cosas. Manipulaba las formas, los colores, mediante el artificio del ordenador, desdibujando los espacios que ocupaban en forma alterna la piel, o la tela y transmitía a esos cuerpos una herrumbre que las cargaba con el peso del tiempo.

Prefería a las mujeres de facciones arábigas con sus profundos ojos oscuros. Ataviadas en exóticas vestimentas, traducían una adicción a los códigos de censura. Costa coloreaba con su ordenador las imágenes que refulgían en irreales tonos verdes, violetas o rojos iridiscentes, que tenían la propiedad de transportar mi mente al misterioso mundo de los burdeles.

Había en esas imágenes una enorme tensión. Entre lo oculto y lo expuesto. Entre la castidad y la desvergüenza. Entre lo sublime y lo perverso. Algunas inclusive, paseaban al borde de lo sucio y lo execrable. Me percaté de que invocaban mis propios tabúes, no sólo en torno a la sexualidad, sino en torno a la belleza misma, a lo que es posible mostrar, y a lo que perturba. Había en esto una obsesión por el cuerpo, evidenciando las pasiones y extravagancias que lo habitan.

Pasamos un buen rato callados, conectados por el hilo conductor de estas fotografías. Me sentí repentinamente vulnerable, como si el momento estuviera a punto de atravesarme y entrar más allá de lo que yo podía permitirme. Una inquietud abrió la puerta.

Recordé que había buscado a Costa como un escape, como una estrategia de huida de mi deseo, complicado y oscuro... destinado a otro hombre. Y aquí estaba, sintiéndome de nuevo atrapada. Saqué mi celular, pedí un taxi y le dije adiós.

Pero aquel día era media mañana de un día entre semana y ese otro mundo parecía tan distante. Estaba en la *Commercial Drive* de los viejos, sentados fumando cigarrillos lentos, acompañados de un *espresso* eterno, en uno de los tantos cafés italianos. Viejos dispuestos a conversar por horas, como en el ancestral pueblo de Frascatti, o de Verona, reunidos para comentar el fútbol, o en las tardes más quietas, jugar dominó.

La panadería portuguesa olía a panes recién horneados. En un almacén de especias de la India, cinco clases distintas de vainilla descansaban en la vitrina. Las verdulerías orientales se alineaban una detrás de la otra, con uno que otro cliente, que examinaban despacio, con todo el tiempo del mundo, la mercadería en oferta, tomates demasiado maduros, manzanas arrugadas.

Con un aire descuidado en el vestir, pasaban los transeúntes. Verlos resultaba un tanto nostálgico de la era hippie, pelos largos, T-shirts con credos llevados a la liviandad de la masa, sandalias, en fin, toda una era ya marchita. Sus seguidores se veían como zapatos muy usados, descuidados y sucios.

Llamé a Costa de nuevo unas semanas después, aburrida de la reiteración anodina de los eventos en mi existencia. Las salidas de los viernes, las fiestas en el apartamento de Carmen, atiborradas de homosexuales, las caminatas con Victoria y su perrita amaestrada a la perfección, que cumplía años apagando velitas y a quien hablaba como si fuese una niña, habían terminado por cansarme.

Pero fui cauta esta vez, lo invité a una formal taza de café, en un lugarcito en la Biblioteca de Vancouver a las cinco de la tarde. Al salir del trabajo, enderecé con prisa mis pasos hacia ese edificio redondo, remedo del Coliseo Romano, que instala en pleno centro de Vancouver esa aura de posmodernidad un tanto rebuscada para una ciudad sin historia.

Dentro de la cóncava estructura, uno se siente envuelto por un círculo de cinco pisos de libros. Me dejé subir al segundo por las escaleras eléctricas. Llegué hasta el cafetín, un tanto impersonal, donde Costa me esperaba. Me recibió como si fuese la luz del día. Estaba juicioso, conversando en serio, lo cual en su caso quería decir simplemente que se quejaba de Canadá y de su voluntario exilio en este país, infame a sus ojos.

Empezamos a jugar, inventándonos historias sobre los transeúntes que se apresuraban en la calle. Nos divertíamos mucho tratando de adivinar sus deseos ocultos, perversiones imaginarias, obsesiones. La rodilla de Costa empezó a tocar la mía. Este contacto se fue despacio convirtiendo en un imán.

Descubrí cómo mi cuerpo se abría para recibir su presencia, mi torso giró y dio la espalda a la ventana, pasé un brazo por el respaldo de su silla. Mi rostro se inclinó para percibir su aliento y, en un instante diminuto, percibí que se erizaba mi piel cuando mis nudillos tocaron su muñeca.

Leí en sus ojos verde-azules cómo iba recogiendo todas estas minucias con paciencia, sin asustar a la presa, mientras al acecho esperaba quieto, como un gato. Nada memorable pasó, excepto que llovía y nos despedimos con un beso largo bajo mi paraguas. Prometí llamarlo pronto.

Commercial Drive es el portal de todas las formas de contracultura que florecen en Vancouver como flores de invernadero. Añaden con su exotismo, color al multiculturalismo y la tolerancia de los que se jacta el *establishment*, con su vestimenta de *political correctness*. Es la antítesis del *fast track* o de los yuppies. Meca de la rebeldía, que se expresa como una forma de vida, siempre y cuando sea sólo mediante la vestimenta, la conversación, la expresión artística... una rebeldía de salón, o incluso de calle, pero civilizada y controlada porque acontece en el mundo tolerante y *nice* de Canadá que ha logrado cortar los extremos excesivos de lo sublime y de lo terrible. Se ha quedado sólo con el resto: la amplia franja del medio; refugio de todas las violencias, excepto la del clima, con la del clima basta.

La próxima vez que nos vimos, Costa pasó después del almuerzo a mi trabajo. Llegó de improviso, lo cual me sorprendió. Me dijo que mirara al cielo. Era un día soleado de un azul traslúcido. En invierno, éstos eran los más gélidos. Había razones para desconfiar del sol descolorido e insípido. "Escapémonos de este encierro", dijo, y yo estuve de acuerdo. No hay muchos días soleados en invierno.

Fuimos en su auto hasta Horshoe Bay. Nos sentamos en un tronco a ver el mar. Estaba nostálgico y con la nariz enrojecida por el frío. Se acercó a la orilla y removió con su mano las piedrecitas cercanas al agua. Me llamó con un gesto y al acercarme, me indicó que oyera y volvió a remover con sus manos las piedras bajo el agua.

"Oye, oye", repetía. El sonido dulce de las piedras chocando unas con otras bajo la leve capa de agua era agradable, pero no entendía su urgencia. "Es como el mar en Grecia", dijo con una voz suave que se empequeñecía hasta volverse un susurro y recordé el Egeo de orillas pedregosas cuyas olas resbalan sobre la playa con ese mismo dulce sonido de piedra y agua. "En Grecia vivimos del mar... pero con sol", añadió y sonrió por primera vez. "Un sol que penetra la piel y calienta los huesos, un sol bajo el cual se puede hacer el amor al aire libre, en la arena, dentro del agua, en todas partes..." En sus ojos pasó un relámpago de frustración. Yo le sonreí como si intentase consolar a un niño pequeño de una circunstancia insalvable.

Cuando Costa volvió a llamar estaba metida en la cama, presa de una gripe terrible. Insistió en verme. Tanto, que venció mis resistencias y no tuve más que decir sí. Llegó con la eterna mochila al hombro. Entró como si fuese su propia casa. Sacó un termo grande y unos platos hondos: "Es caldo de pescado", explicó. Y mientras hurgaba en la cocina buscando no sé qué, añadió: "nada mejor para el catarro."

El estómago se me hizo un nudo. No estaba hambrienta. Me arrepentí de haberle permitido venir. Pero él no admitió reparos. "Ahora se trata de curarte, y no de cumplir tus caprichos. ¿No te advirtió alguna vez tu madre que no siempre puedes hacer lo que quieras?" Sirvió el caldo con absoluto esmero. Eso y una copa de ouzo que según me anunció, limpiaría mis fosas nasales mejor que cualquier *porquería* que pudiera comprar en la farmacia.

Cuando probé el caldo, caliente y confortante, una fibra dentro de mí vibró. Se destapó un viejo dolor guardado y su aroma llenó el cuarto. El amor servía para esto: para tener cuidado del otro. Era sencillo, simple y benigno. Hacía tanto tiempo que para mí era otra cosa. Un difícil y complicado rompecabezas.

Costa estaba concentrado en el aparato de sonido. Había encontrado un viejo casete de música griega que traje como recuerdo de un viaje. Encantado con su hallazgo, lo puso, y sin percatarse de mis ojos ahogados en lágrimas, empezó a bailar. Tenía los ojos cerrados, los brazos extendidos y marcando el ritmo, los chasquidos de sus dedos. La música era alegre y Costa era la alegría personificada. Mi llanto terminó en risa, en un torrente de carcajadas, como en esos días cuando llueve y al mismo tiempo hace sol.

A partir de ese día, nos vimos con más frecuencia. Insistía en querer fotografiarme y yo me negaba... hasta que accedí por curiosidad. Nos citamos en una construcción recién terminada. Era un edificio que esperaba ser inaugurado pero aún deshabitado. Costa había intimado con el guardián, quien le permitió usar las instalaciones: había, como en muchos edificios de apartamentos sobre English Bay, una piscina, un jacuzzi, una sauna que serían el entorno perfecto.

Nos encontramos frente a la puerta del edificio. Lo acompañaban su cámara y un gran maletín con implementos, ropajes y diversos objetos. Ya estando allí, cuando el plan era una realidad y no una nebulosa, me estremecí ante la perspectiva de su perpetración, pero no me atreví a decir que no.

Costa me vistió como si fuese una muñeca. Me puso bajo la regadera y la tela se pegó a mi cuerpo, que parecía desnudo. Me hizo sacudir el pelo mojado, me guió a través de poses y gestos... Podía ver mi cuerpo en un amplio espejo. Era mi rostro: la pintura corrida, el pelo mojado, y esa mirada asustada. La tela transparente por la humedad, una seda blanca que delineaba mis hombros, mis senos. Las piernas desnudas saliendo por las dos amplias aberturas de una falda negra muy ajustada a mis caderas, un collar largo de perlas enredado alrededor de mi cuello...

La incipiente sensación de vacío fue creciendo hasta apoderarse de mi cuerpo y de mi cabeza como un mareo. Cuando se me acercó para intentar iniciar algún acercamiento entre los dos, lo rechacé. Me quité la ropa de encima, y mi cuerpo desnudo me pareció menos impúdico. Me lancé a la piscina con el deseo de borrar algo muy confuso.

Él entró al agua muy despacio. Se quedó quieto en una esquina, con el agua cubriéndole el cuerpo, empezó a cantar un canto gregoriano. Su voz inundó el recinto. Había en esa voz, en las palabras de ese idioma antiguo y extraño del canto, algo limpio y profundo. Me acerqué. Tenía los ojos cerrados y parecía haberse ido muy lejos. Coloqué mi cabeza en su pecho suave y estuve largo rato pegada a su cuerpo, escuchando su voz y el eco de su voz replicada en el recinto vacío.

Estar en *Commercial Drive* a media mañana hizo el milagro de que cayera en la cuenta que estaba desempleada. Era un buen lugar para ello. Me sentí bien, parte del medio ambiente. Por primera vez en varias semanas, estaba liberada de la presión que se instaló en medio de mi cabeza después de recibir la escueta notificación. Me habían despedido. Lo esperaba. Trabajar había sido un esfuerzo imposible después de mi reencuentro... *contigo*. No acertaba a funcionar, mi mundo se había trastornado.

Pero ese día, paseando por *Commercial Drive* a media mañana, podía por primera vez pensar. Me veía claramente: andaba a la deriva. Había preguntas fundamentales que resolver: ¿Qué iba a hacer? ¿Irme? Esta última pregunta me erizaba la piel pues el deseo me mantenía clavada en ese sitio deshabitado. *¿Podría seguir a medias de la nada, esperándote?* La repentina conciencia de la incertidumbre de mi futuro le dio destino a mis pasos que divagaban. Iría a que me leyeran las cartas. Estaba en el lugar apropiado.

Mientras caminaba hacia la vitrina con el letrero *Tarot readings*, algo llamó mi atención: varios hombres habían puesto sus sillas plegables para asolearse al costado de la pared de *Joe's Café*. Con muestras de buen humor habían instalado un rótulo que decía *Joe's Beach*. Una mujer rubia meditaba en pose de yoga y en la esquina un joven pelirrojo inundaba con las notas estridentes de una gaita el aire trémulo.

La ola *New Age* llenaba las vitrinas de barajas de tarot, ángeles regordetes, rocas con propiedades medicinales y pócimas que no veían la luz desde la Edad Media. En los confines de su universo, los rubios y colorados nórdicos consultan brujos, adivinos y malandrines de diversa índole, se compran amuletos y leen literatura de ángeles o arcángeles que harían desternillarse de la risa a un chico de siete años. A pesar de la infranqueable seguridad que encarnan, con marca de dólar y tarjeta Visa, sienten necesidad de tocar tierra por alguna parte, incluyendo esa orilla de la superstición más infantil y oscurantista del *New Age*.

Pasé sin voltear por la esquina donde antes doblaba buscando el lugar donde vivía Costa. El día del baile de beneficencia fue la última vez que lo vi. Irrumpió de improviso al gran salón del Hotel Vancouver, con Pepe Danza, un músico uruguayo y su grupo de estudiantes de percusión.

Estábamos a medio baile cuando el extraño cortejo asaltó la fiesta. Le había dicho que no podría verlo debido al baile anual del Cuerpo Consular al cual estaba invitada. Rehusé sus insinuaciones de la manera más sutil que pude: quería acompañarme. No era mi estilo mezclar mis mundos.

Pepe al frente, el torso desnudo, su pelo largo atado en una cola, dirigía el ritmo de los redoblantes, bongós y tumbas que llevaban los demás, vestidos con fachas de toda índole. La reacción inicial fue de sorpresa. Los más sueltos se levantaron a bailar creyendo que el espectáculo había sido planificado, pues en estos bailes se acostumbra tener una presentación artística para los invitados.

La verdad, los tambores estaban muy buenos y alentaban a moverse.

Añadiendo confusión a lo inusitado del momento, entraron cuatro chicas subidas en zancos con disfraces carnavalescos. Yo las conocía de antes, pues alquilaban sus servicios para animar fiestas. El conjunto parecía una feria medieval.

Algunos de los presentes estaban indignados, sobre todo los cónsules honorarios, cuya desdicha oculta era no ser diplomáticos de carrera y haber tenido que conseguir por otros medios su puesto en el circuito de recepciones, a las que no faltan dos o tres veces por semana. Se robaba la dignidad de uno de los pocos eventos elegantes de la ciudad. Otros, fascinados, disfrutaban como niños al encontrarse con una ruptura del aburrido protocolo.

A pesar del asombro o la estupefacción, o quizá gracias a ello, la fiesta empezaba a calentarse, haciendo olvidar el almidón de los cuellos, los peinados incómodos, las colas de los fracs, los vestidos apretados. Empezaba en suma a ser divertido, cuando la presencia de Mama Du, el viejo senegalés, parte del cortejo llegado con Pepe Danza, borracho, parado a media pista de baile, con una botella que tomó de una de las mesas de mantel blanco, hizo que todas las parejas se sentaran. Se balanceaba con sus zapatos de dos tonos y su cara negra colgando sobre el pecho de un atuendo arrugado y de dudosa limpieza. Hasta los tambores callaron pues Mama Du hizo un profundo gesto como si fuese a dirigirse a la concurrencia para decir algo, que nunca alcanzó a articular.

Que un tipo como Mama Du pudiera exhibir su borrachera en el baile más encumbrado de la sociedad seudo británica de Vancouver fue un escándalo mayúsculo que hizo llegar a la Real Policía Montada, pero los organizadores prefirieron que fuese un discreto mesero primero y luego dos más quienes convencieran a Mama Du de salir junto con toda la banda, para reiniciar la ronda de valses y fox trot.

Abajo del letrero *Tarot readings,* el anuncio de que Jean Fourett de Montreal, el quiromántico y vidente, estaba de nuevo *in town,* fue buen presagio. Entré y corrí la cortina. Detrás de ella, un tipo calvo, cincuentón de ojos verdosos y con una incipiente barriga, arregló con esmero el tapete para formar con propiedad las cartas del tarot. Era Jean Fourett, su profesión, leer el futuro.

Aparte de describir con amplitud de detalles mis tendencias, presagió a través de las imágenes de un carro egipcio, de una rueda de la fortuna y una mano con bola dorada: "Pronto estará trabajando y no tendrán tiempo los trajes sastres de acumular el polvo, viajará por Europa del Este y hay un tipo que espera, allá en el futuro. Tiene algo que ver con ruedas", me dijo, lo cual me hizo pensar. Podría ser que me topara con un ciclista, o quizá, mejor aún, con un accionista de la General Motors. La carta final lo hizo palidecer y vacilar. Era la carta de la muerte. Se apresuró a darme explicaciones, como si la presencia de la carta más temida fuese signo de un mal servicio de su parte. "No se trata de una muerte física", quiso aminorar el impacto. "Se trata, ¿cómo podría explicarle?... de una profunda transformación."

Costa y yo nos reímos mucho aquella noche del baile. Le agradecí que rompiera los muros que dividían mis realidades. Me fui con él, pasamos una noche libre y generosa. Esa noche soñé conmigo pero de una forma que no se parecía a mí. Soñé que era leve. Soñé que tenía alas, que podía volar y que... volaba.

Al día siguiente los periódicos, siempre aburridos y sin novedades, traían la escandalosa noticia de la muerte de... ella. Había sucedido en su gran mansión en South Marine Drive. Las circunstancias del hecho eran dudosas. Sentí que un puño me golpeó la boca del estómago, que el universo perdió peso, que entré en su enorme agujero. Este suceso traía de nuevo a mis puertas tu presencia, mi dolor.

Hacía varios meses que no sabía nada de vos. Habías partido por completo de mi vida. La ausencia se convirtió en la ocupación que me impedía dedicarme a ninguna otra cosa. Mi religión. Invoqué mil veces tu protección, tu retorno: "Dios, permite que él aparezca. Permite que me devuelva a la intimidad de nosotros, deja que entre a su órbita otra vez, atraída por la gravedad a su mundo". Pero sólo el silencio respondió con su insondable vacío, donde no hay donde agarrarse, donde todo es caída.

Parecía ser el mandato de mi amor: que fueras siempre el ausente. Siempre el emigrante y fugitivo, mientras yo sería sin remedio la sedentaria, la estática, la que está a la mano, atada a un punto, en suspenso...

Al galope pasaron los recuerdos de los últimos meses, mi obsesión por buscarte, las alucinaciones que hacían real tu presencia en sitios donde no estabas, creyendo que eras todos los tipos delgados y frágiles que veía de espaldas, mis paseos nocturnos rondando tu casa. Una noche creí adivinar una débil luz en el interior, pero al pasar de vuelta todo había desaparecido y no quedaba sino la casa oscura, con el jardín crecido y descuidado.

Ahora todo regresaba, volvía a estar presente. Los pensamientos se me vinieron encima: todo me dijo que la noticia era fundamental. Ella había muerto. Tú vendrías sin falta a ese último encuentro. Yo podía estar allí. Yo podría volver a verte. Supe que el momento del reencuentro se aproximaba. La codicia de tenerte y el miedo que la acompañó me estremecieron. ¿Tendría el valor? La pregunta me provocó náuseas. Dudé... Aún entonces, cuando cada instante era definitivo, dudé.

C reclamó mi atención, sustrayéndome de mis ensueños. En aquel tiempo, tenía que hacerlo con frecuencia. Mi cabeza divagaba con obsesión por épocas que parecían no sólo remotas, sino que desde la perspectiva de mi horizonte, irreales, como si nacieran de una alocada imaginación.

La oficina donde trabajábamos era gris y monótona, pero él estaba siempre allí para salvarme. Guiaba mis pasos por un mundo que se había vuelto desconocido. Guatemala era el rostro velado que no acertaba a dilucidar.

Él también había pasado por lo mismo: había regresado hacía algunos años del exilio. Se había firmado la paz en Guatemala después de más de tres décadas de guerra. Un ejército de consultores extranjeros y de oenegés, surgieron como hongos después de unos meses de invierno. Todos tenían recetas para reconstruir la nación. C había quedado atrapado en esa vorágine.

"¿Qué pasó con los Tratados de Paz que pusieron fin a la guerra?", le pregunté.

La noticia había llegado unos años atrás a los insípidos periódicos de Canadá. Muchos guatemaltecos que habían huido perseguidos por la guerra se refugiaban allá. Vislumbraban esperanzas con la firma de la paz, aunque los activistas de derechos humanos locales habían visto llegar los acontecimientos con la acostumbrada suspicacia.

"¿La Paz? ¿Estás hablando de la capital de Bolivia o de qué cosa?", se burlaba de la ingenuidad de mis preguntas. Resultaba irónico que se hablara tanto de *la paz* en una sociedad envuelta en la más atroz violencia cotidiana. Después de los chistes negros, se tornaba grave. "Estamos decepcionados... el país está tan corrompido que ya nadie logra atar cabos de dónde estamos y menos aún adónde vamos. Pareciéramos parte de una parodia, del maquillaje que se le quiere aplicar a una momia. Se formulan los remedios, se elaboran planes, proyectos... que terminan en la nada. Una ancha y amplia nada..."

"Pero, ¿por qué tanto crimen? ¿Por qué tanta violencia?", mis esfuerzos por comprender lo que me parecía una locura colectiva, una enfermedad del alma, no tenían tregua.

"Comprendo tu estupefacción..."

"¿Qué pasa con la presión social? ¿Dónde está la indignación ciudadana?"

"¡Hombre! Cuando se firmó la paz, la gente de este país decía: *eso es cosa de políticos, nada tiene que ver con nosotros*. Como si no se hubiesen dado cuenta que había guerra... Los muertos habían pasado desapercibidos. A nadie le importaban."

"¿Por qué regresaste?", pregunté con verdadero interés, tratando de encontrar algún sentido para vivir en este lugar terrible. Un sentido que me ayudara a no desear todos los días marcharme.

"Años atrás, durante los peores momentos de la guerra, mataron a mis amigos y a muchas personas valiosas y queridas. Todos callaban por miedo. Dejaron que ese miedo los mutilara y terminara matándoles por dentro. Masacraron a la gente, Irene. Comunidades enteras. Yo trabajaba en la Oficina de Derechos Humanos del Arzobispado. Recibí declaraciones de sobrevivientes de algunas de esas masacres. Sin embargo, las cosas se pusieron aún peor. Los relatos son tan terribles que parecen fantásticos. En *Las Dos Erres*, por ejemplo, mataron a toda la población. Los kaibiles pusieron en fila a todo el poblado, hombres, mujeres, niños, ancianos. Los obligaban a pararse al borde de un pozo ciego. Allí, les golpeaban la cabeza con una almágana para hacerlos caer dentro.

Mataron a tantos que el pozo se llenó. Pudieron cubrirlo apenas. La tierra se movía, porque algunos estaban vivos. Pero allí se murieron. Enterrados vivos. Hubo un sobreviviente: un niño pequeño que logró esconderse. Cuando todo había terminado lo encontraron los soldados adentro de un ropero. Un kaibil quiso quedarse con el niño, porque era *canchito* a diferencia de él, que sin duda era muy indio. Lo crió en su casa, como si fuera su hijo. El niño no olvidó. Fue él, quien hecho ya un joven, denunció el lugar donde se encontraba el cementerio clandestino y acusó al kaibil que lo había criado del asesinato de sus padres.

No fue un caso aislado. Hubo más de cuatrocientas masacres. Estrategia de exterminio fraguada por el ejército, con la connivencia de muchos sectores sociales. Con su bendición, o con su indiferencia."

"¿Por qué tanto sadismo?", lo interrumpo.

"¿Te sorprende? No se sale indemne de una historia como la nuestra. Llevamos siglos de autoritarismo. El autoritarismo es una ceguera sentada en el trono del reino del miedo."

"Una adolescencia irresuelta, dice Fellini", quiero romper la tensión del momento, la seriedad. Mi comentario cae al vacío.

"Todos llevamos la semilla del mal dentro: un pequeño Ríos Montt, muerto de pánico, que manotea buscando seguridad. El peligro está en que se active y caigamos en la tentación de escucharlo, dejar que se adueñe de nuestro entendimiento."

"No sé si comprendo bien. ¿De qué hablas?..."

"Irene, no lo podés entender si no salís de tu lógica cotidiana. Pensá con otra lógica. La lógica del poder. Allí el otro no es un semejante. Siempre se buscará una razón para disminuirlo: es guerrillero, es indio, es mujer, es haragán, es sucio, es miserable. Se cubre al otro con una máscara, una etiqueta, luego los mecanismos del horror se echan a andar. Es difícil pararlos."

Cayó en un silencio que hacía sentir la atmósfera pesada. Y luego, siguió con su relato. "Conocer esas cosas me infundió terror. Quise evadirme igual que lo hacían tantos. Quise olvidar. Eludir la realidad era posible, bastaba con la indiferencia. La única realidad ineludible era la del miedo. De ésa nadie pudo escapar."

Después de un breve silencio, continuó:

"Soy humano y quiero creer que eso significa algo. Todo parecía perder sentido si no me metía a la lucha. Lo único que podía salvarme de mi propio terror era afrontarlo... y pelear. Lo hice por un tiempo. Fui miembro activo de la guerrilla urbana. Sin embargo, ya ves... llegó el momento en que también escogí huir. Como para muchos, salvar la vida fue un impulso irresistible."

Caviló antes de continuar, y luego, como si hablase para sí mismo:

"El exilio fue el privilegio de unos cuantos... Pero pagamos el precio: la culpa por los muertos es un feo tatuaje. Marcó a los que quedamos vivos. Nunca más pude estar tranquilo. No podía olvidar. Tenía que regresar. Pertenezco a esta tierra. Aquí nacieron mis padres y nacerán mis hijos. Su destino es mi destino."

Las palabras de C y la sinceridad en sus ojos directos golpeaban mi cerebro. Más allá de sus palabras, sentía en su mirada la pertenencia que tenía con su propia existencia y me daba rabia.

Hice una siesta larga porque el calor era francamente insoportable. Tuve un sueño pesado, cargado de imágenes. El último residuo quedó al despertar: una mujer con una máscara de hierro decía con voz cavernosa que escondería *el secreto* dentro de un frijol.

Salgo a buscar la frescura que se desata del viento de la tarde. Hace meses que salí de aquella oficina gris y todavía busco armar el mismo rompecabezas. Tengo frente a mí los libros que C me regaló: *Guatemala, Nunca Más*. La recuperación de la historia, testimonio de los horrores de la guerra.

Vijolom, Salquil Grande, Tujjolom, Parramos Chiquito, Palob, Vixaj, Quejchis, Xepium... Nombres de lugares que no conozco. Lugares de Guatemala, rincones de su cuerpo. En todos ellos y en cientos de otros, la gente fue masacrada. Las puertas de Xibalbá se abren.

Las voces de los testimonios perforan mi pecho:

"Una muchacha de trece años me la dieron, la pobre niña llorando amargamente: '¿Qué te pasa muchacha?' '¡Ay, Dios sabe para dónde me van a llevar!' Decía la criatura. Me saqué el pañuelo y se lo di: mejor limpiáte. Bueno, viene un tal subinspector Basilio Velásquez: '¿Qué hay, y esa qué? Hay que vacunarla ¿no? Es buena'. El muy condenado, a violarla, y después de violarla, al pozo.

¿Cómo se hacía para ejecutar a estas pobres gentes? Mire, se le vendaba los ojos, y al pozo con el garrotazo en la cabeza."

Un silencio interior se llena de preguntas sin respuesta. *Quienes cometieron estos crímenes no eran humanos*. Afirma mi razón que lucha por defenderse.

Y si no eran humanos, ¿qué eran?

Otro largo silencio se adueña de mi conciencia. Tiempo después, una voz en mi interior se abre a la aquiescencia. En esta aceptación hay una herida: *sí, eran humanos*. Comprendo en forma inobjetable que la perversión sin límite es una posibilidad humana. Un silencio interior se llena de acusaciones. El rencor me envuelve.

Todo lo que haces, te lo haces a ti mismo. Recuerdo una lección de Buda. Reflexiono en ello. ¿Significa que los criminales fueron víctimas de sus propias acciones execrables? ¿Es víctima el victimario? ¿Merece compasión? Y nosotros, los ajenos, quienes no padecimos o castigamos, ¿somos también culpables? Nadie es enteramente inocente o culpable, pienso. Una infinita cadena de historias nos aprisiona. Aparte está también "La Historia". La Historia es implacable.

La tarde permanece silenciosa y parece que ella también espera. ¿Llegará alguna vez a abrigar nuestra desnudez el perdón y el olvido? La pregunta flota en el aire y cae sobre el agua empujando círculos a su alrededor.

V

—¿De dónde?

—De Guatemala

—De Guate... ¿qué?...

—Mala.

En el centro de detención de la zona dieciocho los reos se amotinan y le cortan la cabeza a cinco de sus compañeros. Juegan fútbol con ellas. No, no fue un acontecimiento terrorífico sin precedente. De hecho, un mes atrás en Pavón había sucedido un hecho idéntico. Otros decapitados, las testas enarboladas, el fútbol.

El otro día, un policía se sumó a los otros ochenta y tantos linchados... de este año. Entre ellos, se cuentan un turista japonés y una estadounidense. La turba lo golpeó hasta dejarlo agonizante, luego, con gasolina le prendió fuego. Mientras el cuerpo sanguinolento arde ante la impasible cámara de un videoaficionado, una señora pasea con su hija. Voltean a mirar al hombre incendiándose, no con urgencia, no con terror, o con aprensión siquiera, simplemente como si hubiesen oído a alguien nombrarlas. Al constatar que no es con ellas, siguen caminando despreocupadas.

Alguna vez nos llamaron de forma peyorativa una *Banana Republic*. Hemos transitado con éxito al *narcofascismo*.

La "firma de la paz" –ese hálito de oxígeno–, hoy un hecho olvidado, mustio, un dato más en las páginas amarillentas de algún libro de historia. El miedo y el silencio nos envuelven.

—¿Otra vez?

—Sí, otra vez: son como la bruma que se levanta del mar calentado por un sol hirviente.

Aquí la vida camina a dos ritmos: uno vertiginoso, donde los acontecimientos, las crisis, los muertos se amontonan, imposibles de ser digeridos, comprendidos, asimilados, llorados. Otro, empozado, detenido, donde el tiempo no transcurre, donde nada cambia, donde nunca llegará el futuro.

Si la razón dominara nuestras emociones, sin duda todos nos largaríamos del país, encargando al último en salir que apague la luz... dice un columnista en el periódico de la mañana.

La culture juridique francaise est morte ici, objeta un abogado local a quien le gusta hablar en *français,* entre espantado y divertido por nuestra barbarie.

¿El problema indígena? Ay, pero si aquí no hay discriminación, los indios son los que se autodiscriminan, dice una señorita, mientras arregla el maquillaje de sus pestañas.

¿El problema agrario? Sí, las constantes invasiones de tierra, por esos menesterosos, mafiosos, muertos de hambre, azuzados por los comunistas que no respetan el legítimo derecho de propiedad, dice un consultor corporativo en un almuerzo de negocios.

Las residencias son resguardadas por alambre de púas. Garitas, policías armados con fusiles cierran las entradas de los condominios, los guarda-espaldas llevan al colegio a pequeños del jardín de infantes.

De las esquinas brotan los niños con cada cambio de luz en los semáforos. Hacen malabarismos vestidos de payasos. Aprovechan el alto para suplicar por unas monedas. Dos niñas en andrajos se acercan al motorista de *Pollo Campero* y piden una limosna de pollo frito.

En la Embajada Americana reza un graffiti: *Nos las deben, desde el 54*. Más adelante: *No perdonamos, no nos reconciliamos.*

C me dijo el otro día que conoció a Marcelino, un indígena del triángulo Ixil, región de las más golpeadas por la guerra. El indio le dijo algo memorable: a un hombre le pueden quitar todo y volverlo un animal. Puede pensar entonces que no tiene ya nada que perder, y se equivoca, todavía pueden quitarle más, y se vuelve un vegetal, piensa que no tiene ya nada que perder y se equivoca, todavía pueden quitarle más y se vuelve una piedra. Cuando el hombre se vuelve una piedra porque no pueden quitarle nada más, se sabe vencedor pues es libre al fin.

Barberena, un diminuto pueblo, a medias de un camino ... polvoriento.

Punto de referencia de una geografía de muchas maneras

~Accidentada~

Volcánica,

ssíssmica,

quizá incluso trágica.

Marcada por la huella de Guatemala porque era carne de su carne.

El café se sembraba en las planicies y quebradas, a distintas alturas, el mejor en suelos volcánicos. La limpia y preparación del terreno iniciaban con el desmonte y tala de árboles.

Los semilleros tenían su sombra de bananales. Los almácigos en dobles filas iban produciendo los soldaditos que se trasplantaban al inicio de la estación lluviosa.

Las estacas colocadas en el suelo a cordel, en línea recta, dejaban las hileras perfectas de cafetos, uno a la misma distancia del otro, en todas las direcciones cardinales.

Los cafetales crecían bajo los árboles de sombra y rompevientos. Así, los cujes, los chalumes, los cushines, los guayabales, los caspiroles, los bitzés, los pitos, los oitos, los madrecacao y las gravileas eran ayas, guardianes y sombrillas de esos niños de ojos rojos que crecían a su abrigo.

Las estaciones estaban marcadas por los cafetos,

Brujos y soldados de Momostenango guardaban al Señor Presidente. Por todo el territorio se edificaron templos a la Diosa Minerva.

La Constitución y las leyes son irrisorias. La voluntad del Señor Presidente se extiende y se alarga como un gran bostezo, dejando a su paso un extendido y alargado silencio. Con la mayor frescura da la orden de envenenar, fusilar o matar a palos; encarcela, atormenta o deporta antes del almuerzo; expropia sin trámite, ni indemnización, impide que alguien salga del país, que una sentencia sea favorable, ordena que un criminal salga absuelto o que un inocente sea condenado... De las muchas víctimas que hubo, se conocen pocos nombres. Algunos fueron desaparecidos... su destino enterrado en una sempiterna pregunta que nadie responde, en espera de un olvido que nunca llega... Otros, fueron asesinados abiertamente para convencer a los la poda en marzo, hasta llegar al milagro de la florescencia en agosto cuando parecieran dar gracias ofreciendo los millares de botones blancos que son un regalo.

Luego, las matas quedan preñadas del fruto: verde primero, se va poniendo amarillo, después rosa y finalmente rojo púrpura. Redondeados voluptuosamente, lustrosos, de seda, con su pequeño ombligo.

No deben lastimarse las hojas, los botones, o cortar la fruta inmadura, lo que arruinaría un café de primera. Los granos verdes harán el café áspero, los granos sobremaduros llevan en ellos la experiencia del árbol que ya se encoge y se seca. Producir un sabor agrio o frutoso. Recoger el fruto de las matas de café es lo más delicado.

Entre agosto y diciembre se recogía la cosecha. Llegaban al pueblo gran cantidad de hombres, mujeres y niños que se adentraban con canastos

*demás que fueran prudentes, que no se metieran **a babosadas.***

La Escuela Politécnica se subleva: los cadetes son exterminados y el edificio puesto en los cimientos. Al Señor Presidente lo acosa la paranoia. Fusila-mientos, cárceles, crueles castigos corporales. Una corte de aduladores trata de apaciguar al Señor Presidente proclamándolo Doctor, Hijo Benemérito de la Patria, Protector de la Juventud Estudiosa. Los maestros recogían por las calles las cáscaras de fruta para saciar el hambre. La policía montada, la policía rural, la policía secreta... Tan mal pagados que no alcanzaban a cubrir sus más apremiantes necesi-dades. Recurrían al soborno, las multas ilegales, chantajes, asaltos, robos. Los prisioneros políticos superaban con creces a los reos por delitos comunes. Jueces y magistrados bailaban como títeres el son que les fuera tocado.

por los caminos del cafetal. Con las manos arrancaban los granos rojos de las ramas, despacito, para no lastimar las matas utilizando a veces escaleras para los cafetos más altos.

El café quedaba listo para ser beneficiado.

Al café de Barberena se le llama lavado porque se deja reposar en tanques de agua o pilas para que se fermente. La miel se desprende al grano, y permite su suave sabor. Luego se lava y limpia de forma manual, pateándolo en las pilas. Se escurre, se seca. Los grandes patios de calicanto sirven para extender sobre ellos los granos para que sequen de todos lados, revuelto por los peones que no cesan de rastrillarlo. Viene entonces el proceso de pulirlo, porque en los mercados europeos el café extra pulido tiene gran demanda. Se remueve la piel sedosa que cubre el grano y le da un brillo especial mediante las

La United Fruit Company, la International Railways of Central America, los intereses de Washington. Hilos de cáñamo que mueven las cosas. Telarañas que atrapan en su laberinto los tiempos detenidos, los tiempos estancados, las prisiones de tiempo. El comercio, el capital financiero, los transportes, los muelles, la energía eléctrica, pronto pasaron a manos extranjeras. Los hijos de los finqueros aprendían alemán o inglés, antes que el español, asistían a clubes y colegios privados. Salían al extranjero por el ferrocarril a los puertos. Muchos no conocían ni la capital.

Los asesinatos son incontables en toda la República. Durante días quedaban tirados en los caminos para escarmiento, los cuerpos de pequeños rateros y contrabandistas, arrinconados por el hambre. ¿Quién era Guatemala? Difusa e incomprensible: la patria IM-posible.

pulidoras de bronce. Al terminar este proceso, los granos de café se clasifican a mano, por tamaño, por forma. La selección se efectúa por mujeres que remueven los granos defectuosos, negros, manchados o quebrados.

Finalmente, se empaca en sacos de fibra y se almacena sobre tarimas de madera, separando los sacos en fila sin tocar las paredes, y evitando que estén cerca del techo de lámina. El café en oro espera a ser transportado en carretones halados por bueyes o camiones hasta los puertos.

El café de Guatemala se exporta principalmente a Europa, por ser de la mejor calidad y se sirve en los mejores lugares de París, de Londres, de Viena... Mi padre era comprador de café. Bla,bla,bla,bla,bla,bla, bla,bla.............:.............*MI*.

....

....

...........*PADRE*.... ....

....

....

.................*ERA*.....:.........

Pero todo pasa, aunque fueron veintidós años. Declarado demente y relevado del cargo, enjuiciado y sentenciado, el Señor Presidente dijo, espantado de sí mismo: "Hasta hoy podré dormir en paz. Qué cosa más terrible es el poder.

*Pero todo vuelve. Antes de diez años, el engendro había resucitado como espejo de nuestros pecados, de nuestras culpas. Metáfora de mil cabezas que encarnará para siempre lo inconfesable, lo oculto, de nuestra historia, de nuestra sociedad, de cada uno de nosotros. Ubico fue sólo otro nombre para una misma condena. Las carreteras se exten-dieron... con las manos gratuitas y forzadas de peones miserables, se erigió un Palacio Nacio-nal... con las manos de los presidiarios. El ejército, la policía, los informantes, todos **eran orejas**. Los maestros rurales ganaban siete quetzales al mes. Los jornaleros debían llevar siempre consigo una*

......**EXPORTADOR**...................

....

.................**DE**..................

....

.... **CAFÉ**........................

libreta para anotar los días que trabajaban al año, bajo amenaza de cárcel.
El trabajo en las carreteras era obligatorio. En el campo, los peones ganaban entre tres y diez centavos al día.

Mi madre, uno de esos seres sin nombre que la historia *iba, va*

dejando

al margen.

Primer Movimiento

Caminar, caminar... buscando a mi padre, siempre para lo mismo: pedirle dinero. Unas cuantas monedas que me ponía en la mano abierta. Sólo unas cuantas, y eso a veces, cuando había suerte, porque otras, me veía venir desde su banca del parque de Barberena, esa que todos le respetaban, esa que era sólo para Don Manuel de la Rosa, donde nadie más se sentaba y salía corriendo, poniéndose el sombrero, a meterse a la cantina, donde las mujeres gordas y pintarrajeadas se paraban en la puerta. Las mujeres esas me hacían burla, me hacían muecas, se reían recio, a carcajada limpia...

"¡Ah, qué mujeres tan sucias!", decía Mama Amparo, sin despegar los ojos de la ceniza con que raspaba el tizne de los peroles que quedaban siempre negros.

Olían a perfume barato, a la creolina con que lavaban los pisos, a los orines de los bolos que salían a tirar a la calle...

También se escondía en la Alcaldía, cerraba la puerta y los empleados lo negaban. Algunos días, me despedían con cierto respeto, por ser la hija del Alcalde. "Nena, don Manuel no está, venga otro día." Yo me iba conforme, aunque lo había visto entrar con mis propios ojos. Otros, los cogía de malas, se desquitaban conmigo, sabiendo que no había quién por mí: "¡Ya deje de molestar! ¿No ve que estamos ocupados?"

Mi mamá me recibía con el regaño pintado en la cara. "¿Qué pasó con el pisto? ¿Cuánto te dio?" —y el golpeteo de la cólera que se le quería salir por la boca—. "¡Por la gran puerca! ¿Qué no ves? ¡Ya no hay ni para sal!"

Yo cómo quería a mi papá... tal vez porque era muy guapo. Me gustaba espiarlo, mirarlo a escondidas. Se ponía la boina de lado y tocaba con su mandolina una música triste. Me le acercaba despacio para no distraerlo, pero se daba cuenta y me hacía señas para que me sentara, allí cerquita de él.

Algunas veces, cuando me veía pasar en la calle, me llamaba. Me ponía en la mano una novela, "llévásela a la Toya", y antes de que pudiera decirle nada más, con la mano me despedía.

Mi mamá se ponía como la gran patria, "de al tiro tan informal tu papá, Nena, tan ingrato. Ni que uno pudiera echar al caldo ese papelero" y por allá volaba el libro. Se me quedaba viendo, echando chispas, con la cara fruncida.

Cuando se le pasaba, se sentaba a mirarlas sobándoles el lomo como si fueran animalitos, y en algunas tardes hacía tiempo para leerlas, llorosa, porque eran libros de amor. Yo odiaba a mi papá, tal vez porque era tan guapo. Eso era lo que más me dolía.

Me veía en las calles del pueblo buscándome la vida y mandaba al policía municipal a cazarme como si fuera conejo...

El fulano me llevaba a la fuerza a la escuela y no se quedaba tranquilo hasta que me miraba entrar. Desde afuera me ofrecía la cárcel si volvía a salir. "Son órdenes de Don Manuel" decía el abusivo. Ya se creía el Alcalde.

Arriba, en La Castellana, estaba la casa grande, con sus cuatro corredores amplios, adornados de colas, llena de espejos y retratos, muebles vetustos y pesados, donde se acumulaba el polvo.

Segundo Movimiento

Diez quetzales mensuales, rezaba la sentencia del Juzgado de Familia. La pensión que Manuel de la Rosa nunca quiso pagar de buena manera. Se dejaba perseguir, se dejaba suplicar.

Causa d'ella fue todo, porque antes mi papá se desvivía por ella. Nos mandaba a la señora que vendía chuchitos, chiles rellenos, rellenitos... "Dejále a la Toya lo que quiera" y le entregaba el manojo de billetes a la marchanta, sin siquiera regatear.

Cuando mi hermana Ibis nació, andaban de amores. Hasta le abrió su tienda y su comedor donde vendía de todo. Para carnaval limpiábamos montones de cascarones, los pintábamos con anilina, los rellenábamos de harina, maíces y papel picadito... Hacíamos coronas para el día de los muertos, flores de papel para toda ocasión.

Mi mamá tenía sus comensales, les servía los almuerzos. Catizumbada de comida se les ponía en los platos y el rimero de tortillas, gorditas, recién salidas del comal y su vasote de fresco, ya fuera de súchiles, rosa de jamaica o tamarindo.

Yo me les quedaba mirando: con qué ganas comían. Una vez mi mamá me pegó porque le dije a uno que parecía chucho. "Te va a salir escupelo por estar juzgando a la gente", me amenazó. No fue que yo quisiera juzgarlo. ¡Es que comía como si ya le fueran a quitar el plato!

Pero mi mamá se pasó en todo... ¿Cómo se fue a enamorar de un pasante del juzgado? Había llegado de la capital. Era canillón, esqueletudo, con la cara verde, verde, toda chupada. Feo como él solo.

"¡Cómo va a ser eso!" –ella lo defendía a capa y espada–. "No puede ser feo, si es estudiante, no es un cualquiera. Además no sean shutes. En pelar gente se les va la vida. ¡Busquen oficio!"

La Sara García era su amiga y le servía de tapadera. Se terminaron enredando las dos con ellos: pasantes del juzgado, estudiantes, pobres como ratas, con los tacuches lustrosos y las camisas llenas de lamparones.

"¡Qué dial pelo! llegan a la tienda, chupan, hartan y parte sin novedad", hablaba sola Mama Amparo, porque, como ella decía, las calenturas de mi mamá eran su veneno. "¡Por no ver que son gafos!" –se decía–. "Andan todos desguachipados, pero eso sí, se las dan de muy catrines".

Mi mamá, encampanada, ni se fijaba. Les daba fiado, les servía comida, cuando entre plática y plática les llegaba la hora del almuerzo, y hasta se empinaba con ellos sus vasitos de guaro.

Un día mi papá me mandó a llamarla porque la había visto con él. "¡Decile que estoy ocupada!", contestó bien brava. Cuando fui con la respuesta, mi papá me dijo muy serio: "que tu nana lo sepa y se lo decís bien claro: no soy ningún baboso".

A las dos les resultó cupón. La Sara García estaba en estado interesante. Lo más fregado es que ya habían trasladado al hombre a Cuilapa. Hasta allá nos fuimos a buscarlo. Costó encontrarlo, y para qué fuimos, la casa estaba ya adornada para su matrimonio. Ese día se casaba con la otra. Se armó la de San Quintín, porque la Sara quiso guiño-near del pelo a la novia cuando se apareció vestida de blanco con velo y todo. Los parientes estuvieron así de darle su buena penquiada a la Sara. La sacamos como pudimos y la metimos a la camioneta que de dicha estaba ya lista para irse. La mujer lloró todo el regreso. No encontraba consuelo. Mi mamá se puso en el avispero, porque ya sabía que también estaba embarazada.

Mi papá ya nunca quiso nada con ella. "A mí nunca me gustó el hombre ese", se justificaba mi mamá cuando le reclamaban nuestra mala racha. Y cuando hablaba de mi hermana Ibis, volvía con lo mismo: "Esta niña fue obra de Mama Amparo... ella le abría la puerta a tu tata".

A saber si eso fue cierto... Lo que sí es cierto, y que sólo yo supe, fue que la mujer de mi papá, esa de las Domínguez con la que lo casaron, la tenía enfrascada, y que eso la mantenía sin sosiego. Despuecito que él se casó le empezaron los piquetazos. Le dolía el corazón, ya sentía que se moría. Fuimos lejos, donde un brujo de hasta por allá por la costa a hacer las averiguaciones. El lugar estaba atorado de gente...

Allí nos quedamos, ayunando, porque el asunto era urgente. Cuando entramos con el brujo, ya pasaba del mediodía. Le pasó un huevo por el cuerpo. Cuando lo quebró estaba negro y tenía dentro un puño de pelos. El brujo se lo dijo claro: "Esa mujer te quiere muerta."

La acompañaba en las noches a hacerse los baños. Bajábamos al pueblo, hasta los lavaderos. Entre las dos llevábamos la olla con el agua de hierbas todavía echando humo.

Allí, bajo la luna, se pasaba los manojos de candelas de sebo de siete colores, repitiendo una letanía y después las quemaba en una palangana, donde ardían haciendo una humazón. Agarraba unas ramas de chilca y se somataba con ellas por todos lados, "para hacerse la limpia".

Entonces, se metía en la pila y se echaba el agua de la olla. Desde su cabeza, le caía por el cuerpo... Respingaba porque ya estaba helada. Después se desaguaba con el agua fría de la pila. Y yo, volando lente... Me gustaba mirarla con su camisón mojado, que era casi como verla desnuda. Era vergüenzuda, nunca se dejaba ver y entonces, yo aprovechaba.

Entretanto, mi papá seguía necio. Como loco, nos pateaba la puerta en las noches, buscándola, pero ninguno le abría, porque mi mamá nos tenía bien aleccionados. "Ni se les vaya a ocurrir abrirle a ese hombre que anda endemoniado. ¡Dios nos libre!"

Metidos en esos ajigolones, ya no sabíamos ni qué hacer. Sin decir esta boca es mía, Mama Amparo bajó el cuadrito de San Simón del clavo. Adentro del hoyo, refundido, estaba un papelito. Lo sacó de adentro, puyando con una aguja capotera. Eran los nombres de ellos: Manuel y Victoria, escritos siete veces. Se me quedó mirando y me quiso explicar: "Fue para que no les faltara el pan a los patojos. Pero mejor ya no les hago la malobra.

Los hombres son puras bestias –siguió hablando sola–, sólo uno de mujer quiere a los hijos. ¡Y cómo no...! si a uno le han dolido."

Tercer Movimiento

El día en que fuimos a la capital a hablar con Ubico nunca nos imaginamos que causa de eso nos íbamos a ir de Barberena.

A mi mamá le habían contado que uno podía pedir audiencia con el Presidente, señor estricto como ninguno, para que por su medio se nos arreglara el asunto de la pensión. Porque como decía mi mamá: una cosa era que mi papá estuviera bravo con ella y otra que se hiciera el baboso con el pisto para la comida. "Tenés todo el derecho mija, ¿acaso no sos *reconocida*, pues?"

Ubico podía llamarlo a su despacho. Eso hacía con los tatas irresponsables: mandaba bajarles los pantalones, les daba una cuereada y los obligaba a mantener a sus hijos. Protegía a las mujeres que no tenían quién por ellas. Y Dios libre al que viniera con el cuento que no tenía pisto, porque lo mandaba a picar piedra con los presidiarios. Con Ubico sí que no habían cuentos. Él no aceptaba ningún vago.

Cómo costó que se animara a ponerle el telegrama, porque así era mi mamá, apenada y sin voluntad para las cosas. Pero al fin lo hizo: una mañana se levantó temprano y se fue a Cuilapa. Con los días, le llegó la respuesta.

"Sírvase presentarse Palacio Nacional..."

Viajaron a la capital para que el Presidente le diera la venia a la causa que les ocupa, para que ponga orden y haga justicia. El Palacio estaba recién estrenado. Era precioso, de piedra verde. Los capitalinos ya le habían puesto apodo, le decían "el Guacamolón". Entraron a las altas estancias con pisos de mármol. Los murales de grandes figuras y tantos colores las asombraron: conquistadores en gallardos corceles, indios fornidos de piel oscura. Las lámparas tan inmensas que parecía que se le venían a uno encima con sus pedacitos brillantes de cristal. Los vitrales dejaban pasar de reojo la luz vino, la luz violeta...

El Señor Presidente recibió a la madre. La niña se quedó esperando afuera, merodeando con curiosidad por los corredores, se acercó a la baranda de hierro forjado para mirar abajo: en un estanque del jardín, nadaban unos peces naranja. Se acercó más, pero aún no alcanzaba a ver lo que deseaba. Metió la cabeza por los barrotes y quedó atrapada: la cabeza no le salía. Se puso roja de vergüenza.

Un guardia dio voces. A los gritos salió la madre de la audiencia, salió el Presidente, y la secretaria, todos rodearon a la niña, que hacía esfuerzos por soltarse. La niña alcanzó a mirar las botas federicas del Presidente, y como en un sueño, recordó...

Estaba en primer año Primaria. Todos iban a ir a la cabecera a ver llegar al Presidente. Mi mamá no me quiso dar permiso, pero yo quería ir. Me levanté calladito a las cuatro de la mañana, me vestí rapidito y salí sin decir nada. Estaba oscuro cuando llegué donde estaba ya parada la camioneta. En Cuilapa nos estaban esperando. Nos dieron un pan tieso con puros frijoles fríos y un vaso de fresco, pero yo lo sentí sabroso, porque era una aventura.

Nos ordenaron en filas, frente a la calle principal del pueblo donde iba a pasar la comitiva. Al fondo, los "Arcos del Triunfo" hechos con flores y frutas frente al escenario donde las autoridades darían su discurso al Señor Presidente.

Esperamos largas horas. Al principio todo era entusiasmo: las banderas, las cadenas azul y blanco de papel de china, las redes de pino que regaron por toda la calle, y que después guacaleaban con agua fresca.

Los niños no nos estábamos quietos. Estirando los pescuezos cada rato para ver si aparecía. Primero nos cansamos antes que el bendito hombre llegara. Unos sudaban a chorros, algotros hasta se desmayaron del calor.

Era casi mediodía cuando se hizo la gran alharaca, "¡ya vienen!, ¡ya vienen!" La marabunta de gente se acercó achiquitando la calle, que se hizo apenitas. Los niños levantamos las banderas y se quemaron cohetes.

La comitiva pasó de largo. El Señor Presidente iba en su moto. No pararon ni un minuto para las ceremonias. Yo, que era de los niños más chiquitos, sólo alcancé a mirar sus botas federicas".

Ahora le tenía miedo. Decía la gente que era terrible. ¿Y si la mandaba a picar piedra, como iban a mandar a su padre? Pero no recibió ni premio ni castigo a cambio de sus lágrimas. Sólo la indiferencia de los mayores que, resuelto el problema, se enfrascaron en su propia conversación.

"Tratándose de un señor como Don Manuel de la Rosa...", dijo el Presidente. "Yo no puedo ponerme en mal con un señor respetable como él por una insignificancia. Es dueño de fincas, es intendente de Barberena, funcionario de la Nación. No se trata de alguien cualquiera. No se trata de una persona de poco valer. La ley no puede ser igual con todos."

La fe de edad, los papeles sucios del juzgado, se quedaron en la bolsita de papel manchado de grasa. "No, no se moleste, señora, no es cuestión de papeles. Mejor la ayudo de otra manera. ¿Sabe leer y escribir?"

"¡Ay, cómo no, Señor Presidente!, si yo saqué mi sexto primaria y..."

"Pues ni qué hablar, no hay que arrugarle la cara al trabajo. Se me va de maestra."

De inmediato dio órdenes para sacar el nombramiento.

"Pues maestra rural, entonces, se me va de maestra rural. Que Dios la acompañe y que pase buena tarde. Cuide mucho a la nena."

Cuarto Movimiento

El nombramiento como maestra rural fue ordenado por el Señor Presidente como prometido: la Aldea El Quebracho, Santa Rosa, sería el destino. Los preparativos para viajar al Quebracho ocuparon a partir de ese día la atención de toda la casa. Había que ir primero a conocer la escuela, antes de arreglar el traslado. El domingo la Nena se fue con su madre, andando a buen paso por el camino de tierra en el frío de la madrugada.

Ya entrada la mañana, se encontraron con un grupo de hombres a caballo. Estaban borrachos. Chuleaban a la maestra con palabras al principio gentiles, que fueron volviéndose soeces. Se angustiaron creyendo que podrían atacarlas. La primera casa en las afueras de la aldea apareció como una salvación: una choza de adobe sin encalar, con el techo sembrado de hierbajos, tenía arriba una gallina echada empollando huevos. Sin preguntar entraron, ya que la puerta azul, despotricada y sucia, estaba abierta. Con la respiración agitada, exhalaron unos entrecortados "Ave María, Ave María...".

Dentro, una mujer de aspecto extraño empezó a gesticular, con la mirada desorbitada.

Era muda. Las babas le colgaban de la boca, tenía un gran güegüecho, toda clinuda, chaparrastrosa, la piel se le salía por todos lados entre los jirones de ropa. Con las manos negras de tierra nos ofreció un pan de manteca, pero no volvíamos en sí del susto, al ver a la mujer esa que más parecía animal que otra cosa.

Al darse cuenta que no agarrábamos el pan, lo puso en un plato de peltre verde que se mosqueaba sobre la mesa. El plato estaba muy cerca de la orilla y se cayó al piso, junto a sus pies mugrientos. Peló los ojos, jirimiquiando. Sólo sentí el jalón que me dio mi mamá y corriendo nos salimos al camino. Cuál no sería nuestro susto cuando vimos que nos salió detrás tirando piedras. Salimos disparadas pues... como almas que se las lleva el diablo.

Les conté a mis hermanos la historia. Se quedaron pasmados. Desde ese día, esa fue para nosotros la "casa de la loca".

La labor de empacar las breves cosas no fue muy ardua. Más difícil fue encontrar un transporte que los llevara a la aldea, ya que para allá no había camionetas. Después de mucho sudar, yendo y viniendo, consiguieron una carreta de bueyes que pudiera hacer el flete. Allí subieron la platera, el gavetero y tres colchones de paja. También acomodaron con dificultad el baúl de la ropa, la caja de los trastos y los útiles para la escuela que les habían entregado en Cuilapa.

La abuela iba rígida, recta y callada, como un bulto más, sentada a la par del dueño de los bueyes, que los latigueaba sin ganas a cada tanto, sin que ellos se dieran por enterados, manteniendo su paso parsimonioso y lleno de moscas. El viento exhumaba del camino quebrantado una gran polvareda. Mama Amparo se cubrió el rostro con el perraje. Los niños no se estaban quietos, hasta parecía que iban a quedarse tirados por el camino en alguna oscilación de la carreta. Mama Amparo, perdida en sus propias cavilaciones, sin voltear y sin inmutarse, de cuando en cuando decía sin precisar con quién hablaba: "Tate quieto... Tate quieto, te digo."

Al llegar a la aldea, las gentes salieron al camino a recibirlos, aplaudiendo y quemando cohetes.

"Cuando llegamos al Quebracho, yo tenía diez años."

Paréntesis

Y entonces, callabas. Yo dejaba que el silencio se estableciera entre las dos para no perturbar tu retorno a la infancia. Que la memoria fluyera por su propio cauce, dejando que se estirara y se estirara...

La voz de mi madre era un río de palabras, una cascada de palabras, una lluvia. Yo, el amplio recipiente que recibía en silencio esa andanada de recuerdos, su torrente de tiempo perdido.

Hablaba desde su cara grande con amplio cuello, desde su pelo canoso, mal disimulado con el tinte castaño, desde sus manos manchadas y angulosas, desde sus pies más anchos de lo que yo recordaba, desde esos anteojos que no le conocía y que son ahora parte ineludible de su rostro, vitrinas desde donde sus ojos se empeñaban en emitir destellos conforme los recuerdos iban desfilando, queriendo con palabras encadenar el tiempo.

Hablaba en las largas noches en que esperábamos con ansiedad la madrugada. Mi abuela dormía con sueño inquieto, empapado en sudores, debatiéndose por atrapar aire para pasarlo por la tráquea y llevarlo con precariedad a los pulmones.

Una respiración dificultosa que silbaba y se agitaba como una máquina vieja.

A la hora de la cena, cumplíamos con los rituales. Nos sentábamos a la mesa con Don Asunción. Yo callaba, queriendo ser condescendiente. Él hacía lo posible por incomodarme. Se limpiaba con el mantel, echaba azúcar en el recipiente de los frijoles colados, decía cosas ridículas u ofensivas, no importaba. Impotente, lanzaba a diestra y siniestra indirectas, comentarios cínicos, palabras con sabor amargo. Los dos sabíamos que se trataba de una afrenta irresuelta. Pero yo me negaba a reaccionar a sus provocaciones.

Mi madre trataba de remediarlo todo. De salvarnos a todos. Con guantes de seda, de forma sutil, velada, pretendiendo que nada ocurría, ocupaba, sin protestas ni dubitaciones, el papel que se esperaba de ella: servía la mesa, alcanzaba cualquier cosa que Don Asunción requiriera, recalentaba las tortillas, se callaba ante sus improperios, pasaba como inadvertidas las evidentes y meditadas faltas de educación en la mesa, o las filosas insinuaciones con que Don Asunción me atacaba.

Cumplido el ritual, Don Asunción se retiraba del campo de batalla a su refugio: la ferretería, donde leería solitario hasta que llegara su hora de dormir.

Me sentía perdida en la casa. No me encontraba a gusto en ninguna parte. Me sentaba como hipnotizada a observar el sueño de mi abuela, lugar donde mi pensamiento divagaba sin ataduras, jugaba a reconstruir los espacios vacíos en las conversaciones con mi madre. Cuestión curiosa que mi madre se aferrara a contar historias del pasado. Antes nunca había sido así. Ese papel le había pertenecido a mi abuela.

Tantas historias y sin embargo nunca supe infinidad de cosas. Las historias están llenas de agujeros. Se llenarán, sin excepción, con la tiranía que imponemos a una realidad que nunca conocemos sino a sorbos. Como quien espía por una rendija un panorama que queda, sin remedio, incompleto.

¿Cómo sería aquella casa del Quebracho? Nunca nadie me lo dijo. Juego a reconstruirla. De seguro estaría hecha de adobe con las paredes sin encalar por dentro, dejando la tierra revuelta a la vista. También de tierra sería el suelo, donde entrarían sin restricción las gallinas, que se quedarían viendo con sus ojos directos a quienes comían, o torcerían el cuello en un curioso ademán de pregunta, esperando que les fuera lanzado un pedazo de tortilla.

No molestaban las gallinas. Eran más bien un símbolo de riqueza, un lujo, como en otro entorno los brocados o las sedas. Dejaban por allí los huevos, que los niños después buscarían; servirían para hacer un buen caldo, gran celebración si se aproximaba un cumpleaños, o si una parturienta lo necesitaba para la dieta de cuarenta días que pasaría en cama, sin bañarse, *refajada* para que no se le cayera la matriz.

Habría un gran poyo junto a la mesa, siempre vivo con el rescoldo de brasas, que Mama Amparo soplaría de cuando en cuando levantando una nube de cenizas. Al lado del fuego, reposaría la infatigable jarrilla del café, caliente por si alguien llega: ¿Le sirvo una su tacita de café? Tengo champurradas, tortillitas recién echadas, o un su platanito frito, si eso no se le antoja, le sirvo aunque sea frijolitos, paraditos, pero sabrosos, con su buena cabeza de ajos, para que no le vayan a hacer mal. Voces cargadas de diminutivos. ¿Cariño, timidez, miedo? Briznas de palabras, que todavía se achiquitan para pasar a la par, sin sentirse.

Mi madre emerge de su silencio. Le hablo de mi reminiscencia de las gallinas. Se ríe y retoma ese hilo: "a mi mamá le gustaba contar las gallinas cuando atardecía, antes que se subieran a los palos a dormir. Llegó a tener setenta y dos. También tuvo un chompipe que se le murió de *accidente*. Tuvo suerte que fuera el día antes de la Feria de San Antonio. Lo cocinó en *iguashte* y lo fue a vender por raciones a la feria. Todavía le sacó su buena raja."

Y ríe con una risa que tengo que encontrar a tientas en la penumbra.

Se cierra el paréntesis

Era bonito vivir en El Quebracho. Los campesinos nos querían. Nos regalaban quesos, crema, animalitos.

Trabajábamos en la escuela, yo la ayudaba y a la misma vez recibía las clases para ir sacando mis años. En la mañana era para los niños. En las tardes para la gente grande a la que había que alfabetizar.

Nos acostábamos temprano, bien cansadas. A dishoras de la noche se oían allá a lo lejos las canciones rancheras que cantaban los mozos con unas guitarritas rascuaches.

Yo pensaba dentro de mí que las canciones eran para mi mamá, porque era la más galana de todas las mujeres de la aldea. Se esmeraba en andar bien bañada y bien peinada "para darle el ejemplo a toda esta gente campesina, de lo que es la urbanidad vos mija, a eso venimos, a enseñarles para que no sean tan atrasados".

Con ellos era bien estricta en eso: les revisaba las uñas de las manos y los pies, y no les permitía ni la mugre ni las uñotas largas. "Ya parece que tenés cascos y no uñas", les decía para avergonzarlos.

Con pomada del soldado les quitaba los piojos, peinándolos con un peine fino. Hizo a las mujeres comprar listones para que aprendieran a no andar todas clinudas, sino a arreglarse con sus moñas, sus listones en las trenzas o las coquitas, o las hamacas y otros peinados que nos hacía también a nosotras, sus hijas. Estrenábamos cada Semana Santa y para el cumpleaños. Hasta el listón del pelo hacía juego con el vestido. Eso le encantaba a mi mamá, vernos arregladitas, como Dios manda.

Como no había luz, cocíamos el maíz en la noche, para alumbrarnos con las llamas del fogón. Cuando alguien llegaba a visitarnos sólo se alcanzaba a vigiar una sombra. Nos ponía en ascuas, hasta que hablaba y se le conocía la voz. "Jale un tronco, Don Jacinto, siéntese aquí cerca del fuego para que podamos verle la cara..."

La casa más grande de la aldea era la de Doña Trinis. Su marido era administrador de las fincas de los Fernández. Íbamos juntas a traer agua al río.

Nos cuidábamos de no irnos tarde porque en las orillas de los ríos aparecía la ciguanaba y se lo podía ganar a uno. Ya le había pasado a una cuñada de Doña Trinis que por irse ya tarde a lavar unos pañuelos, se le apareció. ¿Y, cómo iba a adivinar ella quién era si se le presentó con la mismísima cara de la prima? "Te vine a acompañar para que no estés solita", le había dicho.

Al rato de estar allí, la ciguanaba empezó a jugar con ella: la puyaba y la puyaba, como haciéndole cosquillas. "¡Ay vos! estate quieta –le decía–, ¡cómo sos de informal!" Pero seguía jodiendo, y entonces ella quiso puyarla también. Cuál no sería su sorpresa al sentirle el cuerpo hecho de pura tusa. Entonces se le reveló: la cara de bestia, greñuda, con las clines colgando.

Contaron que quedó como ida, y bien que iba siguiendo al espanto río adentro. En eso se le apareció en el puente Don Carmelo y en las nieblas de su mente recordó que él ya era difunto. Lo había matado un rayo. Allí fue donde volvió en sí, y como pudo salió del río, para quedarse enredada entre los alambres de la cerca donde la hallaron al día siguiente. Se quedó muda por mucho tiempo.

Al principio yo no sabía cómo, pero rapidito aprendí a acarrear el agua en la tinaja sobre la cabeza, o atada a la cintura. Las mujeres más arrechas las cargaban de dos en dos: una en la cabeza, otra en la cintura.

Primero se enrolla bien el yagual para el cántaro de la cabeza, cuando ya está bien colocadito, se recoge el otro del suelo por la oreja, y se sube al quiebre de la cintura, bajando apenitas los ojos.

Había que mantenerse recta, encontrarle el modo al cuerpo, enterrar los dedos de los pies en la tierra, adivinar las piedras. Por eso a los de las aldeas nos decían en Cuilapa "los tishudos..." Ni modo, si no enterrábamos en la tierra las uñas, nos íbamos a quebrar la cara. Siento todavía los meses de invierno, pegajosos y húmedos en los pies. El invierno me quedó allí metido.

La atmósfera de la casa era agobiante. Los días se sucedían en esa larga espera que interrumpían las frecuentes crisis, cuando todos se ponían con los nervios de punta, desfilaban los doctores, se corría a la farmacia... y ya nadie podía con la tensión. La abuela se moría.

La atmósfera del país era agobiante. Los periódicos ensangrentados de noticias, una rampante corrupción, hechos insólitos que tocaban todos los días a la puerta. La gente parecía recibirlos con una parsimonia, con una paciencia, con una indiferencia kafkianas.

Yo no soportaba el dolor de una despedida tan aletargada, el dolor de un país tan enloquecido. Tenía el impulso de irme, de buscar afuera respiro. Muchas veces deambulé sola por los bares y las discotecas llenas de gente que no conocía. Pero descubrí que el frío de la soledad es más agudo allí.

Una tarde me urgía salir. Decidí llevarme a mi madre: "Vamos a un lugar donde se pueda respirar, a un lugar donde podamos caminar por horas, un lugar donde podamos vaciar la cabeza... Vamos a tomar algo, necesito un trago, muchos tragos." La música de Buena Vista Social Club y el mojito nos pusieron en sintonía con el ambiente. Los pendientes se fueron perdiendo, desdibujando.

Mamá empieza a soñar con la música, haciendo muecas deleitosas, como si se pensara en una pista de baile, apretada con un hombre querido. Su cuerpecito delgado y elegante de otros días, los vestidos pegados, el azul turquesa, el café claro que ella me describe con lujo de detalles.

Se desató su nostalgia. Ahora el tema era mi padre: "Le gustaba bailar esa música", dijo. En sus ojos veo sin necesidad de explicación el amor de mi padre por Cuba, no la del Che, ni la de Fidel, sino la de Fulgencio Batista. La Cuba de los cabarets, de las mujeres, de los amigotes a quienes invitaba a las legendarias parrandas. Podían durar dos, tres días, una semana o hasta meses.

Mi madre siguió hablando, perdida en sus ensoñaciones, deshilando el fino hilo de una telaraña. Sorpresivamente, piensa en voz alta: "Quizá con tu padre hubiese sido feliz. Me dijo que nos fuéramos a vivir a México..."

La escucho y me pregunto si mi padre estuvo alguna vez enamorado. No tuve tiempo de preguntárselo, lo único que le pregunté un día fue cuál era su comida favorita y él respondió que el arroz.

VI

Hoy es 2 Ahau, 13 Zip. Día propicio para dar gracias y presentar ofrendas. El patrono del mes es un dios serpiente. Las ceremonias estarán dedicadas a Ixchel, Itzamná, Cit Bolom Tun, Ahau Chamahes. Son los dioses de la medicina. Su ayuda ha sido recibida, o se espera con fervor. La ceremonia la practicarán los médicos y los hechiceros. Uno de los sacerdotes consultará los libros sagrados, indagará acerca de los pronósticos para el año siguiente y después de comer y beber, terminarán la fiesta con una danza en honor del mes.

La cuenta de los días marcaba las fechas en estas tierras desde largo tiempo atrás: 1º de septiembre del año 317, reza la placa con fecha más antigua que ha sido encontrada en Tikal. Hoy nos damos cuenta que el Tzolkin nunca murió. Guardado celosamente, clandestinamente, saca sus brotes al sol de una nueva era que es todavía menos que una esperanza, una quimera.

Nací en un país indígena. Un país de piel oscura, pero mi piel es clara. Soy mestiza, pertenezco a una raza que no acepta su historia. Vivo al ritmo de *otro* calendario que marca los mismos días, fui educada para adorar *otros* dioses, lo cual implica que veo la vida con *otros* ojos. Vivo como han vivido en este país los de mi raza: ignorantes, ciegos, indiferentes a una forma de entender las cosas que se agita y palpita como corazón de esta tierra. Ajenos, enquistados en un vientre indio, tenemos (y esto en el mejor de los casos) la altanería de considerarnos "tolerantes" a esta verdad envolvente. Vivo en una tierra conquistada.

Una naturaleza abrumadora me circunda. Al poner atención a su omnipresencia, los laberintos de la historia se tornan espejismos. Estoy sumergida en Guatemala. La siento. La oigo, la veo, la huelo desde esta clara liquidez. No opongo límites, su carne elemental hecha de volcán y de agua es la medicina que abre la puerta de mi libertad. Dejo de pensar, de sentir, ¡oh, alivio!

El tiempo ya no existe.

Mi ser se aquieta y calla.

Dejo de ser "humana".

Hoy es 2 Ahau, 13 Zip, el día ha seguido su curso, el reloj marca las once. He vuelto a la circunstancia como un reo a su condena.

Ahora, leo el periódico:

Hace unas semanas comenzaron las excavaciones en la aldea de Palabor, Comalapa. Un día estuvo aquí el destacamento militar de la zona. Siete peritos en antropología forense, acompañados de familiares de desaparecidos y de otros voluntarios, buscan las osamentas de más de doscientas personas, enterradas ahí, en fosas comunes, durante la guerra interna.

El lunes pasado, justo cuando se cumplió un mes de trabajo, algunas viudas decidieron realizar una ceremonia maya para agradecer a la Madre Tierra por haber cubierto los cuerpos durante más de veinte años y devolverlos ahora. Hasta al momento se han recuperado ochenta y cinco osamentas de veinte fosas diferentes. De éstos, siete son mujeres y el resto, hombres de menos de treinta años. Las víctimas, fueron encontradas con las manos atadas hacia atrás, con señales de tortura. Se cree que murieron degolladas. Por el momento, esperan terminar de excavar en esa área para luego buscar en la parte de abajo, en un lugar que los militares llamaban "el rastro". En sueños, muchas mujeres lo vieron: sus difuntos necesitaban los sones de la marimba. Por ello organizaron esta ceremonia antes de continuar con el proceso de entierro de sus muertos. Los familiares que lograron reconocer la ropa de sus desaparecidos, aún tienen que asegurarse que las características físicas y las pruebas de laboratorios confirmen la identidad. Para darles sepultura pueden pasar todavía seis meses.

Rosalina, una indígena del altiplano sueña con encontrar a su padre. Desapareció un día de julio en 1982. Al ser entrevistada dijo: *"Hay gente que dice que debemos perdonar, pero ¿a quién se perdona si ninguno dice: yo fui?"*

Presencié una exhumación meses atrás. Los huesos sueltos no pertenecían ya a los esqueletos. Los hilvanaban con alambres, como las cuentas de un viejo collar. Restos de trapos multicolores servían para identificar los cadáveres. Los familiares no conocen las calaveras de sus muertos, pero sí recordaban la chumpa azul, el pantalón a cuadros, el güipil tejido para... Recuerdo ese día, esos restos. Los rituales religiosos, todos presentes, caóticos: evangélicos, católicos, mayas... Lo único claro era el olor del pom y el calor de un fuego encendido. Los antropólogos forenses abrieron, con cuidado, hoyos por todos lados sin ningún resultado. Los rezos se hicieron más fuertes, los clamores a los dioses se volvieron gritos, se suplicaba a la tierra que devolviera los muertos. De repente una costilla. Un gran alivio recorre la multitud. Entonces, los llantos callados o histéricos, sumisos o imperiosos. En todo caso, inacabables, al igual que los huesos que no cesan ya de salir.

Y, como una realidad aparte, confundiendo los hilos de una madeja, los chuchos deambulando, olfateando aquí y allá con hambre. Un heladero esperando. Ventas de atoles y tostadas. Una niñita dormitando sobre la caja que alberga los restos de los primeros exhumados. La vida con sus menudencias.

Los muertos se me quedaron hablando adentro. Es terrible aceptarlo: mi ser nunca alcanza a comprender sus palabras. Su dolor es un acertijo. Las voces irrumpen en mi memoria. Trasquilan mi relación con el mundo, quieren cerrar las ventanas.

El dolor es un hoyo oscuro. No lo habitan las palabras, ni el silencio. Se revuelve como un magma espeso que quema y arrasa. Es el señor de los largos caminos sin destino. Prefiero olvidar. Pero... no es olvido lo que intento. *Eso* que no sé cómo nombrar se extiende frente a mí como un frígido desierto. Resulta inatrapable. Se nos acusa por preferir el olvido, lo cierto es que nos suceden cosas inabarcables.

Hoy es 2 Ahau, 13 Zip, día propicio para dar gracias y presentar ofrendas, el día sigue avanzando. Son las cinco de la tarde, leo a Kafka.

"¿Quién es? ¿Quién camina bajo los árboles del malecón? ¿Quién está completamente perdido? ¿Quién no puede ya salvarse? ¿De quién es la tumba donde crece la hierba?

Sueños han llegado, han venido bajando del río, escalan la pared del malecón sirviéndose de una escalerilla.

Nos quedamos parados, hablamos con ellos, saben muchas cosas, pero lo que no saben es de dónde vienen. El aire es tibio en esta tarde de otoño. Se dirigen al río y alzan los brazos. ¿Por qué alzáis los brazos en lugar de abrazarnos con ellos?"

El paisaje me recoge con su tibieza que se levanta del suelo como un susurro. Se convierte en la única voz que escucho. Es una puerta, es un camino, un secreto que habla de amor. Y yo me abro, como las flores, como las hojas, como las alas blancas. Puedo olvidar que al final del camino, la muerte espera.

Vuelvo a sentirme joven. Absurdamente joven.

¿Tuve alguna vez dieciséis años?

Sí, entonces tenía dieciséis años y estaba enamorada.

Ese año, mi madre me había inscrito en un colegio mixto. El primer día de clases me encontré con las muchachas de mi grado, pintadas, con las faldas arremangadas bastante más de una cuarta arriba de la rodilla y las piernas desnudas. No pude sino sentirme ridícula frente a esas piernas lustrosas, con mi falda reglamentariamente larga, los zapatos amarrados, el cabello recogido. Bastaron un par de meses para que me incorporara de lleno a los rituales que acontecían en el baño: la depilación de las cejas, el maquillaje, los cigarrillos.

Por ellas me enteré que *detallar* era besar *con lengua*. Me devoraba la impaciencia de que a mí también me sucediera eso. Indefinido y misterioso, *eso* era la vida.

Jorge se apareció un día y no dejó ya de seguirme. Nos hicimos novios una tarde paseando en moto, mientras sonaba en un pequeño radio *Bye, Bye, Miss American Pie*. Me besó en el cine, pero su beso no fue sino una mariposa aleteando dentro de la oscuridad de mi boca.

Con Miguel fue distinto porque el amor nos fue acechando sin sentirlo. Éramos amigos y nos contábamos las confidencias cuando, después de las cuatro, se quedaba en el colegio a jugar fut y yo, a acompañarlo. Habíamos pactado este arreglo porque nos gustaba estar juntos y no había mejor momento que los campos vacíos del colegio cuando terminaban los entrenos.

Para Semana Santa partió un centavo en dos y me dio la mitad pues no nos veíamos por el eterno plazo de una semana. En los actos del día de la madre, le regalé mi bolígrafo y él abrió un hoyo al forro del saco para poder insertarlo en el lado izquierdo, cerca del corazón.

Cuando Alejandro, su mejor amigo, me contó que había visto en un cuaderno mi nombre escrito mil veces, sentí como si un extraño hubiese penetrado en la intimidad de algo innombrado y por tanto inocente. Alejandro dijo también que Miguel y yo estábamos *enamorados,* con un tono que me pareció despreciable. Esto que había entre los dos se había cruzado por primera vez con la palabra *amor.* Algo que confusamente había empezado a desear me era revelado como posible.

No tuve paz a partir de entonces. Cuando regresaba de clases, el tiempo se escurría mirando al techo, pensando y repensando. Despertaba en la madrugada, desvelada. Subía al bus después de cruzar la esquina, pálida y nerviosa, caminando apenas por el frío filo de la mañana.

Bajo la sombra de la campana pasaban los alumnos corriendo a formarse frente al patio. Volteaba con supremo disimulo para buscar su rostro en el lugar de siempre. Nuestras miradas se tocaban. Él sonreía y me saludaba de lejos, y yo, respiraba al constatar que no se había cumplido uno de mis peores temores: que Miguel no viniera un día de tantos al colegio.

Una tarde, al terminar la práctica, se acercó al lugar donde lo esperaba. Rojo y sudado, no dijo nada cuando se acercó. Los ojos oscuros, serios en extremo, se acercaron tanto que tuve que cerrar los míos. Sus labios me rozaron. Eran ásperos y secos. Un segundo de anhelante confusión me empujó a la inseguridad. Queriendo parecerle conocedora, escurrí mi lengua entre su boca. Quise besarlo como había aprendido. No pudo ocultar su sorpresa: Miguel no sabía besar y, ofuscado, se apartó de mí con brusquedad. La turbación que sufrimos nos dejó indefensos. Me estremezco todavía al sentirme como en ese momento, totalmente desnuda.

Nuestros campos estaban sembrados de ganas. Ganas de todo, pero sobre cualquier cosa, de unirnos de forma profunda, total...

Corrimos juntos el trayecto agotador y fútil: desde el fallido beso de aquella tarde hasta el adiós final, que llegó años después, en una larga carta, imbécil como son todos los adioses que quieren hurgar entre rescoldos cosas que fueron ya consumidas. Un gigante estuvo aquí, en otro tiempo, pero se ha ido. Y no queda nada: ni gigante, ni fuego, ni rastro del tiempo que abrió un recodo para la locura. Sólo ausencia, y la ausencia no admite palabras. Está hecha de silencio.

Ausencia, silencio, recuerdos, palabras. Las palabras del recuerdo contradicen la ausencia. Los campos de fútbol, la emoción de un beso, el amor que quedó allá prendido de un hilo. Y que se quedará por siempre así: prendido de un hilo, como la araña en vilo de la nada.

Amor, su otro nombre es deseo. Somos paisajes transformados por el deseo nuestro de cada día. Igual es transformada la tierra por terremotos inmediatos y erosiones lentas, por la sucesión de las estaciones, a golpes de meteorito que presagian cráteres irremediables. Dificultades, dudas, desesperanzas. Impulsos repentinos y desquiciados en que he jurado nunca volver a sentir. Pero todo vuelve como una ola que rotunda reafirma al deseo con su amor, al amor con su deseo. La obstinación es su protesta.

El atardecer extiende sus largos dedos rosados sobre un cielo pálido y asombrado. El 2 Ahau, 13 Zip está por terminar, desfallecido bajo el peso de los instantes. Ha habido gracias: he agradecido al Dios Amor que tiene el poder de la vida y la muerte. Han acaecido ofrendas: ¿no ofrendan a los dioses esos árboles con los brazos alzados? Todo está callado. ¿Qué hay en el fondo del silencio? El fondo del silencio es como el fondo del mar: imperturbable, ajeno, líquido y... azul.

Regreso a este refugio: volcarme en las palabras que como cuencos vacíos me reciben. Parecen hormigas que hilvanan un camino oscuro. Las veo transformarse de animalitos vivos que me recorren, hasta volverse cicatrices. Divagan sobre el papel, mustias como las flores que cuelgan sus cabezas desde el florero.

Me siento. Estoy al final de las cosas. El vacío está abierto. Yo bajo por su cuello verde de botella y, al llegar al fondo, me enrosco como una serpiente. Observo desde allí, mi propio naufragio. La corriente arrastra cofres, velas, lámparas, encajes, fotografías, rostros que se quiebran en el agua.

Soy un mar lleno de caracoles. Mis olas, leves pisadas que siembran huevos de concha en superficies pulidas y olvidadas. Despacio, mis manos de espuma se acercan al umbral donde habitan los fantasmas.

Hola...

Te llamé por la mañana (veo que sustituiste la música del bandoneón por tu voz en la grabadora). Decidí no dejar mensaje, sino más bien enviarte este correo. Dejando de lado los protocolos quiero decirte que me encantó pasar contigo un rato el otro día. No fue la conversación, aunque interesante, sino dos o tres momentos fugaces en que se produjo el milagro de la intimidad. Tocaste un lugar que he de confesar andaba muy desolado. Desde que llegué a Canadá no había pensado mucho en la amistad. Curiosamente, vos que sos un extraño, me hiciste vivir uno de aquellos momentos de cercanía con los amigos para quienes tu nombre, tu cara, tu historia tienen un lugar y un sentido.

Irene

(Voy trepando por tu cuello para alcanzar de nuevo tus labios enrojecidos y húmedos por mis besos. Parecen tan simples con los pétalos abiertos después del aguacero, mostrando su huella de fruta mordida.

Todo es una trampa, su inocencia es artificio. Te vi llegar esta tarde con el vestido rojo de seda. Pude leer en tus hombros desnudos la insinuación. Te habrías maquillado lentamente frente al espejo que refleja la placidez de tu cama. Buscarías despacio los pendientes que ahora se revuelven entre tus cabellos, te pondrías con dedicación las medias y los zapatos altos, tocarías, mojados los dedos de perfume, lugares escondidos de tu cuerpo.

Adivino cada paso que te acercó a mí.

Era más fácil en las horas de la tarde... Tus labios, su superficie pulimentada de lápiz labial, impermeables, gesto de maniquí sobre tu piel blanca... tu piel fantasma.)

Hola,

Leí por fin la tarjeta de cumpleaños que me diste. ¿Vancouver una ciudad llena de sombras? ¿Yo iluminada? No comprendo lo que decís. Cuando las hojas de colores extravagantes (violetas, rojas, amarillo limón) encendían las aceras y se avolcanaban sobre la grama en los parques, jugaba como cuando era niña y no me daba pena imaginar lo que me daba la gana, que caminábamos juntos, platicando cualquier cosa frente a la playa de Kitsilano. El otoño era glorioso.

Me dijeron que llovía mucho en esta ciudad. Yo no he sentido la persistencia de la lluvia. Muchos días no me entero que llueve. Mis ansias se empinan tratando de alcanzarte (a veces logran llegar, despacito, hasta el borde de ti).

Las noches gélidas tienen con vos, el tórrido sabor de los mangos de la costa de Guatemala. No, Vancouver no es una ciudad de sombras. Es un lugar lleno de luz y si te parezco luminosa es sólo porque, como un espejo, la reflejo.

Irene

(Voy trepando por tu mejilla lisa hasta tus ojos cerrados, estás viéndote a vos misma, sólo imagen, sólo espejo... lamo tu superficie de estatua de hielo con el delirio de un náufrago... Tus párpados titilan.)

Hola....

No hubiera querido que mis palabras interfirieran con tu silencio. Hubiese querido que fueses vos quien pronunciara nuestro próximo acercamiento. Quería respetar tu distancia. Pero... estoy conversando con vos desde la madrugada y pensé que si vamos a seguir conociéndonos tendremos que encontrar el espacio para tu silencio y para mis palabras...

Ayer me fui de tu casa con un bloque de cemento en el estómago. Lograste invocar los demonios que yo había venido angelizando. Me soñé vestida de blanco, bañada en sangre...

Vine a Canadá con un equipaje bastante precario: una maleta de escombros y un papel en blanco para escribir otra vez la historia. Tal y como están resultando las cosas, se han ido rompiendo entre los dos ciertas barreras: nos contamos cosas. Creo que nos parecemos mucho vos y yo.

Yo también tengo silencios que son como de piedra.

Hablar con vos... Me gusta hablar con vos.

Irene

(Voy recorriendo tu frente y desde esta altura, mis ojos se encuentran con tu seno. Reposa sobre la almohada aún abierto. Mi mano podría tocarlo, mis labios podrían rozarlo. Sin embargo me detengo, escojo sufrir. Verlo y saber que está allí, esperando.

Espera y no llego: ése es mi placer, aun a costa del encuentro.)

Hola...

Cada vez que nos separamos me quedo un poco enojada conmigo misma porque al pensar en las cosas que te digo, no me gustan (son confusas, como cuando un barco naufraga y quedan en la playa cosas útiles y otras que son escombros).

Me pasa como aquel que regresa de un largo viaje y tiene su equipaje recién abierto. Revueltas están las cosas nuevas, la ropa sucia, los recuerdos del viaje... Habrá que ponerlas en su sitio antes que dejen de parecer un desorden. Estoy en una etapa transitoria y nebulosa, tratando de romper, tratando de negar, sin que haya nada muy claro sobre lo nuevo. Preciso tiempo y silencio interior. Por eso cuando hablamos digo muchos sinsentidos. Cosas que no sé si son válidas o son escombros. Por eso quisiera callarme, pero al mismo tiempo quiero hablarte porque quiero acercarme a vos.

En medio de ese conflicto, de no saber nada de mí y de repetir lo que sabía antes, revuelto con mis cuestionamientos sobre eso mismo, me encuentro tratando de mostrarme a vos, queriendo ser transparente. Termino encontrando que no sé bien qué soy, ni cómo soy. Vos me acercás a mí misma. Aproximarme a vos es aproximarme a mí. Quererte conocer conlleva inquirir sobre mí. Entenderte precisa entenderme. Así que te escribo este mensaje para que sepas que soy una confusión de cosas, que no tengo forma, que no sé nada de mi vida y que cuando te hablo, tenés que entender que sólo digo intentos, aproximaciones, o quizá sólo estoy botando escombros, cosas viejas.

Irene

(Subo a tu pelo, me enredo en tu pelo, disperso, explota por todos lados. Me gustaría aprender a leer tu caos, ese momento en que te desordenas, ese resquicio de tiempo en que te desarmas, esa esquina que ha dejado su huella en mi almohada. Tu pelo, deslizarme entre sus laberintos, salir de él como de un largo sueño, detener el tiempo.)

Hola...

Decidí contestar hoy tu carta a pesar de que la recibí hace unos días. Está iluminando el cielo un sol glorioso que lo regresa a uno a la vida. ¿Sabes que sólo en Vancouver me ha parecido que el sol es glorioso? Y es que luego de tanta oscuridad llega uno a pensar que se acabó la luz por la eternidad. La llegada del sol aquí es triunfal, casi épica. Como si para llegar hubiese tenido que ganar una batalla terrible. Y cuando llega es como si todas las promesas de la vida se reafirmaran en el preciso instante en que pensaba uno que ya no iban a ser. (Toda esa elucubración para decirte que estoy contenta, deseosa de tirarme al sol como una lagartija.)

Me preguntas si tus palabras tienen algún sentido para mí. Dices que soy como un océano. Muchas noches, cuando libero mi pensamiento y lo dejo vagar, me he pensado como un océano. Un enorme cuerpo líquido que lame el borde de tu isla y la rodea.

Irene.

(¿Detener el tiempo? Pero si han pasado eternidades desde que trepaba por tu pantorrilla. El reloj marcaba las cinco y cuarto. Estaba adentro de vos, perdido en medio de tus muslos. Hará apenas unos segundos o quizá serían siglos. Estuve yo, pero distinto. Yo sensación, yo absoluto, yo sin razón, yo sin nombre. Yo que revienta y se vuelve añicos. Yo que se aleja del mundo. Tu cuerpo fue el pretexto, el camino para no llegar a ningún sitio. No quería nada de vos, estaba bien así, sólo el camino. Recién ahora algo me molesta. Recién ahora me sacude el recuerdo distante de querer ir más lejos... un deseo difuso. No he rozado sino tu carne. El secreto está todavía escondido. No pude violarlo. Y de solo pensarlo me vuelven las ganas. "Tengo sed de vos, una insaciable sed. Abrí de una vez la puerta" dice esto dentro de mí que no sabe nombrarse. Sin embargo, mi voz calla. Tendrás que olvidarme Irene. Hoy y mañana. Olvidame muchas veces... Olvidame todo lo que podás.)

"¿Qué te incomoda? ¿Qué tira con violencia del asidero de tu puerta? ¿Qué es lo que manosea el picaporte de tu puerta? ¿Qué te llama desde la calle sin entrar por la puerta abierta? Ay, no es sino aquel a quien tú incomodas, a quien tú tiras con violencia del asidero de su corazón, a quien tú manoseas el picaporte de su puerta, a quien tú llamas desde la calle sin querer entrar por su puerta abierta." F. Kafka.

Desde unas ruinas viejas y carcomidas, el ojo de un pájaro me escudriña.

VII

La rueda del tiempo no espera.

Como un molino que tritura granos, el tiempo tritura... mundos.

Historias, historias que se cuentan y van trazando el hilván de innumerables realidades. Historias. El hilo es el tiempo que perfora la carne. Antes de morir quedará crucificada... por mil puntadas de tiempo.

Despierto sintiendo que el diablo se apodera de mi cuerpo. Mi interior está desatado, en revolución. Mis huesos estallan en colores fosforescentes y puedo sentir, con dolor, cada articulación. Las cuencas de mis ojos quieren expulsarlos, estar vacías de las brasas. Se ha instalado una atmósfera en mi cabeza desde donde los ruidos rebotan y reverberan.

Mi estómago se revuelca en una náusea suprema que logra mover el saco pesado que es mi cuerpo. Las arcadas me doblegan y agotan hasta sumirme en una inconsciencia distante desde donde sueño.

Estoy en una terraza. Es una vieja ciudad europea, grandiosa como la creación virtual de la película *El Gladiador*. Monumentos gloriosos, pulidos bronces, acompañados de victorias esculpidas con gracia neoclásica. Cuerpos de mármol desnudos, mujeres blancas, columnas y atrios romanos. El despliegue del poder cubierto por la sutileza de la cultura, cimentándose uno a la otra, con una complicidad de serpiente.

De la admiración y la complacencia paso al rechazo. De nuevo la náusea. Con sed de un poco de pureza salgo corriendo, voy ahora en un automóvil viejo, se precipita a un lago lleno de ranas gigantes. Son de plástico, esto es Disney World. El auto va cayendo, cayendo. Veo por la ventana, algas verdes crean un paisaje exuberante, ofrezco chocolates envueltos en papeles de colores a personajes que aparecen y desaparecen.

Caigo finalmente. Es la cocina de la casa. Una rata sale de bajo la estufa. Me irrita sobremanera su pelo hirsuto, sus ojillos rojos que yo califico de perversos. Tengo urgencia por matarla, pero me detiene el asco. Tiene que haber una forma... lo hago con asepsia: de una primorosa cajita amarilla saco un polvo venenoso. Me golpea entonces la culpa, las ratas no pueden ser perversas. Me asusto: pudiera ser que la perversión venga de mí, que la rata no sea sino el reflejo de mi propia imagen.

Huyo de mí misma. Aparece un camino polvoriento. Quiero recorrer ese camino, seguir buscando algo que no recuerdo. El camino toma otra forma: es ahora un gigantesco rostro de piedra que voy escalando. Al llegar al ojo formado por una enorme caverna, aparece un señor de bigotes que parece salido de un juego de Nintendo. Le pregunto adónde voy y me contesta: "a ninguna parte."

Al mediodía, llega la señora que cada semana viene a limpiar. Se acongoja al verme enfebrecida.

Corre al pueblo, donde hoy llegaron los voluntarios de CARE. Trae al doctor y entre brumas escucho que tengo dengue. Me pregunta si he visitado la Costa Sur recientemente.

C y yo viajamos a la Costa. Un viaje pausado con olor a caña de azúcar. Los niños corriendo casi desnudos parecían pájaros caídos. El gozo del viaje se fue desgastando mientras corría el día. C se empeñaba en convertirlo en "algo romántico" y yo destruía con ironías cada edificio hiperbólico que él se empeñaba en construir. Agotado, me preguntó a quemarropa si volvería a enamorarme. La pregunta era profunda y yo tenía pereza. Fui mala. Volvimos acosados por el silencio que impuso la viscosa densidad de la distancia. Recordé lo que me dijo una vez mi abuela. Con Mama Juana se torció el destino de las mujeres de la casa.

Mama de la mama, de mi mama: Mama Juana.

¿Por qué andaría siempre de traje sastre? Bien planchada, el pelo estirado, con una flor recién cortada al lado de la oreja. Dicen que tocaba varios instrumentos musicales, que era rubia, que tenía las mismas manos gorditas de mi madre. Quizá fuese judía.

Salió huyendo de Ahuachapán cuando murió su marido. Ministro de Estado, hombre poderoso y rico. Enterraba las alforjas llenas de tostones de pura plata en los patios de su hacienda. Sacaba de cuando en cuando a asolear aquel pistarrajal.

Pero los hijos eran unas liebres... Cuando murió, Mama Juana se adelantó a las maniobras que ya temía de sus hijastros. Huyó con una buena cantidad de esos tostones y las dos hijas habidas en el matrimonio tardío. Olió, y su olfato nunca le había fallado, que si se quedaba hasta muerta iba a terminar.

Se fue lo más lejos que pudo. Llegó a Barberena porque perdida en los caminos que encontró allende la frontera, muchos le dijeron que allí era donde estaba el dinero, asunto importante a ser considerado ya que su afán era hacer negocio. Llegó con sus hijas, Julia la mayor y la pequeña Amparo. Compró una casota grande en escuadra, que le gustó por céntrica y porque tenía varias puertas que se abrían a la calle principal del pueblo. Sin darse ni un día de reposo, empezó a trabajar.

Una de las puertas daba a la carnicería. Se mataba cerdo, se mataba res. Se hacían chorizos, butifarras y longanizas. Los sábados, buenos chicharrones y revolcado de cabeza de coche. Los lomos de cinta, la posta, el rochoy, colgaban de los grandes ganchos escurriendo sangre y llamando moscas. La cecina se sacaba a asolear ya bien salada. Hasta las criadillas eran aprovechadas en los cebiches del sábado, que reunían a los hombres frente al mostrador de granito. Acompañados por su pacha de aguardiente, aprovechaban a comerlo con la esperanza de mejorar su potencia viril con las mujeres.

La segunda puerta, daba a una venta de ropa de partida. Dos costureras famélicas y un sastre que con frecuencia se emborrachaba, trabajaban las piezas que se contaban al final del día para el pago del jornal.

Rimeros de mengalas, rimeros de gabachas, rimeros de delantales, rimeros de pantalones y camisas de dril, o de manta, que compraban por centavos los campesinos cuando bajaban de la montaña.

En la tercera, se vendían los dulces de bolita que *daban su punto* en los grandes peroles de hierro. Sacaba el sudor menear y menear ese océano pesado de miel, hasta que se ponía melcochoso. Chupetes y pirulís de colores forjados en frágiles cartuchos de papel encerado, con precariedad colocados en la tabla llena de hoyos. Se los llevaban a las ferias, a las procesiones, o para la venta de los domingos en el parque.

En la otra puerta, la panadería, donde antes del amanecer ya salía el pan caliente, listo para la romería de clientes, que adormilados todavía, se levantaban a comprar las tiras de *franceses*, los desabridos, las *conchas*, los molletes, las semitas, las *lenguas*, las campechanas, las hojaldras con su azúcar, las champurradas con su ajonjolí.

En los corredores, los niños al salir de la escuela recibían unos centavos por pelar los canastos de fruta que luego, servirían para hacer los frescos y los helados.

Contaba Mama Amparo que allí se trabajaba duro, pero también se gozaba de ver toda aquella abundancia. Mama Juana era de esas mujeres de antes, que no le arrugaban la cara al trabajo. Levantada desde antes que amaneciera, meneaba *batellas* llenas de masa, mares de melcocha, ollas de sangre de olor penetrante para hacer las morongas. Y sin embargo, limpia y rozagante, todavía tenía ánimos para cantar acompañada de su guitarra, sentada en la mecedora frente a su casa. Era al final de la tarde. Ya mudada de ropa y de ánimo, repartía amabilidades con los vecinos que salían a escucharla.

Hacía tiempo que Mama Juana había olvidado el amor y sus ardores. Los días se escurrían uno tras otro sin que tuviera tiempo para nada. Las noches: un sueño ancho y pesado la embargaba. Sólo la luz malva de sus atardeceres se impregnaba de una vaga nostalgia. Ella la espantaba al descuido y sin voltearla a ver, como a otra más de las persistentes moscas. Así, por distraída, nunca se dio cuenta que se sentía solitaria.

Sus hijas se habían vuelto mujeres. Julia, la mayor, se enamoró. Cuando el noviazgo se volvió oficial, llevó a su enamorado a la casa de visita. Quería presentarlo a su madre, para que pidiera formalmente su mano. Y, por allí entró lo torcido: entre visita y visita, el novio de Julia se fue enamorando de Mama Juana.

Todo fue muy secreto, nunca hubo sospecha de nada. Fue un asunto de miradas y pequeños roces, gestos mínimos de este asunto de dos que se iba inflamando con desmesura ante la imposibilidad de sus perspectivas. Detalles ínfimos, y suficientes para saber que se deseaban: sin explicación, de manera subversiva, de forma irresistible. Cuando los demás vinieron a darse cuenta, ya estaban enredados.

¿Y qué culpa tenía Mama Juana? Fue el destino. Él la escogió, él la estaba acechando. Le dio a beber una de esas pasiones oscuras y pesadas como un río subterráneo de aguas minerales. Amores que deshacen cuanto existe a su paso, imponiendo su propia lógica que es locura. Desarmó sus negocios, vendió todo, dejó a sus hijas, se fue con *el hombre ese* lejos. Muy lejos.

Julia nunca la perdonó. Se sintió tan ridiculizada frente a la gente del pueblo que por mucho menos destrozaba a otros con la lengua, que agarró sus cosas y se marchó a la capital. Allá se casó, de la pura decepción, con un gringo, "tirado con onda" y viejo. Pero el gringo resultó educado y cumplidor.

Era un funcionario retirado de la United Fruit Company. Cansado y sin ilusiones, se contentaba con el afecto acomodaticio de Julia; la pasión no era un asunto imprescindible en su vida. Le dio lo que ella quería: tres hijos y una casa en el centro de la capital y se sintió dichoso de envejecer y morir en paz, como si esa última generosidad hubiese justificado su existencia.

Amparo, la menor, al verse abandonada por su madre y por su hermana, se fue a vivir con un contador rígido y formal que antes no había logrado enamorarla. Por largo tiempo, la chuleaba con torpeza cuando pasaba por la calle provocando su desprecio y, sin embargo, tuvo con él dos hijos. Cosas de la vida. Buen marido, aunque austero y serio en demasía. Como era tan trabajador logró conseguir un empleo en la capital, sede de los grandes negocios cafetaleros. Quiso llevarse a su mujer, darle un porvenir a los patojos.

Pero, Mama Amparo había heredado la vena necia y cimarrona de las mujeres de la familia. No dio su brazo a torcer. Una cosa era que accediera a ser su mujer y servirlo, y otra muy distinta que accediera a seguirlo. Sólo muerta se la llevaría. Él se encolerizó, la amenazó de todas las formas imaginables. A su marido le debía, antes que nada respeto.

No pudo con ella. Rabioso, decidió llevarse con él a una tortillera que le mentía y lo sonsacaba. Y en parte tenía razón: no iba a vivir sin mujer, porque ¿quién lo iba a atender, a arreglarle su ropa, a tenerle su comida servida cuando llegara del trabajo? No iba a vivir como un perro a causa de una mujer caprichosa.

Fue la tortillera quien tuvo suerte y a pesar de que era lo que se dice una *shuma*, terminó enguantada y de sombrero. En la capital le fue bien al contador. Con los años, se convirtió en licenciado.

Amparo se enamoró de repente: era de Izabal, un negrito, simpático y parrandero. Tocaba los tambores con una banda de música garífuna que llevó el alcalde para la feria de Independencia. El negrito supo disuadirla para que le comprara un octavito y después enamorarla para que se fuera con él a la cama.

Cuando las fiestas terminaron, sin pensarlo mucho, Amparo agarró *un par de tanates*, y hasta por allá por Izabal se fueron a aventurar ella y los patojos. Hasta allá por las bananeras.

El negrito era borracho como él solo y nunca tenía un centavo. Amparo lavaba mundos de ropa para comprar comida, mundos de ropa para pagar el cuarto, mundos de ropa para juntar los centavitos que apartaba en la hendidura de sus senos para los octavos de aguardiente que mantenían contento a su hombre.

Aún así pasaban penas. La Toya terminó envuelta en un perraje, porque se le acabó la ropa. Descalza, abandonada y zaparrastrosa, a Amparo sólo le alcanzaba para un tiempo de comida en el comedor. Lo dividían entre todos. Apenas un bocado.

Amparo despertó el día de San Juan, y nunca olvidaría la fecha. Descoyuntada por el duro trabajo que ayer, como todos los días, le había tocado, le costó trabajo abrir los ojos. Miró el machihembre manchado de cagadas de mosca, el cordón de la luz donde casi perdía el equilibrio una cucaracha. Su marido, roncando, lanzó al ambiente una ofensiva y aparatosa ventosidad. No tenía ni un centavo para el desayuno.

Sin pensarlo mucho, sin decirse nada, levantó con su inmutable parsimonia a los patojos. Ningún ruido fue suficiente para que el borracho despertara. Al terminar de recoger sus cosas, tomó la única posesión de valor que había en la casa: un par de congas que el negro cuidaba como las niñas de sus ojos. Las tomó como quien transgrede un mandamiento, pues de sobra lo sabía: tenía prohibido tocarlas. Con él había sido siempre obediente, pero una oscura y lenta rabia la cegaba. Las llevó a vender donde sabía se las comprarían. El dinero fue apenas suficiente: tomó la camioneta con sus hijos y se fue de regreso a Barberena.

A la Toya y a su hermano Augusto los recogió su padre en cuanto supo que estaban de regreso. Se los llevó a la capital a estudiar sin que Amparo abriera la boca. Augusto nunca volvió. La Toya regresó, años después, hecha una señorita.

Guillermo, el hijo del garífuna, creció pegado a su madre errante. De pueblo en pueblo, sin saber nunca si sería por un día, meses o semanas. Y así pasaban los años: pidiendo posada o rentando cuartos en las vecindades.

Ella lavaba ajeno, vendía frescos o atoles, cocinaba en los comedores. Cualquier cosa para darle de comer al niño. Comida y un oficio. Ése era el único afán que la levantaba cada día antes del alba.

Nunca más volvió a desear nada, ni reclamó a

ningún dios por su suerte. Se sentía conforme, entregada por fin a la inercia liberadora de desdibujarse. El único orgullo de Mama Amparo fue que su hijo se convirtiera en sastre. Su mayor pena, que fuera borracho como su padre.

A pesar de que la vida las había separado, Julia y Amparo siempre se quisieron. Julia recordaba la carne de Amparo enjuta y seca, su olor, sus pies morenos y delgados saliendo de la sábana en la cama ancha donde durmieron juntas por largos años. Ese cuerpo, delgado y sólido, fue el único que en la vida le permitió dormir con total abandono.

Entonces eran jóvenes. Había pasado tanto tiempo. Sin embargo, como una vieja cicatriz que no se borra, todavía añoraba esa presencia física, ese cuerpo, que quedó sembrado en su recuerdo: leve, juvenil, con un limpio olor a ceniza.

Los recuerdos llegaban más a menudo ahora. ¿Se estaría volviendo vieja? Veía, con la claridad de una aparición, a su madre despertándolas antes del amanecer con los batidores de chocolate hirviendo y las hojaldras. Lo tomaban metidas en la cama, gozando cada momento que prolongaba el calorcito de las chamarras revueltas y de la bebida. Luego, despacio bajaban hasta el patio donde un poderoso chorro hacía rebalsar de agua fría la gran pila. Se agarraban a guacalazos, ahogando los gritos para no llamar la atención de los mozos que ya iniciaban sus faenas. Ya vestidas, pero con la piel todavía helada, trenzaba el pelo negro de su hermana, largo, hasta debajo de la cintura mientras cantaban los gallos en la penumbra.

En los últimos tiempos, la añoraba más que nunca. Despertaba en las horas de la madrugada entre sofocos. Amedrentada, luchaba por conciliar el sueño que se volvía huidizo y a medio correr, queriendo atraparlo, se le resquebrajaba en mil chayecitos. Cuando sentía que no podía más, se alistaba temprano para ir a las oficinas del correo. Ponía el telegrama. Mama Amparo desaparecía de Barberena de repente. Por semanas enteras nadie sabía de ella. Se había ido, respondiendo al llamado.

Necia y callada, así era la Amparo. Valiente y austera, como si nunca deseara nada. No pedía ni sabía dar explicación de las cosas. Malhumorada y con boca de carretero, tenía la misma nariz del hombre del retrato, su padre, cuyo recuerdo era borroso como un retazo de suspiro. Si no hubiera sido por esos únicos recuerdos, un retrato descolorido que se perdió con los años y la nariz de Amparo que quedó presente, se habría difuminado en las sombras del olvido.

Julia la veía sencilla y transparente, más aún porque se veía a sí misma calculadora e interesada. Sabia, con la sabiduría de la calle, que mide, pesa y da a cada cosa un precio, sólo Amparo lograba llevarla de vuelta a otro tiempo que apenas podía recordar. Un tiempo en que ella era otra. En aquel entonces no sentía ese amargo deseo de joder a la gente, sacarles ventaja. *Si no jode uno primero, es uno el jodido después*, era la ley que aplicaba a toda circunstancia. La vida la había golpeado y ella era de esas frutas que al magullarlas se pudren despacio por dentro.

A Amparo la lengua se le hacía de palo. Nunca le salían las palabras, salvo cuando la rabia la desbocaba y entonces escupía un torrente de las malas y vulgares. Por eso le gustaba estar con su hermana. Julia pasaba horas hablando, contándole historias, chismes, haciendo conversación, y ella podía quedarse tranquila, entregada al amarre ciego de las cuerdas de su silencio, sin ser perturbada.

Le sacaba la risa la Julia, la hacía carcajearse, llorar de la risa, con el vientre subiéndole y bajándole por el esqueleto hasta que le dolían las carnes. También la abrazaba con largos abrazos. Tiernos lienzos tibios sobre su cuerpo seco y duro que se quedaba impávido, paralítico, mientras por dentro se le revolvían los sentimientos que querían tener brazos para abrazar, bocas para besar, ya que ni los brazos, ni la boca de Amparo sabían moverse para dar un abrazo o un beso.

Pero sí habían sabido... una vez. Fue con el papá de Guillermo, ese negro cabrón. "¿Sería calentura?", pensaba dentro de sí. "Dicen que las mujeres se vuelven calientes después de parir hijos...", cavilaba. Mientras los demás la veían callada y taciturna, ella pensaba y repensaba. "A saber si sería calentura..., lo cierto es que ya no sentía que el cuerpo era mío. Como que se mandaba solo..."

Recordaba, con el escalofrío con que se acerca uno al territorio del miedo, que cuando el negro faltaba ella *no se hallaba*. Le entraba una desesperación que la echaba a las calles, no importando la hora, corriendo tras él, buscando sus pasos. Pasos perdidos de borracho y parrandero. Pasos que la llevaban a las cantinas donde no se animaba a entrar y se quedaba vagando afuera como un espanto. *No seas babosa* le decían. Pero nadie sabía: los pasos de su hombre se parecían demasiado a los pasos perdidos de ella, pasos del desamparo. Y sí, porque en ese des-*Amparo*, dejaba de sentirse, dejaba de ser ella. Sólo sentía su corazón caminando sobre clavos.

Pero, cuando él estaba con ella.... ¡Ah! ¡Qué dicha! No podía esperar para sentirlo montado sobre su vientre, y entonces sí, despertaba su cuerpo y lo abrasaba con los brazos, con las piernas, con los ojos. Y lo abrazaba con el fuego desconocido y poderoso de su corazón.

Su delirio la llevó a anidar un sentimiento que nunca había conocido: hambre en las entrañas. Como que fuera animal, quería quedar encinta, tener hijo de ese hombre. Pero no... no eran ganas de animal, eran ganas hermosas de monte, como las enredaderas de buganvilia que sólo palos y espinas son, hasta que echan flor... sólo por vicio, porque se mueren de ganas.

La mirada callada de Amparo, no dejaba de darle vueltas a ese recuerdo que se volvía más precioso en la medida que su piel se ajaba. Cuando se le ajó completa, se convirtió en un hecho maravilloso, un suceso fantástico. Y ella comprendió que la había habitado un milagro.

Uno de los usuales telegramas de Julia llamándola, llegó a Barberena. Mama Amparo se sentía un poco chueca, con dolor en los huesos, como si una gripe monumental fuera a apoderarse de ella. El pañuelo untado de Vicks amarrado en la frente, no le quitaba el potente dolor de cabeza. Temerosa de no fijarse bien en las cosas del viaje, decidió llevarse a la Nena.

La tía Julia había tenido tres vástagos. Rosaura, la mayor, vivía en Bananera. Había tenido suerte: se casó con Mr. Foster, un gringo que como su finado marido también trabajaba en la *United*, como llamaba afectuosamente a la compañía frutera. Allá, tenían una bonita casa de madera, con jardín y una piscina, todo estilo americano.

Sus hijos varones se fueron a la Guerra. Hace un año recibió un corazón púrpura. A John no lo volverá a ver. Su fotografía posa sobre un mueble de la sala con una veladora siempre encendida. De Glen no se habla nunca, pero en las largas tardes en que la tía cose silenciosa, quizá piensa en él, quizá su corazón se agita.

La casa hubiera quedado vacía si no hubiese sido por Carmelita, su nieta, quien vivía con ella en calidad de pensionada. Estudiaba en el Colegio Francés. Por las mañanas había que servirle el desayuno aunque ella salía todos los días apurada y apenas comía. Siempre se le hacía tarde. Iba corriendo, colocándose todavía el sombrerito blanco con tira azul y los guantes. Sí, Carmelita y un inquilino viejo que deambulaba en los corredores como un fantasma.

Llegaron a la casa, penumbrosa y fresca de tan callada. Pasaron el día con la tía, quien deshaciéndose en atenciones, fue al mercado a comprar unas pacayas para forrarlas en huevo, sempiterno antojo de Amparo. Entre ésta y otras faenas domésticas, se les fue como agua la jornada. Al amanecer del día siguiente, las despertó de madrugada y las despidió rapidito. Urgía que fueran a hacer el mandado que les había encomendado. Les entregó la caja que empacó con suficiente papel de envolver y que amarró con cáñamo.

Llegaron a tiempo a la estación del ferrocarril donde tomaron el tren que salía a media mañana hasta la costa. Bajaron ya al final de la tarde en Mazatenango. La estación hervía de gente y calor. Amparo conocía bien el camino. Fueron directo a una abarrotería grande, bien surtida, de unos comerciantes chinos. Entregaron la caja y les dieron un paquete. "Es pisto", dijo Amparo.

Esa noche durmieron en la pensión con el paquete de dinero bajo la almohada. Amparo ardió en fiebre. De madrugada, sin siquiera desayunar, se subieron al tren y regresaron a la capital a entregar la encomienda. Al llegar a la casa, la tía Julia estaba muy amable, les sirvió comida, le pagó a Amparo con mayor generosidad que de costumbre y las invitó a quedarse unos días. "Sería bueno que la Amparo se recupere".

Pero, quedarse en la cama cuando ya estaba claro hacía que le picara el cuerpo. Amparo prefirió pasar la gripe en la calle, buscando a su hijo para darle el dinero que le habían pagado. Lo ganaba para él, para que no pasara penas, pues ella sabía que andaba aventurando, sin trabajo fijo, tomando sin parar por semanas, cuando *agarraba furia*. No por culpa suya, él era un buen sastre, de aquellos que moldeaban los sacos al cuerpo, que sabían ponerles sus hombreras de algodón, sus entretelas de brin o manta, para darles forma. Dibujaba sobre el corte con su yeso blanco los trazos, luego los armaba con los largos pespuntes de su mano ensimismada sobre la tela. Le encantaba *ispiar* a su hijo trabajando. Veía hermosas sus manos, que iban y venían, hermosos sus ojos embrocados sobre la tela. Y después la maravilla: el saco terminado, tan perfecto que hasta parecía que tenía el muñeco adentro.

Aún así, no conseguía trabajo. ¡Qué le importaba a la gente que él fuera buen sastre! Se necesitaba más que eso, se necesitaba suerte y pocos la tenían. A los demás les tocaba bregar contra una vida sorda y necia que no oía razones. ¿Quién iba a entender a la vida? Era por eso, por una amarga frustración que se ponía las grandes borracheras. Aparte, no ayudaba nada la mujer que tenía. Era alocada y pendenciera. Lo desesperaba, no le daba sosiego. La gente le decía a Amparo que su hijo era el torcido, pero ella sabía... una mala mujer puede joder bien jodido a un hombre.

El tiempo le daría la razón. Muchos años después, siendo él ya casi un viejo, cuando las mujeres que tuvo en su vida lo habían desechado, encontró a Juanita, *la virgen negra,* una india de San Juan Sacatepéquez, empleada por día en la casa. La llamaban así por su cara, de una extraña perfección, como de muñeca, como de santo. Se amancebaron sin pudor bajo el techo de la familia, lo cual les valió que los echaran. En una choza a la orilla de un barranco donde les tocaba recoger de la basura objetos para vender y así conseguir unos centavos para no morirse de hambre, cuidando de día y de noche la máquina de coser, para que no se las robaran, allí, contra toda esperanza, Guillermo dejó de tomar: se había vuelto evangélico.

La Nena y Mama Amparo recorrieron las calles de la ciudad, buscando a Guillermo donde acostumbraba rondar. A la Nena se le iban los ojos: los almacenes de los chinos de la quinta avenida con olorcito a incienso y mercadería de todas clases, los policías con sartas de chorizo que les aventaban a los chuchos callejeros, los presos picando piedra atrás del Castillo de San José, los lodazales de San Pedrito, donde los coches se revolcaban.

Más tarde, su tía Julia le contó un par de historias que nunca olvidó: las sartas de chorizo que daban a los perros eran bocado. Al Señor Presidente no le gustaba que los perros ensuciaran la ciudad, pues era su *tacita de plata*. También le contó que a los ladrones les tatuaban las manos para que siempre se supiera que estaban marcados por su crimen. Muchos de ellos, para ocultarlo, usaban guantes. Desde ese día, la ciudad quedó grabada en su cabeza con dos signos, uno perverso, otro propicio. La atracción fue creciendo, inefable y poderosa.

Cuando al fin lo encontraron, la Nena se fijó que a su tío le habían desaparecido las nalgas. El pantalón le quedaba flojo como una bolsa. Los mayores conversaron largo rato haciendo desesperar a la niña. Finalmente, cuando Mama Amparo le entregó el pañuelo atado donde llevaba el dinero, ella supo que el suplicio de sus pies dolientes había terminado. Se despidieron y antes de enfilar hasta la casa de la tía Julia pasaron al mercado a tomar un fresco. Después de una leve cena, se acostaron a dormir.

A deshoras de la noche, se oyó que pomponeaban la puerta. Era Guillermo que andaba borracho. Como no le abrieron, se puso a gritar obscenidades, insultaba de la forma más soez a Mama

Amparo. Ella se levantó y en la oscuridad, era una sombra. Se tapó la cabeza y la boca con el perraje. Salió al zaguán, con sus pasos inaudibles. Se puso a oír tras de la puerta, a vigiar la calle por un agujero del portón. La tía Julia la sintió caminar por el corredor y desde el cuarto le gritó: "Cuidado le abrís a ese cabrón, Amparo. Andate a dormir y dejá que bote la puerta si le da la gana." Obediente, regresó y se metió a la cama. La Nena supo, sin que nadie se lo dijera, que su abuela no iba a pegar los ojos el resto de la noche.

A la mañana siguiente, Mama Amparo se levantó temprano y despertó a la Nena. Era hora de irse. La tía Julia también estaba levantada y se opuso a que se marcharan con el estómago vacío. "Aunque sea un trago de café vos Amparo, no seas necia. Ya sé que estás que se te cae la cara de vergüenza causa del bolo ese... Ya me cansé de decírtelo pero sos muy terca: 'árbol que crece torcido, nunca su tronco endereza'. No le des tu pisto, hombre, no seas babosa. No ves que todo se lo mata chupando..."

"Ya junté fuego, la jarrilla está aborbollando, venite a sentar... ahí te tengo un tu bocadito para que no aguantés hambre. Mirá que van a llegar ya tarde. Ese desgraciado te va a matar de una cólera."

Mientras tomaban un trago de café, humedeciendo las champurradas dentro de la taza, la tía Julia se sentía culpable. Las ojeras le colgaban a Mama Amparo hasta la mitad del rostro. Quiso mostrarse amable y, en una acción impulsiva, le preguntó a la Nena: "¿No querés venirte a estudiar a la capital, mijita? Aquí podés terminar tu primaria. Quedate a vivir conmigo, me ayudás con el oficio, me hacés compañía porque ya estoy vieja. Ahí andás como gitana, siguiendo a tu nana. Vas a crecer como montesa. Ya sos una señorita, te conviene, mija, vivir en la ciudad. Aquí podés superarte."

No había terminado de hablar cuando ya empezaba a arrepentirse, pues ser generosa no era su estilo. Era tarde para recoger sus palabras, pero quizá las cosas no iban a resultar del todo mal... La tía Julia cosía ropa de partida, pantalones y camisas al por mayor. La niña sería buena ayuda. Aprendería a cortar las piezas, a usar la máquina de coser. Haría estos trabajos después de la escuela. También ayudaría a servir a Carmelita. Como buena costurera, la tía Julia no daba puntada sin hilo. Estos últimos pensamientos trajeron alivio al irrefrenable vicio de sesgar hasta sus más sinceros gestos sacándoles ventaja. A pesar de todo su trasfondo, el ofrecimiento era una oportunidad para la Nena y tanto ella como su abuela se alegraron. Terminaron de comer con gusto, olvidando los pesares de la noche.

Cuando Mama Amparo y la Nena llegaron a Barberena con la novedad, todo fue entusiasmo. Hicieron los planes. La Toya la iría a dejar. Aprovecharía para vender en el mercado algunas gallinas, que con suerte, le darían *aunque sea unos centavitos* para las cositas que fuera la Nena necesitando. "Aunque sea un dulcito que podás comprarte sin pena, mija."

Se llevaron a la pequeña Ibis para que ayudara a cargar las aves. Se levantaron tarde. Ya la estrella nixtamalera estaba alta. Tenían un camino de varias leguas por delante. "Apurémonos, patojas, que nos deja la camioneta. A ver cómo hacemos para llegar a tiempo porque si no ya la fregamos. Le agarra a uno el sueño por estar volando lengua. ¡Si por algo les dice uno las cosas, pero cómo cuesta que hagan caso!..."

Las gallinas pesaban mucho. Ibis las podía sostener apenas bajo los brazos donde se las acomodó la madre, que la azuzaba, cada cierto tiempo: "¡Por amor de Dios, mija! No seas choyuda. Apurate te digo, que nos deja."

Cuando Ibis vio que ya iban lejos, y que tenía que caminar más deprisa para alcanzarlas, permitió que se le descolgaran del brazo, las agarró por las patas uñudas y ásperas. Corrió con las cuatro gallinas colgando, y no volvió a reparar en ellas, enfrascada en alcanzar el paso rápido y cortante de su madre. Pasaron por todas las casitas de la entrada al pueblo hasta las afueras, donde la casa de la muda estaba quieta. Casi llegando a la parada, la madre se fijó en las gallinas que venían colgando. Tenían ya el cuello flácido y morado. Estaban muertas. "¡Ah, qué patoja para ser tan necia! ¿No te dije que las llevaras bien abrazaditas? Te me vas de regreso, si no querés que te dé tus cinchazos."

Ibis se deshacía en ruegos. Como era exagerada y escandalosa, chillaba tanto que parecía que estaban matando un cerdo. Lo cierto es que no quería regresar sola. Estaba oscuro y había que pasar por la casa de la loca. Pero su mamá no oía razones. La mandó de regreso con las cuatro gallinas, cabezas guindando. Ellas, apurándose, llegaron cuando la camioneta estaba lista ya para irse.

VIII

Clareaba. Desde temprano había ruidos en la calle:
las cuadrillas que barrían durante la noche con las
bullas del regreso a la casa, las mulas jalando
carretas de leche con recipientes metálicos repi-
queteando, las cabras que ordeñaban en los zaguanes azuzadas por el chasquido del látigo del dueño
que las conducía por las calles, los acarreadores
del pan con los enormes canastos que repartían de
casa en casa, las campanas de La Candelaria que
llamaban a la primera misa, las carretas de los
recogedores de basura... Después del cansancio
que la tumbó temprano al sueño, la primera noción
de que estaba en la capital le llegó a la Nena por
las orejas.

La tía Julia había colocado su cama bajo la ventana que infundía una tenue claridad al cuarto
grande. Una cortinita que colocaron apenas ayer
noche, colgada de un lazo sostenido por dos clavos
precarios, separaba su cama del resto de la habitación que rentaba su tía *al inquilino,* un viejo chino
llamado Meme.

El chino era cocinero de otro chino rico. Salía
todos los días a trabajar a esa casa de gente de
dinero y regresaba con restos de comida, con
dulces o con maní. La encontraba ya dormida,

EL SEÑOR DE LOS SEÑORES:
LA UNITED FRUIT COMPANY

El capitán Lorenzo Dow Baker de Wellfleet, Massachusetts, ancló su goleta *Telegraph* en Jamaica.

Sus ojos de comerciante lo hicieron ver, antes que otras cosas, los bananos. Y en ellos, no su dulce cualidad pastosa, sino otra aun más apetitosa a su particular clase de gula: eran productos populares en los mercados locales.

Pensó, pensó con rapidez. Pensamientos llanos, sencillos: pocos norteamericanos habían visto alguna vez un banano... tenía espacio extra en su nave.

La ecuación resultó simple: compró 160 racimos del fruto aún verde, por un chelín la penca a los mercaderes jamaiquinos en los muelles de Port Antonio.

Once días después, el *Telegraph* llegó a Jersey City y vendió los racimos a los compradores curiosos por dos dólares cada uno.

Naturalmente complacido con su fácil ganancia, Baker continuó transportando banano con otras mercancías en sus siguientes viajes, generalmente anclando en su puerto de partida en Boston.

En unos cuantos años, la creciente popularidad de la fruta convenció al capitán Baker de que debía concentrarse en exclusiva en este negocio.

En 1885 fundó la Boston Fruit Company y se trasladó a Jamaica para supervisar el embarque, así como también los de Cuba y Santo Domingo.

Para 1898, la Fruit Company y varias empresas norteamericanas importaban anualmente, 18 millones de racimos.

Al crecer la demanda, se presentó un nuevo e inusitado problema: la escasez.

Los campos, cultivados ocasionalmente, sin método o tecnología producían lo que podían. Pero, después que había cenado apenas frijoles y café que la dejaban con hambre.

El chino jugaba con ella: la despertaba lanzando sobre la cama los dulces que llevaba o el maní y todavía asueñada se encontraba con la sorpresa de una golosina, o los restos de comida de la mesa del chino rico.

Meme no dormía todos los días en su habitación. A veces, se encerraba con la tía Julia en su cuarto desde temprano. Eran viejos amantes aunque nadie lo hubiera podido decir: día con día, ella lo trataba con total desprecio. Cuando el chino se metía en aquel cuarto, la Nena oía cómo se carcajeaban, encendían el radio, y conversaban por largas horas. Podía escuchar desde la oscuridad, ruidos que atestiguaban que se quedaban despiertos hasta deshoras de la noche.

Algunas noches, él entra ya muy tarde, con varios hombres, chinos todos. Susurran cosas en una lengua extraña y con una vela pálida encuentran el camino entre los muebles de la habitación.

Se sientan alrededor de la luz que ilumina apenas. Conversan en voz baja con los tonos oscilantes de su idioma. Luego, como si alguien los callara, se quedan en silencio el resto de la noche.

"Las sombras de los hombres parecían pintadas sobre las paredes. Sus caras brillaban en lo oscuro. Yo no me dormía, los ispiaba. Hablaban en secreto. Después... un gran silencio. No entendía cómo podían estar todos tan callados."

Encendían la pipa, y el acre olor llegaba hasta ella. El humo hacía arabescos sobre el hálito iluminado de la vela. La niña imaginaba ver cosas: manos la compañía necesitaba más y más bananos. El mercado así lo reclamaba.

Los perspicaces propietarios decidieron comprar tierra para hacer plantaciones, controladas y supervisadas, donde el fruto pudiera crecer a fecha fija, sin ocasionarles zozobra.

Con ello en mente, los ambiciosos bostonianos pusieron los ojos en la empresa de Minor Keith, un contratista de Brooklyn cuyo sueño había sido monopolizar el comercio en América Central construyendo líneas férreas en áreas en las que no existía otro medio de transporte. Este negocio lo mantenía constantemente endeudado, pero lo libraba de la bancarrota el comercio de banano a Nueva Orleáns y otros puertos sureños.

Había extendido astutamente su poder político. En la cúspide de su carrera era tan poderoso como para ser conocido como "el rey sin corona de Centro América".

Eventualmente, Minor Keith decidió aceptar la sociedad que se le proponía. La nueva empresa se llamó *United Fruit Company*, y poseía, aparte de 170 kms de ferrocarril en Centro América, 86,000 hectáreas de tierra entre el Caribe y América Central, de las cuales 25,000 estaban en plena producción.

En aquella época se podía obtener tierra en los bajíos inexplorados del trópico por casi nada, ya que los gobernantes locales no la usaban. Estrada Cabrera llegó a otorgarles una concesión de 99 años para operar y terminar la construcción de la línea férrea principal del país que corría de la capital a Puerto Barrios.

Para 1930 la United Fruit tenía un capital de operación de 215 millones y poseía propiedades desparramadas en tres islas del Caribe, Colombia y Centro América. Su mayor dominio era Guatemala.

entrelazadas, ojos abiertos, ojos cerrados, cuerpos que danzaban con sinuosidad entre evanescencias.

Los chinos se acostaban en las esteras de palma que extendían en el suelo. *Se quedaban como estatuas, idos... con los brazos aguados, los ojos abiertos, pero como si estuvieran dormidos. Cuando amanecía, salían de uno en uno, con prisa, para que nadie los viera. Sólo yo me daba cuenta, mi cuerpo sabía y me despertaba. Era de madrugada cuando los veía salir. Dice la tía Julia que fuman opio y sueñan.*

Meme preparaba el opio en un reverbero. Ponía las semillitas negras al fuego hasta que una pasta clara, pegajosa como miel, se derretía dentro de la olla abollada. Luego, con cuidado la vertía en frasquitos de cristal que tapaba uno a uno y los colocaba en una cajita que guardaba dentro de un baúl bajo su cama. La luz macilenta de una bombilla en la habitación quedaba encendida toda la noche, hasta que llegaba el día con su lenta claridad.

Una mañana el viejo no se levanta. Se envuelve en las sábanas y no quiere hablar, ni moverse. Dice la tía Julia que se le acabó el opio. Meme no sabe vivir sin sus sueños. La tristeza lo atrapa en su telaraña de acero.

Corrí a raspar los frasquitos para juntarle las perlitas amarillas, hasta hacerle un montoncito que me acerqué a ofrecerle al borde de la cama. Se sonrió queriendo darme las gracias.

El chino le fue tomando afecto a la niña. Le regalaba muñequitos que hacía con la navaja y pedazos de madera. Le contaba historias. Historias de tiempos diversos, de cuando era niño y vivía en

La United Fruit había sido durante años la compañía que ofrecía más empleos en el país, así como el mayor terrateniente y exportador, y durante los años de 1930 sus posesiones y su poder aumentaron aún más.

En 1936 la compañía firmó un acuerdo por 99 años con el general Ubico para abrir una segunda plantación, esta vez en la costa del Pacífico.

Ubico concedió a la compañía la clase de concesiones a las que se había acostumbrado: exención de impuestos, importación libre, y una garantía de salarios bajos.

Por esa misma época las relaciones de la compañía con los de International Railways of Central America (IRCA) de Minor Keith fueron formalizadas. Así la United Fruit Company ejerció enorme control económico sobre Guatemala.

Cualquier empresa que quisiera exportar bienes al este o al sur de Estados Unidos, a África o a Europa tenía que usar Puerto Barrios. La compañía era dueña del pueblo y de las instalaciones portuarias, tenía completa autoridad sobre el comercio internacional. La única forma de transportar las mercancías era la línea de ferrocarril del IRCA, cuyos horarios y estructuras de precios estaban también controlados por la United Fruit Company. La "gran flota blanca" de más de cincuenta cargueros, era la única en tener libre acceso a Puerto Barrios, y la intimidación ejercida por la compañía contra sucesivos hombres fuertes guatemaltecos le permitió numerosos pactos unilaterales, como la concesión para manejar el servicio de telégrafos.

La frutera tenía más tierra abandonada que cualquier otro terrateniente en el país, se oponía a la formación de sindicatos, y por muchas otras razones, se constituyó en el oponente más fuerte a los cambios en Guatemala, especialmente, los dirigidos a su liberación económica.

la China, de sus viajes y de cuando llegó a este país.

De su tierra, recordaba pocas cosas: una tarde de fiesta con cintas rojas, los frasquitos de vidrio de distintos colores que guardaban las pociones de su tío el apotecario, un rostro alargado y macilento, que inclinaba las gafas para ver de cerca ínfimas porciones de polvos, raíces retorcidas, una infinidad de hierbas, pero más que ninguna otra cosa, recordaba la cara lisa de su madre y su mirada urgente cuando le dijo al tío que lo llevaba lejos: "no dejes que perezca".

Viajaron juntos a América. Se estaba construyendo un gran ferrocarril y había trabajo hasta para un niño pequeño como él. Del lugar a donde llegaron recordaba los árboles inmensos, tan altos como mil hombres parados uno encima del otro. Tomaba días botarlos, y caían con un estrépito que hacía temblar la tierra. Recordaba también un gran incendio, una llama larga que como una gran lengua se había tragado a un hombre con todo y su carruaje. Sólo quedaron las ruedas de hierro y unos escombros negros. El poblado quedó en ruinas y se tuvieron que marchar. Fueron de lugar en lugar y los años pasaron pronto. En esos pueblos nacientes por donde anduvieron errantes, sufrieron el desprecio de los inmigrantes blancos que habían hecho suyas aquellas tierras. Se juraron sobrevivir.

Meme no quiso aprender el oficio de su tío, porque aquel viejo callado y taciturno que guardaba con extremo celo sus secretos, le parecía seco y hosco como un palo. Prefirió la cocina de un chino gordo y parlanchín que se emborrachaba con frecuencia. Sin embargo, allí aplicó la misma devoción que había aprendido observando al apotecario. Los más delicados giros de los sabores de oriente. Las más precisas connivencias entre las hierbas y condimentos, las más refinadas estrategias para desarticular los secretos de una carne o de una legumbre.

Hizo algún dinero con los años. Pensó que era hora de marcharse. Se despidió con ternura del tío convertido en anciano, y él, recordando un adiós último acaecido en su tierra en tiempos que le parecían inmemoriales, le repitió con reverencia: "no perezcas".

Llegó a Centroamérica por el Puerto de San José. Había pensado llegar más lejos, pero el miedo al contagio de la peste de tifus que se había desatado en el barco lo hizo desembarcar antes de lo previsto. Se acercó a la costa en una pequeña embarcación que amenazaba zozobrar a merced de un océano salvaje apodado "Pacífico".

Nunca mencionó cómo llegó a Cuilapa, pero sí dijo que una casa verde de esquina le gustó desde el día en que la vio. La compró en efectivo y el dueño, jugador empedernido, vio abierto el cielo. Con lo que le quedó, instaló un comedor. Ya no era tan joven entonces.

La niña se acomoda en su regazo, se abraza a su pecho huesudo, el chino le acaricia la cabeza, le besa el pelo. Le cuenta, otra vez, la historia favorita: en Cuilapa, Meme vivía solo. Pocas personas le hablaban. No fue sino cuando conoció a Blanca, que se sintió por fin feliz.

La gente del pueblo decía que era solterona porque pasaba de los treinta y sin marido. Era rubicunda y grande de huesos, rubia y de dientes fuertes, con unos ojos azules que la hacían parecer muy niña. Tomaron mucho tiempo antes de hablarse más allá de las palabras necesarias, aunque ella llevaba cada viernes un portaviandas para llenarlo de comida para su padre. Cada semana, los amigos llegaban a visitarlo y a beber sin parar toda la tarde. Era hija de un alemán cafetalero.

A Blanca la encantó la dulzura de Meme, su suave timidez. Adivinó que ambos conocían el maltrato y la rudeza. Quiso consolarse y consolarlo. Podría, quizá, olvidar la rigidez y prepotencia de su padre. Juntos podrían ser dichosos al fin, como si se hubiesen encontrado al final de un largo desierto.

A la niña le encantaba esta historia, como le encantaban todas las historias de amor. Aparte, le gustaba la voz tranquila del viejo. Se sentía protegida por su ternura, por su voz cadenciosa, por sus silencios pausados en los cuales ella reposaba. Meme terminaba aquí el relato. Después de este punto, no contestaba más a las preguntas de la Nena.

Pero un día llegó ebrio. Se sentó a la mesa con la cara floja. Oyó, sin decir palabra, con los ojos perdidos, los insultos de Julia quien antes de terminar de injuriarlo tuvo que atender a un vendedor que golpeaba la puerta. La Nena se quedó sentada en la mesa mirándolo. Sin preguntarle nada, Meme le contó con un hálito pestilente lo que antes había callado: cuando el padre de Blanca supo que la había embarazado, la mató de un balazo. El hálito aguardentoso de Meme contagiaba la historia. La historia también contagiaba con su perversidad las bocanadas pestilentes que salían de la boca del viejo. Él, sin percatarse de esta alquimia, repetía con un hilo delgado de voz: "a su propia hija, a su propia hija…" Lo decía como si aún no saliera de su asombro. Como si todavía no lo pudiera creer. Después, se quedó mudo. Con los ojos hablaba, pero a las sombras.

Alisando las camisas con la plancha de hierro que calentaba en las brasas, los pensamientos de la Nena divagaban. De sorbo en sorbo, tomaba agua, inflaba las mejillas y los esparcía en una lluvia de gotitas expulsadas por la boca, para *rusear* la ropa, como le había enseñado su madre. Recordaba la historia que le había contado Meme. La plancha caliente y pesada levantaba nubes de vapor de la ropa, que se alzaban junto al olor húmedo de las cenizas. Se atrevió a sacarle la conversación a su tía, que aburrida de la monotonía de su máquina de coser, abundó en detalles. "El viejo nunca se repuso de esa pérdida. Se emborrachaba todos los días. *Se mató* todo lo que había hecho, se quedaba tirado en los bares, lo sacaban a tirar a las calles donde lo recogía la policía y lo llevaban a la cárcel a dormir la goma."

Ella le había tenido lástima. Dijo que una vez que llegó de visita a Cuilapa lo recogió de la calle, sucio y enfermo y se lo trajo a la capital. "Dejó todo abandonado en la casa verde de la esquina. Nunca quiso regresar." La Nena se quedó cavilando. La tía Julia no daba puntada sin hilo. Había algo que la tía no decía y que la Nena tampoco llegaría a saber. Lo cierto es que la estancia del chino en su casa le dejaba buenos réditos. Comerciaban opio en la costa. Mama Amparo llevaba los paquetes y recogía la plata.

La casa de la tía Julia tenía tres balcones abiertos a la calle, donde las macetas de geranios languidecían. Abajo, pasaban los estudiantes que enamoraban a Carmela. Ella, prefería al que le decían *el zarco* por sus ojos verdosos, un color que era de agua. La indiferencia del muchacho la hacía sentirse ansiosa, lo cual ella tomó por amor y a partir de entonces, ardía siempre con el deseo de verlo. Como él estudiaba en *la Normal*, Carmela buscaba cualquier motivo para salir de la casa a la hora que terminaban las clases, desbocada, bajo el embrujo de un deseo impreciso.

Pero la tía Julia nunca la dejaba salir sola. Mandaba a la Nena con ella, para su disgusto y enojo, pues andar con esa niña le traía todos los inconvenientes que se pueda uno imaginar. Sus amigas le decían *el estorbo* y ella tenía que pasar por la vergüenza de aparecerse con ella. Entre todas armaban la huida, engañosa, malvada. Pero bien merecido se lo tenía la metida esa, *la arrimada*. Le mentían con descaro, de todas las maneras posibles, la dejaban perdida en las calles, o la mandaban a esperar a los atrios de las iglesias donde nunca regresaban por ella, y luego, llegaban con la tía Julia a inventarle una historia: "Esa niña a saber en qué vainas anda, se le desaparece a uno, le coquetea a todos los hombres en la calle, es una descarada."

La Nena se sentía solitaria. A falta de tener con quien hablar, se embrocaba por las noches a ver pasar gente sobre los balcones que daban a la calle. Una noche, un joven la saludó: "Buenas noches, seño..." Hasta ese día, nunca nadie la había llamado *seño* y se ruborizó porque era cierto que en los últimos meses sus senos habían crecido. Ya no sabía cómo ocultarlos bajo las blusas, bajo los suéteres, cruzando los brazos, encorvando la espalda.

El joven se puso a conversar con ella. Le contó que ya estaba por terminar sus estudios de bachiller y que en unas semanas sería su recibimiento. Ella le hizo la bulla, le preguntó si harían fiesta.

"¿Le gustaría ir?", preguntó el joven.

"¿Yo? No he ido nunca a una fiesta, pero sí, sí me gustaría ir", respondió la Nena, pensando para sus adentros que no tenía ningún vestido de fiesta y que quizá su tía no le daría permiso.

"Entonces, le pasaré tirando la invitación bajo la puerta."

La invitación apareció días después, como fuera prometido. La Nena tuvo la suerte de encontrarla antes que nadie.

Por esos días, Carmela amanecía cantando *aquellos ojos verdes...* y estaba más romántica y ensoñadora que nunca. La oyó conversando. Quería ir al recibimiento de la Normal, porque allí estaría *el zarco*. Pero, no había conseguido invitación. La Nena vio la oportunidad de tener un gesto amable con su prima y le ofreció que podían ir juntas con la suya.

Carmela, ni lerda ni perezosa, dejando a la Nena con la palabra en la boca, fue corriendo a buscar a Julia y le pidió que se la quitara. "Esa niña no tiene edad para esas cosas, la invitación me toca a mí. Seguro la vinieron a dejar para que yo fuera y no ella, es lo más seguro abuelita, ponéte a pensar."

"Mija, no seas ingrata con la Nena. Además, ponéte *vos* a pensar que no podés ir sola. Si querés ir, tenés que llevarla para que te acompañe".

Carmela, que tenía una amplia gama de recursos para retorcer la realidad y luego caer en sus propios engaños, en esos momentos ya consideraba que era injusto que *esa niña* tuviese que ir a estorbarle.

"Abuelita, no necesito chaperones. Yo puedo cuidarme sola. No me pongás en vergüenzas."

De todas maneras tuvo que ir con la niña. Y para colmo de su mala suerte, también tuvo que prestarle ropa, incluyendo un sostén para sus senos incipientes, maquillarla, peinarla y, al final de cuentas, hasta le prestó unos tacones, sobre los que la niña se tambaleaba. Lo de los tacones fue lo que más le dolió. Ella veneraba sus zapatos y no había nada que le molestara más que unos pies ajenos metidos en ellos, poniendo su peso sobre ellos. Tanto reclamó por esto que, fastidiada, Julia terminó por gritarle: "¡Pero si son pies, por el amor de Dios, Carmela! No son culebras. Sólo un par de pies..."

El baile acontecía en una casa de la vecindad. Habían sacado los muebles, colocado sillas contra la pared, pino en el piso y en las paredes, hojas de pacaya. Una raquítica marimba tocaba los ritmos de moda con muchísimo entusiasmo. Las parejas empezaban a bailar, todavía tímidas y tiesas.

Llegaron de las primeras. Carmela advirtió y recontradvirtió a la niña que no la fuera a estar molestando. La sentó en una de las habitaciones más alejadas, y con un tono de amenaza le dijo que no quería que se moviera en toda la noche.

A pesar del confinamiento a que la sometía su prima, la niña se sintió aliviada cuando la vio desaparecer, pues su modo altanero y pretencioso terminaban por hacerla odiosa. Largo rato pasó allí sentada, ardiendo en curiosidad al oír el murmullo creciente hecho de risas, conversaciones y ritmos que venía desde afuera. Poco a poco fueron asomando en la última habitación las parejas, una familia entera que llevaba un niño de pecho, una señora gorda que ocupó dos sillas completas. La Nena se entretenía viendo a la gente, que emperifollada y perfumada iba despacio llenando la estancia. Los abrigos y las bolsitas de noche quedaban amontonados sobre las sillas mientras las parejas se levantaban a bailar. No se cansaba de mirarlo todo. El mundo nocturno era fascinante. Las mujeres con sus tímidos escotes, labios carmín, perfumes y cejas pronunciadas. Los collares, los aretes, la música, las risas, el emperifollo. Esa excitación, esa magia. Todo era distinto en la noche.

Al buen rato, el muchacho que le había hablado en el balcón se apareció en el cuarto, rodeado de un grupo de amigos. Desde lejos, la saludó y cuando ella retornó el saludo con una sonrisa de alivio, se acercaron. Ella se apresuró a ponerse de nuevo los tacones, de los que había liberado a sus pies momentos antes.

El muchacho, pensando que su invitada se aburría, se esmeró en presentarla a sus amigos, entre quienes se encontraba *el zarco,* a quien ella ya conocía. Muchas tardes su prima la había obligado a seguirlo cuadras enteras, para averiguar con quién andaba.

Justo en ese momento, terminó su pausa la marimba y sonó un mambo. Una llamarada de excitación iluminó la fiesta. *El zarco* dijo: "Es el número cinco", y sin mediar ninguna formalidad, le agarró la mano a la Nena. De nada valieron sus tímidas protestas, cuando sintió ya estaba en medio de la habitación, rodeada por completo por las otras parejas que se meneaban con euforia al ritmo del sonido pegajoso.

El zarco quedó encantado con la Nena, con su manera tan suelta de hablar, con la tibieza de su cuerpo tierno. No la soltó en toda la noche. Carmela, por su parte, hacía esfuerzos inimaginables por encontrar al joven. Nadie le daba razón de dónde estaba, aunque le aseguraban que había venido a la fiesta. Al único lugar donde no puso un pie Carmela, fue donde estaba la niña. Lo que menos quería es que se le pegara y le arruinara la noche. Cuando el baile estaba por terminar, aburrida de esperar sin resultado un encuentro con su galán, Carmela fue a buscar a la Nena. Cuál no sería su sorpresa cuando la encontró abrazada al *zarco*, bailando de cachetío un bolero. Tenía los ojos cerrados, bien apretados como las otras parejas.

A Carmela le dio un serio ataque de rabia. La insultó a gritos. Se dio la vuelta y la dejó hablando sola. La Nena no la siguió. Aunque tenía miedo a la reprimenda, pudo más su gana de quedarse bailando hasta que terminara la fiesta. Cuando todo terminó, la Nena no sabía qué hacer pues no quería volver a la casa sola. *El zarco* se ofreció a acompañarla. En el camino, aprovechó para preguntarle si lo aceptaba como novio y para agarrarla de la mano cuando ella dijo, sin dubitación alguna: sí.

Al llegar, la Nena golpeó la puerta por largo rato sin que le abrieran. Fue Meme quien contraviniendo las órdenes se levantó y la dejó entrar.

Al día siguiente, la tía la llamó a su cuarto. Estaba penumbroso y ella, seria como nunca. La Nena había tocado sin querer una fibra delicada. Le había quitado el novio a Carmela. De inmediato, la tía concluyó que esta niña tenía la herencia pérfida de Mama Juana. Desde entonces la vio como una serpiente venenosa. Le dijo que se pusiera una ropa extravagante: el vestido de satén rojo que había usado Carmelita para bailar tango en un acto del Liceo, que siendo francés, hasta le había permitido un moderado escote. En el cuerpo más menudo se volvió pronunciado, abriéndose sobre los senos sueltos. La Nena no entendió por qué le pedía algo tan extraño, pero obedeció sin preguntar. La pintarrajeó con exagerado colorete y los labios rojos sin respetar el borde de su boca. Con las manos que temblaban, la sacó a empujones de la casa. A gritos, con palabras que galopaban hacia fuera con estrépito, le decía que se fuera y su cara se congelaba en una mueca de rabia y amargura. "Vaya allí donde van las mujeres *largas*. Vaya a que se la levante un policía, ya que eso le gusta", le dijo, cerrando con un seco golpe la puerta.

El zarco había quedado de juntarse con ella, en una tienda del barrio. Cuando ella salía, pintarrajeada y bamboleante, lo vio venir, ataviado con una chumpa de cuero. Le dio vergüenza que la viera así. Quiso esconderse en el dintel de un portón. Pero él ya la había visto y la alcanzó. *El zarco* se asombró al verla "arreglada" de esa extraña manera, pero, encandilado por los recuerdos de la noche, hacía cualquier cosa por disculpar lo que de otra manera le habría parecido extravagante. Resuelto el dilema por la vía del encandilamiento amoroso, pensó que se veía linda, la tomó por coqueta.

Platicaron un ratito y tras un instante de silencio en que ninguno supo qué decir, él acercó su mano al rostro de la Nena y le levantó la barbilla. Ella cerró los ojos. Le habían dicho que cuando a uno lo van a besar, hay que abrir un poquito la boca.

IX

Corría el año de 1944... Dicen que ese revuelo en las calles es una revuelta política. La ciudad está inquieta. Los chismes vienen y van. Dicen que hay manifestación, que las columnas de gente llegan ya hasta la misma puerta del Palacio. La gente le grita a Ubico pidiéndole su renuncia. Dicen que los pelotones de caballería salieron a la calle y amenazan a la turba enardecida.

"Esto es increíble, esto es inaudito", se alarma la gente.

Nadie había intentado nunca una manifestación contra Ubico, ni siquiera la más leve protesta. Ubico era fuerte, implacable.

En una sociedad partida con drástica nitidez a la mitad, sucede lo inesperado: una indefinida franja en el medio –universitarios, zapateros, albañiles, gente de ciudad–, hasta ahora insignificante socialmente, se ha organizado para algo tremendo: hacer caer a Ubico. Ya varios días atrás andaban de mano en mano los volantes sediciosos entregados por los estudiantes con sigilo. Las manos los leen temblorosas. Hasta tocarlos infunde miedo: *Guatemalteco, demuestra tu patriotismo no concurriendo al desfile del treinta de junio en que aparecerá el dictador.* Los pobres jóvenes que los repartían terminaron presos en la Penitenciaría para escarmiento de los revoltosos.

Los maestros cerraron las escuelas. Se declararon en huelga. Se les unen obreros, artesanos, profesionales. Se apodera de la ciudad una honda sensación de inquietante espera, luego lo nunca imaginado: la gente pierde el miedo. Dicen que ha habido muertos, heridos, prisioneros. Dicen que la gente se para frente a los ventanales del palacio a pegar de gritos. A gritar *consignas*.

Hoy por la mañana se repitió el diario desfile por la Sexta avenida y en las calles cercanas al Parque Central. Iban de negro y en silencio. Al día siguiente, desfilan de nuevo. Ahora, la gente repite estribillos que se van haciendo habituales, desafían a las bayonetas y a los caballos de la policía montada. Dicen que los obreros no dejan salir los ferrocarriles, que un grupo de mujeres salió del atrio de la iglesia de San Francisco y se encaminó por la Trece calle. Ya yendo por la Quinta avenida hacia el sur, a pesar de ser todas mujeres, la columna fue embestida por los soldados. Mataron a una maestra. Otras fueron heridas o atropelladas. Esto parece ya una revolución.

En la casa de la tía Julia todos se encierran. Ellos no son *babosos*, no se meten a bullas. Cierran la puerta con tranca y prenden el radio. Mientras, expectantes, esperan los rumores –*las bolas*– que sin falta llegarán, pues recorren la ciudad como descargas eléctricas.

Pasan los días y las calles no se aquietan. La tía Julia maquina, y ella nunca da una puntada sin hilo. Con la excusa de la revuelta, aprovecha: manda de regreso a la Nena con su madre, sin que termine el año escolar.

"No puedo hacerme responsable de ella en estas condiciones", decía la carta escrita de prisa, en un papel arrancado del cuaderno de cuadrícula de la clase de matemáticas. Luego de una leve hesitación, añadió empuñando la pluma más fuerte: "sobre todo porque a su hija le gusta andar en la calle a altas horas de la noche, sentarse en el Parque Central a coquetearle a los policías. Entiéndame Toya, no es cosa mía." La minúscula venganza la deja satisfecha.

La mandaron sola, en una camioneta abarrotada. Se sentó arrinconada a ver pasar el paisaje luchando porque no se le salieran las lágrimas. Su madre la recibió con extrañeza, pues lo que menos esperaba era verla llegar. Leyó la nota escrita por Julia despacio. La amargura se le asomó a los ojos, pero de su boca no salió palabra.

El pueblo de Barberena también estaba agitado, pero por otras razones: había llegado el circo. La frágil carpa se estacionó en un campo aledaño, donde pastaban las vacas. Costó día y medio armarla, aunque varios hombres se ofrecieron a echar una mano y los niños corrían acarreando cosas, prestándose a lo que se ofreciera. Cuando los vecinos la vieron terminada, los embargó un extraño asombro. Por las noches, viéndola iluminada, convinieron en que parecía una gran tortuga.

Durante el día los niños rondaban, dando de comer briznas de heno y hierbas a dos caballos escuálidos y sobando a los perros que eran parte del espectáculo.

El sábado salió el primer convite que recorrería los caseríos anunciando la función de gala. El lanzafuego marchaba adelante en un caballo canelo, sin estribos, colgando al vacío sus alpargatas doradas. El otro lo llevaba una de las mujeres del circo, mil oficios, cantante, trapecista, domadora de perros. Su traje de tafetán amarillo estaba cubierto de medias lunas negras y de estrellas moradas.

Dos hombres caminaban con zancos, vestidos de color azafrán, haciendo malabarismos con unas pelotas violeta. Las medias negras y las caras empolvadas con harina de arroz como ratones de panadería, quedaban rematadas por el pelo de lana.

Los patojitos corrían tras el payaso con vestido a rayas. Querían tocarle la gran sirimba que inflaba un almohadón. O quizá querían alcanzar al mico pulguiento que montado en su hombro, le enroscaba la cola al cuello.

En la noche, el circo hormigueaba de gente. La banderita azul y blanco flotaba en el mástil principal y los banderines de colores verde, rojo y amarillo en los más pequeños. Tenían todo iluminado con bolas de trapo, empapadas en gas y sebo para que ardieran continuamente. Al empezar la función, la fanfarria de trompetas, bombos y platillos armaba una gran bulla al lado de la entrada. El público se arremolinaba, peleando por entrar a ocupar los mejores lugares.

"¡Música, maestro!" Al compás de un pasodoble se inicia la función. La pista del circo estaba lista para recibir a sus artistas en un lecho mullido de arena y aserrín.

"Me fascinaban las cantantes con sus trajes de lentejuela y plumas de colores. Aunque daba lástima que las plumas estuvieran descoloridas y las muchachas tuvieran las medias rotas. Después se subían en unos lazos hasta lo más alto de la carpa y allá, hasta arriba, hacían piruetas con sus piernas gordas y los pies descalzos.

Daba nervios mirar a la desgonzada doblarse. Parecía de hule. Sacaba la cabeza en medio de las piernas como que fuera araña. El mago partía a una mujer a la mitad, dejándole de fuera los hígados hechos de algodón teñido de rojo. Acto seguido, una mujer contaba con una vocecita cansada por qué se había vuelto gusano. *La mujer fenómeno*, enfundada en un tubo verde donde sólo le salía la cara..."

Ya para terminar, todo se pone a oscuras. Los redoblantes empiezan a tronar, y cuando se encienden las luces, los romanos con sus sandalias de hule, sus escudos de cartón y los penachos en los cascos hechos con cepillos de raíz, son creíbles por completo para la multitud que callada los observa.

Llevan amarrado al Cristo, lo latiguean, le pegan, le escupen. Chorrea sangre. Cae varias veces, lo patean, lo insultan, le clavan una corona de espinas. Se lee el pomposo edicto de condena. La crucifixión se anuncia con redoblantes que truenan en la sala. La cruz permanece fija en el escenario. El Cristo parece levitar hasta ella, halado por unas poleas que pretenden ser invisibles. Con cierto desgarbo acomoda brazos y piernas. El público aplaude.

Al final de una agonía más o menos lenta, plagada de gemidos, carcajadas y burlas de los romanos que bajo la cruz juegan a los dados, el

Cristo muere. Al mismo tiempo, se apagan las antorchas. El efecto fue logrado metiéndolas en cubetas de agua, sin poder evitar que la estancia se llenara de humo.

Todo se pierde en las sombras y un profundo silencio embarga a los espectadores. Después de un instante que parece eterno, las antorchas de recambio se van lentamente encendiendo. El Cristo ha desaparecido de la cruz. El público se levanta a aplaudir, llorando por la emoción y por el humo que a dúo, agobian la sala. Los niños se quedan pasmados sin saber adónde mirar. A la salida, el público espera a los artistas, se prende de sus ropas, de sus manos, ellos a duras penas responden a las mil voces infantiles que a gritos piden permiso para acercarse a los animales.

El circo era el tema de conversación en el pueblo. La atracción preferida fue la representación de la Pasión de Cristo. Los había maravillado el realismo de la crucifixión, el carisma de ese Mesías tan convincente.

El actor caminaba por el pueblo y parecería que el mismo Jesús había vuelto a resucitar en medio de ellos. A sabiendas de que no podía dejar que el encanto de su acto se marchitara, caminaba descalzo, con parsimonia y con un halo de santidad que no lo abandonaban a ninguna hora. Moreteado y con la piel llena de costras que atestiguaban la veracidad de sus tormentos, asombraba a los vecinos. Se dirigía a ellos con un *vosotros* que les sonaba raro. Sus ojos oscuros y profundos, el cabello largo suelto sobre los hombros, su cuerpo enjuto parecían acarrear el misterio mismo del Dios hecho hombre. Sin embargo, era por sobre todas las cosas ese cuerpo golpeado lo que cautivaba. La maceración de la carne, la violencia captada por un cuerpo, relato de algo indefinido y cercano. Eso atraía a la gente, los ritos tenían que ser sangrientos.

La Toya no fue la única que se enamoró sin remedio del hombre, tan bello a sus ojos que las lágrimas se le agolpaban en la garganta. "Pobrecito", suspiraba cuando alguien lo mencionaba. Se le quedaba mirando con los ojos vidriosos cuando pasaba a lo lejos y se enojaba cuando la gente se burlaba del descaro de sus artificiosos modales.

Lo abordaba en la tienda cuando se juntaban a comprar el pan, lo esperaba en la calle y lo acompañaba hasta los campos, en las afueras del pueblo donde estaba la carpa, haciéndole conversación. No se perdía las funciones del circo para verlo, arrobada por ese no sé qué, inefable que lo rodeaba y la cautivaba, más allá de lo que uno podía comprender. Por ese no sé qué que la conmovía, le sacaba las lágrimas y desataba un torrente interno que la hacía desearlo.

Pero el pueblo era pobre. En las primeras semanas, los habitantes de Barberena repetían su asistencia a las funciones, sin cansarse nunca, recibiendo el espectáculo con renovado entusiasmo, asombrándose de todo como si fuera la primera vez. Con los días, las bancas de madera empezaron a quedarse vacías. Pronto, el circo se preparaba para marchar a otro pueblo en busca de otro público, otros aplausos, otros bolsillos sedientos de entretenimiento.

Les tomó una jornada completa levantar la carpa, arreglar los baúles llenos de disfraces y utilería, desarmar la cruz que ocupó el centro del escenario.

Los niños y los adultos, olvidándose de sus labores, se apiñaban en el campo a observar los trabajos y a despedirse de los payasos que nunca se despintaban para no perder categoría. Con las pelucas llenas de polvo, las mangas arremangadas y el sudor corriéndoles por los rostros donde la pintura corrida desfiguraba sus facciones, cargaban bultos, vigas y cuanto había servido para armar el espacio de irrealidad que era su mercancía.

Era ya tarde cuando llegó Mama Amparo a tocar la puerta de la casa con insistencia. Su rostro enmarañado tras el millón de arrugas, tenía una gravedad que ponía los pelos de punta. Desde su boca, desde sus encías sin dientes, salieron las palabras, pero eran los ojos entre incrédulos y asustados los que gritaban, haciendo temblar a la niña.

"Nena, ¿qué vamos a hacer? Tu mamá se fue."

"¿Cómo así? ¿Adónde?"

"Con el *pashtudo* ese, el Cristo. La vieron subirse en la camioneta de la tarde." La niña salió corriendo al pueblo. Lo decían en la tienda, en la panadería, en el parque...

"La Seño se fue con el Cristo en la camioneta de las cinco."

La noticia se regó hasta los lugares más recónditos. Todos repetían:

"¡Se fue la Seño, se fue la maestra, se fue con el circo!"

En el bote donde se guardaban las monedas para el gasto del día, no quedó nada. Se llevó también eso, los pocos centavos, y entonces ¿con qué les daba la cena a los niños? El fiado quedó cerrado en el comedor y en la tienda.

"Hasta que regrese su mamá, Nena."

¿Cómo sabían? ¿Cómo se enteraron? La abuela se sienta asombrada a la orilla de la cama y pide instrucciones a la niña.

"¿Qué hacemos entonces, Nena?"

"Pero, Mama Amparo, ¿cómo voy yo a saber?"

La revolución seguía su curso. Las noticias iban llegando ya a Barberena. El pueblo se llenó de soldados. Por las noches se escondían tras las enormes piedras a la orilla de los caminos a fumar y conversar, esperando a que pasara cualquier transeúnte para preguntarle *¿quién vive?* Las tapadas se suceden, una tras otra, desde la salida del pueblo y en las carreteras. Todos tienen que identificarse y asegurar su lealtad al Señor Presidente, si no quieren terminar vapuleados.

La Compañía de Voluntarios de Barberena se encuentra en estado de alerta. Los viejos militares barrigones y sin entrenamiento se aprestan a defender al régimen. Un ambiente expectante, tenso, llena el ambiente. Pero, cuando empezaron a llegar las noticias de los triunfos revolucionarios que salían airosos de sus hazañas, la gente fue perdiendo el miedo. Con cautela se empezaron a atrever y pronto criticaban al gobernante sin tapujos. De forma inusitada, como si fuese un golpe inesperado de la fortuna, Ubico, el *Napoleón del Caribe*, titán con los pies de barro, presenta su renuncia... sin pelear.

Sin embargo la inquietud no encontró sosiego. El mando quedó a cargo de un triunvirato militar que pocos días después nombró Presidente Provisorio de la República a Federico Ponce Vaides. El sucesor del dictador no era sino eso: un sucesor. Ubiquismo sin Ubico. El despertar exigía una alborada. Los estudiantes forman un partido político, la clase trabajadora se organiza, el motor inicial es la reclamación de reivindicaciones salariales: la naciente Unión de Trabajadores de Tiquisate hace estallar la primera huelga en la United Fruit Company.

Como una bola de nieve, los choferes, los empleados de los cines, los trabajadores de los muelles, los empleados de comercio, los obreros de las fábricas de calzado, panaderos, trabajadores de los aserraderos, los tipógrafos, los trabajadores de hilados y tejidos, todos quieren aumento de salario.

En el mes de septiembre una inusitada efervescencia política agita todo el país en afán proselitista. Los partidos de más arrastre popular, el Frente Popular Libertador y Renovación Nacional, suman sus fuerzas constituyendo el Frente de Partidos Arevalistas.

El sucesor siente que le serruchan la silla. Amenaza con *hacer caer todo el peso de la ley sobre los agitadores que trastornan el orden público*, mete al que puede a la cárcel, recurre al destierro de los cabecillas.

La convocatoria a elecciones no calma los ánimos. En medio de la tormenta llegó a Guatemala, procedente de Argentina, el ungido de los revolucionarios: un desconocido de apellido *Arévalo*. El "doctor" era un ex maestro de primaria que se había marchado con una beca, residiendo en aquel país del sur como catedrático de filosofía.

Antes de las elecciones, el pueblo lo había ungido. Una multitudinaria manifestación lo espera en el aeropuerto. La actividad proselitista se enardece: *Unidos forjaremos una nueva Guatemala.*

No obstante, quienes manejaban los hilos de los acontecimientos sabían a ciencia cierta que para acabar con el régimen no bastaría una elección. Sería preciso recorrer todo el camino de la insurrección. La lucha armada esperaba su turno en el escenario. Los círculos de conspiradores se multiplican: el de los abogados de la décima calle, el del FPL, partido de los universitarios y maestros, el de los oficiales del ejército. La mecha se enciende, hay alzamientos en el interior. El plan insurreccional fracasó. Los rebeldes fueron aplastados.

La persistencia no termina: ahora la conspiración surge en las filas del ejército. Ubico había corrompido sus estructuras. Sólo los arribistas, aduladores y serviles en quienes el tirano veía materia dominable a su antojo eran ascendidos... de vez en cuando. La casta férrea y exclusivista de los generales reproducía la injusticia dictatorial. Coroneles y oficiales eran vistos con desprecio y desconfianza. El ejército era la fuerza de una clase social al servicio de la usurpación y el atropello. Cansados de tener que buscar sus ascensos con lambisconerías y de adherirse sin chistar a la represión de las masas populares, los militares jóvenes comenzaron a relacionarse. En la Guardia de Honor un grupo de ellos tomó la iniciativa. Jacobo Árbenz y Javier Arana son dos de los cabecillas. Los militares alzados en armas reciben apoyo de las masas populares, que acuden a recibir armas. En la capital hubo cruentos combates. Un impacto de artillería en la santabárbara del Fuerte de San José lo hizo volar con los soldados dentro. El fuerte era también un presidio y bastión colonial. La revolución parecía querer abrir un boquete por donde Guatemala saliera del medioevo.

La compañía de Barberena fue de inmediato transportada a la ciudad de Morán, Villa Canales, donde los efectivos fueron concentrados en la Plaza Central, esperando órdenes para marchar a la capital. Hora y media más tarde, se presentaron dos oficiales del ejército enviados por el gobierno. Querían que la compañía fuera transportada en ferrocarril, hasta la antigua estación de Pamplona a la altura de la finca nacional La Aurora donde se les equiparía para entrar en acción.

El coronel Morales, al mando de la tropa, se opuso a estas exigencias. Su compañía no sería movilizada si no eran equipadas en el propio lugar con suficientes armas y municiones. En el lugar donde supuestamente descenderían los soldados del tren, las fuerzas revolucionarias tenían emplazado un cañón calibre 105 y un tanque en uno de los caminos vecinales. Los soldados corrieron con suerte. Estas armas hubiesen sido suficientes para terminar con ellos.

Las entradas a la capital para los departamentos estaban bloqueadas con tropas de la revolución y en el Campo de Marte habían emplazado otro cañón, con la mira dirigida al tramo de la carretera antigua, la cuesta de la Plata. Las tropas del interior no pudieron apuntalar a las que defendían el régimen en la ciudad capital.

El 20 de octubre llegó la noticia del derrocamiento. No se podía creer. Había una euforia en el ambiente. La gente se sentía poderosa, idealista, patriota. En las cantinas todos se sentían revolucionarios. Hablaban entre trago y trago de crear una nueva nación. La patria era hoy por vez primera, grande y generosa.

La Nena veía de soslayo estos acontecimientos, angustiada por la situación de su casa. No había qué comer y esa es una realidad que borra cualquier otra. Con sigilo, se montaba cada madrugada en la camioneta que iba a Cuilapa, donde desde hacía unos años vivía su padre, que ascendía en la política. Cuando todavía era temprano, se escondía en los asientos de atrás, acurrucada para que el chofer no la viera, hasta que la camioneta estaba llena y se disponía a partir. Entonces se sentaba igual que los demás, fingiendo que había pagado el pasaje.

Con los días, el piloto empezó a darse cuenta de la triquiñuela, pero disimulaba, pretendía no verla, para permitirle que viajara sin pagar. Él, como todos en el pueblo, sabía que la madre había dejado a sus hijos por irse con el circo. En Cuilapa buscaba a su papá, que algunas veces le daba dinero. Otras, conseguía algún oficio para regresar con algunas cositas para darles de comer a sus hermanos. Le quedaba tiempo vacío que mataba en las calles, hasta que el reloj del parque marcara las cinco de la tarde. Entonces, corría para alcanzar la camioneta que salía de regreso a Barberena.

Tenía dos actos rituales: ir a buscar la casa verde de esquina que había sido de Meme y que años atrás había dejado abandonada. Se podía ver adentro por la celosía de una ventana. Aún había cosas tiradas en el piso, como si sus habitantes se hubieran ido de allí con prisa: unos libros, unos trapos, unas fotos, el desorden parecía una pose del abandono. Arriba, en el techo, colgaban los murciélagos. La Nena aporreaba la ventana, los murciélagos se despertaban y revoloteaban dentro del cuarto llenando la casa de bulla. Despertarla era como borrar la distancia que la separaba del viejo chino, hacerlo sonreír.

También pasaba a la miscelánea. Allí se pegaba a la vitrina, a ver un muñeco plástico envuelto en una frazada celeste. Deseaba ese muñeco con todas sus ansias, acariciándolo desde lejos, abrazándolo tras el vidrio. Todos los días estaba allí y se le apetecía soñar que la estaba esperando. Pero un día de tantos, el muñeco ya no estaba.

Para consolarse de esta pérdida inesperada, de regreso en su casa, la parafina de una vela le sirvió para armar un diminuto hombrecito. Lo metió en una cajita de fósforos y se lo guardó en la bolsa de su gabacha, cuidando de tenerlo siempre a la mano, para no permitirle desaparecer.

Mama Amparo ayudaba en lo que podía. Se puso a lavar ajeno. Canastos y canastos de ropa que se llevaba a la pila municipal, donde tenía su lavadero que nadie le tocaba. Desde las cinco, lavaba hasta que dejaba chiquitas las bolas de jabón. *A puro pulmón,* como afirmaba orgullosa.

Ya para las once, cuando el sol estaba fuerte, las tendaladas de ropa se secaban en los alambrados, sobre el monte o donde encontraba lugar. Por las tardes estiraba y *ruseaba* la ropa, alistándose para aplancharla. Tenía varias planchas que ponía a calentar sobre las brasas. La más grande era muy pesada, pero servía para las telas más reacias. Como si fuese un milagro, quedaban planas y lisitas. Había ropa que necesitaba hervir con lejía, sumergir en hojas de tintura la ropa blanca. Algunos pedían yuquilla en los cuellos de las camisas. Cuando terminaba, con la sangre caliente por la plancha, había hecho ya varios paquetes que envolvía en toallas. *Éste para el Secretario Municipal, éste para el Comisario del Juzgado, éste para las señoritas Cris.* Cada envoltorio con su precio, treinta y cinco centavos, cincuenta centavos... La Nena tenía que repartir pues Mama Amparo ya no salía, ni se mojaba las manos después que había planchado, por miedo al *reumatiz.*

Ibis se empezó a inflar como un globo. Se veía gorda, fofa. Podía apenas caminar. La desnutrición la tenía pálida y sin un pelo, con los ojos secos y desteñidos. La señora de la tienda la vio y dio el diagnóstico: "Esa niña está asustada. Hay que sacarla de evangelios, Nena. Pero..." –su tono cambió y se abrió a la confidencia– "también hay que llevarla al río y que tire al agua flores blancas. Eso es un secreto. Hay que hacer las dos cosas, nunca se sabe."

La niña buscó al cura. La sacaron de evangelios de inmediato, en una ceremonia rápida, donde el cura parecía un poco ausente.

"En las tardes, me llevaba a Ibis al puente, donde pasaba el río. Tiraba con sus manitas infladas las florecitas blancas y veíamos cómo el río se las iba llevando. Del canasto sacaba con la mano otra puñuscada. Estiraba el brazo y la tiraba al agua. Se quedaba mirando cómo se iban yendo las florecitas sobre la cara de espejo del río. Yo las miraba también irse y pedía deseo tras deseo, todos los deseos, tantos deseos para tan pocas florecitas que el río se llevaba."

La Junta Revolucionaria dicta los primeros decretos, quiere cambiar las ideas que han mantenido a la población en un régimen de esclavitud: "Nuestra población indígena carece de escuelas, pero en cambio está bajo una de las esclavitudes más tristes del mundo... Nuestros gobiernos siempre se han alejado de la voluntad popular, con base en una dictadura de origen militar, han pesado sobre nosotros como una maldición... Nuestros campesinos viven en pleno feudalismo..."

Mientras, la campaña electoral de Arévalo iba viento en popa. La gente reverenciaba a este hombre, apenas unos meses atrás desconocido, como a un salvador. Los niños en Barberena recitaban la estrofa que abrumaba todo Guatemala: "¡Arévalo es el hombre ideal para presidente Constitucional!", sólo que su oído la había ajustado a lo que tenía más sentido:

"¡Arévalo es el hombre ideal, para Presidente de la capital!"

Se repartían botones con su foto para que la gente supiera dónde poner la equis el día de las elecciones. A estas alturas, pocas personas conocían su rostro. El hombre se iba volviendo de día en día un mito. Las mujeres lucen con orgullo en su pecho el botón: Arévalo es... *¡tan guapo!* El día de las elecciones, el candidato tuvo un triunfo arrasador y con él se instauró el primer gobierno de la Revolución.

Días después apareció la Toya con el vientre abultado. Navidad estaba próxima. Vino contando que había trabajado para la campaña presidencial. Trajo dinero, unos juguetes para los niños. Nunca mencionó al Cristo y nadie le preguntó más. Embebidos con las historias que vino contando, los juguetes y la repentina abundancia... olvidaron. Pocos meses después nacería su última hija, Aura o las Violetas.

X

Los días han estado pasando lentos. Parece como si el calor los sostuviera y los hiciera flotar en una nube invisible sin dejarlos bajar de una vez por todas. Se juntan, abrumándonos. Es imposible saber cuál es cuál. ¿Y qué más da? Todos son iguales. Adormecemos en las hamacas de los párpados pesados que no sueñan. Los cerebros se llenan de algodón y las bocas hablan con hilos blancos que se desenredan de sus carrizos sin llegar a ningún lado.

También yo me siento aturdida. *Para después de la Semana Santa*, dice la gente, dejando las cosas para otro día, aletargando sus movimientos, alargando sus palabras que como sombras se quedan pegadas en las paredes. El calor es quien manda y es momento de caer en su pesada somnolencia. Me refugio, encerrada, leyendo. Pero, leer... Leer no es un refugio. Pronto constato que puede ser peligroso. Alguna palabra podría tocar por algún lado. No sé, algún botón de sensibilidad, algún recuerdo, algún mal recuerdo...

F. Kafka: (Se abre el círculo) *"La quiero y no puedo hablar con ella, la acecho para no encontrarme con ella."*

(Pienso en vos, te busco siempre a vos...
¿Aún ahora?

Sí, aún ahora.)

"*Yo amaba a una muchacha que me amaba también, pero tuve que dejarla. ¿Por qué?*"

(Vos y yo... Si nos amábamos, ¿por qué tuvimos que dejarnos?)

"*No sé. Era como si estuviese rodeada de un círculo de hombres armados, que apuntasen con sus lanzas hacia fuera. Siempre que me acercaba, daba contra las puntas, quedaba herido, sufrí mucho.*"

(Siempre que me acercaba a vos daba contra las puntas, quedaba herida, sufrí mucho.)

"*¿No era culpa de la muchacha?*"

(¿La culpa?... ¿De quién fue la culpa?)

"*Creo que no, o mejor dicho, lo sé. El símil anterior no ha sido completo, también yo estaba rodeado de hombres armados, que apuntaban con las lanzas hacia el interior, o sea contra mí. Cuando quería abrirme paso hacia la muchacha, lo primero era quedar enganchado entre las lanzas de mis hombres y ya no pasaba de allí. Tal vez yo no haya llegado nunca hasta los hombres que rodeaban a la muchacha, y si acaso logré llegar, lo hice ensangrentado por mis lanzas y perdido ya el conocimiento.*"

Nos despedimos en el andén del puerto, en Montevideo. Todavía guardo el boleto que me extendiste con el semblante serio y ensombrecido de aquella mañana. Nuestro intento de fuga había colapsado y ninguno de los dos quería hablar del asunto. Nos contentábamos con la crueldad. Tú con administrarla, yo con recibirla, sin protestar. Optaba por la precaria medida de mantener la apariencia, queriendo salvar cada instante. Condescender para que no llegara ese momento: el de un adiós insípido, un adiós irrevocable. Nunca quise que *esto* se instalara entre los dos. Pero ya está y no hay remedio.

Llegué sin aliento, a Buenos Aires. Por un lapso que califico de eternidad, había escuchado el relato de una mujer en el ferry que me confesaba sin escrúpulos su locura. *Iba cada semana al psiquiatra en Baires*, repetía, *pero no tenía mejoría. Me estoy perdiendo sin remedio, siento que me voy...* Y su mirada se extraviaba a través de las ventanas, por donde la ciudad aparecía. Yo me esforzaba por encontrar una palabra de consuelo que entregarle, ella se contentaba con mi silencio.

La ciudad me recibió avasalladora y caótica, con el estupor de un verano que se aleja y va cediendo ya el lugar a un otoño lleno de incertidumbres. Desde el hotel, llamé varias veces para corroborar la imposibilidad de cambiar mi vuelo de regreso. Hacer turismo en estas circunstancias me parecía un esfuerzo heroico y sin sentido. Quería irme de inmediato. Lo mejor que pudo ofrecerme la voz impersonal del otro lado de la línea fue un vuelo que saldría al día siguiente, pero tendría que quedarme en Lima otros cuatro. No era la mejor opción, pero deseaba refugiarme lo más pronto posible en mi casa, allá en la absolutamente lejana Vancouver.

Toda mi energía se la tragaba el acto maquinal y reiterativo de pensar y repensar lo que había pasado. Sujetaba, como todos, cada cosa a la misma alternativa: éxito o fracaso, victoria o derrota. Sin embargo, no me sentía ni vencida ni vencedora: más bien, me sentía trágica. Empujada por la fatalidad, parecía no ser dueña de mis actos. ¿Por qué había accedido a esa locura?

Aquella mañana nos reunimos para desayunar en el *Hotel Vancouver*. Estabas urgido de verme. Fui porque no hubiera podido rehusarme, no en aquella época. Eran así las cosas, y no pretendo explicarme. *Che, vas taconeando, boquita pintada, apenas te llama, ¡dejate de joder!* Oía la voz gangosa de Nora (la había despertado en la madrugada con mis dubitaciones). Su discurso no tuvo ningún efecto. La perspectiva de verte era un imán irresistible. Me encontraría contigo... *Todo*, sí, *todo*, se desvanecía ante ese prospecto. Apresuré el paso para no llegar tarde a la cita.

Nos encontramos en el elevador y me besaste en plena boca queriendo borrar con ese gesto la distancia que ya empezaba a hacer mella entre los dos. Habíamos terminado hacía unos meses. Me molestó que actuaras como si la noche anterior hubiésemos dormido juntos, pero acepté tu beso, aunque mal. Quería castigarte y en esa esquina de indecisión, terminó el minúsculo fiasco de un beso a medias. Estabas sin afeitar y al observarte despacio, adiviné que no habías dormido. Verte me hacía daño. Sobrevivir estos meses desde nuestro adiós había sido una tarea apenas posible y este encuentro amenazaba con hacerla sucumbir. Me sentía tensa. Como si caminara por una cuerda floja.

A pesar de todo, minutos después ya estaba envuelta por completo en la atmósfera que se instalaba entre los dos cuando estábamos juntos. Partía de tu mirada, me enredaba en algo suave, dulce y comprometedor, pasaba por tu boca que expedía como un hálito lejano al lenguaje, palabras-enigma, palabras-escondite, llenas de cosas inciertas que yo adivinaba maravillosas o terribles y terminaba reposando en tus manos que despertaban tu recuerdo en mi piel.

(Mi total atención se adhiere a ese lugar donde te encuentras. Lo otro se desdibuja. Mis sentidos se aguzan como si hubiese tomado una droga, mi mirada te recorre a besos, sin que te des cuenta. Yo no existo sino para vos, girando alrededor de vos...)

Me confesaste sin preámbulos que los rumores eran ciertos. Andabas *enredado* con Linda Harrison, viuda de una de las fortunas más grandes del país. La fama de la mujer era terrible: tres maridos muertos. Se vanagloriaba de haber sido la causa del suicidio del último. Era conocida porque tenía una cadena de radios, donde, de más está decirlo, era una de las locutoras estrella. La invitaban con frecuencia a *shows* de toda índole. Atraía a mucha audiencia por sus polémicas posiciones extremistas: admitía de manera pública que era racista, intolerante, y fascista, aunque dudo que tuviese, en privado, alguna convicción seria. Tenía toda la pinta de ser un personaje calculador, centrado en su propia hambre de notoriedad. Sin embargo, su peor pecado ante mis ojos era lo único por lo cual no se le podía culpar: era vieja.

Me pude percatar que estabas asustado, entonces no supe por qué. Dijiste que querías que nos fuéramos juntos, que nos escapáramos *lejos de este lugar de sombras,* quizá no fuera tarde para nosotros. Pero, añadiste, no querías ocultarme la verdad: estabas "enredado con Linda".

Y... ¿Qué quería decir eso de que andabas *enredado* con Linda?, exclamé escandalizada.

Habíamos roto meses atrás por mi sospecha de tu vinculación con ella, luego el chisme andaba de boca en boca, pero, que te empeñaras en confesármelo sin pudor, que no pretendieras ocultármelo, me enfurecía. ¿No se mienten siempre los amantes?

A punto de perder el control, a punto de mandarte a la mierda, en el preciso momento en que había logrado juntar el suficiente valor, el mesero se acercó a la mesa con los *croissants* y las tazas de té. No trajo la leche, y había que esperar una nueva interrupción, lo cual hicimos en silencio. Yo aproveché la pausa para pensar rápido, una cantidad grosera de cosas: estaba a punto de lanzarme al vacío impensable de no volver a verte o al otro peor, el de la culpa. ¿Podía renunciar a esta oportunidad, a esta precaria oportunidad, a esta última oportunidad?...

Cuando el mesero se alejó, seguí la conversación con una fingida distancia, ¿por qué querías que nos fuéramos juntos? ¿Cómo entraba yo en esa ecuación de tres? No tuviste ninguna de las respuestas a mis preguntas, salvo una difusa masa de ambigüedades que yo escogí aceptar como suficiente razón. No hubiera podido nunca hacerte la única pregunta válida: ¿la amabas? Era cobarde. El miedo a la respuesta me provocaba náusea.

En lugar de ello, con condescendencia me preguntaba si no sería precisamente la existencia de la otra lo que abría un nuevo espacio para nosotros. ¿No estaban los amores llenos de triángulos, explícitos, u ocultos, reales o imaginarios, mentirosos o descarados? Poseerte de manera absoluta: eso era mi deseo, pero, ¿no habría siempre una *otra* que borrar? Mientras deshilvanaba esos hilos, me veías, allá desde lo alto, luchando por no ahogarme y sonreías. De antemano sabías que diría: sí.

A mí, sin embargo, me pareció increíble y aún hoy me lo parece, haber dicho **sí**. Añadí: "no sé por qué accedo", pero fue con una voz inaudible, mientras me ponía la chaqueta para salir. Un segundo después nos habíamos despedido y estaba de nuevo sola.

Ya en la calle me puse a caminar con paso rápido, como si fuera a alguna parte, cuando realmente mi intención era deambular sin sentido. Me sentía incapaz de ir al trabajo, sentarme en el mismo escritorio de un día cualquiera. Las calles llenas de gente abstraída, metida en sus asuntos, me permitían una absoluta privacidad, un total anonimato. Me preguntaba de forma obsesiva, ¿qué es lo que tanto deseo? ¿Sería la totalidad de tu ser? o ¿es que había un misterioso detalle, tu silueta, la línea de tu perfil, la forma en que retuerces con nerviosismo las manos, un solo detalle desconocido y misterioso que guardaba la cualidad fetichista que me aprisionaba? No importaba. Todos los resquicios de tu ser eran imposibles de hallar fuera de ti. En la medida en que mi deseo se escurría por esos resquicios, la posibilidad de encontrarle un sentido a mi desquiciamiento se tornaba más y más difícil. Entre más preciso el blanco, más lejana la posibilidad de ponerle un nombre.

Quizá el deseo no es sino una fatiga, un cansancio de las palabras. Quizá lo que me enmudecía era lo que inició mi afán de saber. La fascinación me condenaba a darle vueltas a pensamientos que terminaban perdiendo su sentido y sólo quedaba esa palabra: *fascinación*... repitiéndose y repitiéndose como un disco rayado.

El sí se volvió denso y fuerte como el olor del almizcle. Miré alrededor y pensé con euforia que hoy podría ser una más de ellos: gentes que iban y venían en otro día de rutina. Pero algo extraordinario estaba a punto de pasarme, algo extraordinario estaba al otro lado de la puerta.

Sí... Quería irme con vos a Buenos Aires, y me iría. Eso quedaba claro. Cometería un acto lunático, sería la única testigo de mi locura. Allá muy atrás, en una zona recesiva de mi cerebro, una voz repetía como un latido lo que me decían los otros: que esta clase de amor no era viable. Y yo me defendía. ¿Cómo se evalúa la viabilidad de las cosas?

Sabía que mi decisión era la misma que la de un piloto que decide estrellar su avión contra la montaña. No iba a salvarme. Pero, ¿por qué debería escoger salvarme? ¿No era en lo inviable donde se escondía lo que me era vital descubrir? La imposibilidad se abría delante de mí, y yo quería, como no quería ninguna otra cosa, correr tras ella. Este argumento contundente a mis ojos, aniquiló toda vacilación.

Desde hacía tiempo, el amor se me presentaba siempre llamándome a caminar sobre huellas huidizas que desaparecían en cuanto mi deseo daba un paso adelante. Ese fantasma incomprensible, inaprensible, y por tanto misterioso, inefable y... sagrado. Ese artificio, esa mentira, ese punto de encuentro de todo lo sin nombre. Esa nada que me atraviesa y me parte. El amor. ¿Podía rehusarlo?

Los días antes del viaje estuvieron ausentes de sosiego. Compré cosas innecesarias, medias negras, tacones aguja, camisones de telas sinuosas que nunca usé. El pelo, las uñas, Nora me traía loca, *tenés que arreglarte impecable y luego aparentar que te vestiste como si fueras a comprar naranjas... Nunca le des el gusto de que crea que te arreglás para él, no seas boluda que los machos son unos perros... Pero, Irene, no tenés remedio: tenés que llevar un vestidito negro, es que para la noche no existe sino el negro...* y hubiera seguido bajo su tiranía, si no me espanta al pretender la locura de una depilación "brasileña". *Basta, Nora, basta. Eso es tortura pura, ni loca...*

Llegué a Buenos Aires una mañana airosa, después de haber visto los Andes maravillosos, nevados y diáfanos, en Santiago de Chile. Al verte a la salida del aeropuerto se disiparon mis miedos. Me pareció que otra vez las cosas eran sencillas entre los dos.

Desenfrenada y bulliciosa, la ciudad se extendía ante mi mirada. Nos reímos mucho en el trayecto, sintiendo, como en otros días, que éramos cómplices de una travesura, de algo que nadie más haría, una transgresión, una locura hecha para nosotros: dos locos.

Habías encontrado un sitio para quedarnos. Era la casa de una judía amiga tuya quien nos cedió gustosa un ático lleno de libros, cuadros y otros objetos desechados de la casa, con el espacio justo para una cama. Habías hecho ya la tarea de subir solo y con trabajo la cama. También habías conseguido sábanas, frazadas y toallas para dos. Yo llevaba una docena de velas. Dijiste que quizá estaría cansada, que quizá debería dormir toda la tarde. No te hice caso, el único descanso que precisaba era estar por fin en vos, prendida de vos.

Salimos esa noche. Esperaba con ansiedad mi encuentro con el mítico Buenos Aires. Soñaba con que en alguna esquina me toparía con la Casa Rosada, o con el Evaristo Carriego de los cuentos de Borges. Me recibió una ciudad un tanto ajena a su propia mitología. Imbuida en la era de la globalización, era más fácil encontrar un lugar donde bailar *salsa* o música *trance* que un tango, ver a tipos hablando por celular en los cafés que jugando al truco. Debajo de la apariencia inicial, estaba el sur aguardando con su magnificencia austral, con su infinita melancolía, con su descarnada pasión por lo imposible, o quizá más bien, con un agudo sentido sobre lo imposible que suelen ser las cosas.

A medida que pasaban los días, fui sintiendo la fuerza de la ciudad. Me fue alcanzando un imposible deseo: no marcharme nunca. Quería que ella sintiera lo mismo, que no me dejara ir, o en último caso, si la despedida fuese inevitable, que su presencia no fuese sólo un recuerdo mío. Quería pensar que era posible dejar en ella huella de mi paso, deseo sin duda pretencioso: Buenos Aires había tenido ya tantos amantes.

Una tarde en San Telmo, nos perdíamos entre las ventas de anticuarios. No puedo olvidar la placidez de las estatuas de mármol que alguna vez habitaron un jardín silencioso. Las lámparas de gas, los objetos Art Déco, la platería: cada objeto hablaba de una forma de vida, era una insinuación a ser partícipes de intimidades, vivas aún, en los objetos que alguna vez poseyeron los desconocidos que se nos hacían próximos y hasta queridos, a través de sus cosas.

Me enamoré sin remedio de una copa de cristal veneciano color fuego. Estaba solitaria aguardando, parecía pedirme que la tomara. La luz la llenaba de un glorioso resplandor. Me pareció bella porque era a la vez banal y profunda, santa y pecaminosa, como somos los humanos: extremos fundiéndose en el crisol de una llama interior que nos consume. Iba a comprarla, cuando me interrumpiste. A media calle, un bandoneón rompía deshilvanando sus notas. Tu *vamos allá* me arrastró lejos del encanto de la copa. Me abrazaste por atrás y sentí tu aliento erizarme la nuca. Una pareja bailaba una milonga. Cuando terminó y el círculo de espectadores apagó su ronda de aplausos, la voz rasposa del viejo bandoneonista borró de un tajo el artificio y la pose de un espectáculo hecho para turistas. Se estableció con claridad el diálogo entre la canción y aquellas notas. Música y palabras decían la misma cosa. *Vuelvo al sur, como se vuelve siempre al amor... Vuelvo a vos con mi deseo, con mi temor...* Ese sentimiento... esqueleto de la música y de las palabras, era mi sur.

Vuelvo al sur como un destino del corazón... El sur que vine a buscar me llevaría sin falta al polo opuesto de *mi norte*, es decir, me perdería, pero hacia él se encaminaba la determinación de mis propios pasos. Estar aquí con vos me pareció lo único que tenía sentido.

Quizá la realidad nunca se pareció a esta historia. Quizá es imposible contarla y dejarla la misma que fue. Se volverá otra cosa, una mentira por ejemplo.

El tiempo es inmediato y vertiginoso y desconocido. Las historias son hilos de tiempo que quieren tejerse y destejerse. Tejerse y destejerse, en la infinita espera.

Pero vuelvo al intento, fallido quizá, de explicar. ¿Qué? Los gestos, las voces, los colores que tiñen las cosas. *(¿Cómo hablar del color con que pintaste la tarde en que me decías ya vuelvo, en una calle cualquiera? Yo cruzaba por una esquina, desapareciendo hacia el estanquillo a comprar unas postales. Ese color azul borroso, líquido, se escapaba de tu mirada mientras yo daba la vuelta y no puede olvidarse, pero tampoco puede ser recordado.)*

Quizá podría hablar mejor, con mayor propiedad, del eucalipto que colgaste en el baño... *(Olor de los besos de esos días, olor de tu cara estirada dejando pasar la navaja que se deslizaba suave sobre tu piel, haciendo aquel ruidito rasposo que me distraía, mientras conversaba con tu imagen en el espejo.)*

El olor del eucalipto se vuelve lo mismo que compartir la vida. Pero, ¿cómo puede entenderse que un ramo de eucalipto signifique ese infinito círculo de gestos que quiero llamar *compartimos la vida*? Quedará siempre otra cosa, porque atrapar un instante es como disecar una mariposa. Y sí. Por supuesto, se quedará allí prendida con alfileres, como la dejamos. Todo el mundo verá lo obvio: una mariposa, objeto de museo. ¿Pero, y si de lo que se trataba era de explicar otra cosa? Explicar, por ejemplo, el vuelo, o la calidad tornasol de sus colores, que se desdoblan uno en el otro y justo cuando uno piensa que el ojo va a percibir el naranja o el dorado, su fragilidad alada desarma el intento y la visión se vuelve suspiro. No hay salida. La vida no se atrapa. Se escurre en el torrente del tiempo y... se va. En todo caso, hay algo que se puede rescatar, si eso alivia. Recordarte, pasar otra vez la mano sobre el lomo borroso de ese libro cerrado.

Tengo que confesar que no pude ser quien soñaste. Cuando me mirabas no veía en tus ojos mi imagen reflejada, sino a ese otro ser que tú esperabas. La mujer que tenías clavada en medio de las cejas: ideal, evanescente. Terminé yo misma por desear que pudieras poseerla al fin y terminar con la tortura. Cuando hablando de mí, pensabas en ella, insinuabas cosas que yo te dejaba creer no sólo que comprendía, sino que podías encontrarlas porque estaban en mí. Te entusiasmabas, quedabas a la espera. Rodeada de lanzas, no podía salir sino herida. Cuando te apartabas (des-ilusión-ado), añoraba tu regreso, mentía. Te prometía otra vez, mil veces, ser la encarnación de tus sueños. Tejía a tu alrededor la misma telaraña.

Terminaba siendo solamente yo: con mis miedos, con mis preguntas, con mis propias resistencias y vulnerabilidades. Una mujer y no ese ser mítico, mitad salamandra de pechos blancos y vientre húmedo, capaz de provocar la rendición total, la claudicación absoluta.

Luego, tendría que pasar a vos, y confesarme que no eras quien yo esperaba: había en vos algo que nunca pensé. En tu ser perfecto y embalsamado, percibí una partícula de corrupción. Era diminuta: un gesto, una palabra, algo inesperado que me pareció venir de una región insospechada y que te trajo de regreso al mundo ordinario. Podías ser perverso y ello te daba placer. Eran pequeños detalles, ocultos casi, pero estaban allí, se articulaban en infinitas formas, en pequeños momentos, algunos casi imposibles de detectar: te gustaba ordenar mi desayuno, servirme la leche, decidir si debía o no leer el periódico. Iban tejiendo toda una red de hilos, hasta manipular mis pensamientos. Día a día ibas tomando control de mis actos, hasta hacerme sentir que no existía... Había sucedido un contra-ritmo, un cortocircuito. El sonido de algo que se rasgaba en la suave y tersa envoltura de tu imagen.

Curiosamente, eran estas vicisitudes las que construían el insospechado milagro: empezábamos a amarnos. *Empezábamos a amarnos*, incierta declaración de una realidad difusa, que se iba configurando como las cambiantes formas del calidoscopio, cuando a pesar de todo, en contra de todo pronóstico, podíamos acercarnos. Cuando a los horrores del egoísmo los desdecía una súbita ternura, cuando me buscabas y había una salida y no era tarde para nosotros, cuando al fin yo era el puerto seguro, esa ancha ala para tu barco a la deriva... Podía hablarte y mis palabras se acercaban a vos sin quedar como vaho pegadas a la ventana; y tocarte y mis caricias llegaban a ese momento de tu asombro, o a eso vulnerable que creía en la bondad de las cosas, o a esa parte de ti que podía esperar una esperanza. Pero llegado el momento decisivo, a esto, no le abrimos la puerta.

Existió una realidad llamada "nosotros". No se esfuma porque yo sea torpe al recordarla. Hermosa, porque existió apenas. Como un leve movimiento, un pensamiento pasajero. Algo frágil, difícil de definir. Una armazón de fósforos, un castillo de naipes. Espacio borroso que atrapó con dificultades la luz y se debatió entre medias verdades y medias mentiras. Queriendo disfrazarse de banalidad, logró morir sofocada bajo una almohada de simulacros. Ésa fue su fealdad.

Nos fuimos, como última esperanza, a Montevideo. Un viaje lleno de ansiedades, presentes como un veneno ya administrado, que sólo espera el momento para declarar su efecto. Los últimos tiempos de un amor, tiempos que lo descarnado corre despavorido a cubrirse con la sábana de los disimulos: la ilusión de conocer el barrio donde creciste, visitar Punta del Este. Fueron días dulces, aunque sabíamos, como se saben esas cosas, que eran los últimos. Las playas grises y desérticas me parecieron intensas, nostálgicas, como todo deseo que no se alcanza. Me fui como llegué, una mañana muy fría y llena de viento.

Mi avión hizo, cual previsto, una parada forzosa en Lima. Tendría que esperar tres días eternos. El hotel era horrible. En particular, las cortinas groseramente floreadas, groseramente naranjas. Me hacían pensar cosas crueles. Me abandonaban al castigo de mis juicios implacables. Quizá, después de todo, ustedes eran almas gemelas. Tú y esa mujer. Ambos atados al dolor, con sus pequeñas maldades, con esa locura por el poder, empeñados en dominar y ser dominados y encontrar en medio de eso un poco de alivio.

El color de las paredes era verde. ¿Cómo podía alguien pintar las paredes de un color tan insufrible? ¿Cómo podía yo saber que no podías amar de forma distinta? Cuando se tiene dentro tanto dolor, el amor tiene que ser doloroso. De lo contrario, traicionaría la propia historia. La televisión no tiene redención. No puede uno perder el tiempo así, viendo tanta porquería... En nombre del amor se hacen extrañas alianzas. Ella sí podía entrar a ese espacio donde esperabas que alguien llegara a buscarte. Tenía la llave: podía hacerte sufrir.

No pude soportar más el estar encerrada en esa habitación, donde mis pensamientos podían aniquilarme. Decidí aceptar la oferta que reposaba sobre la mesita de noche, un viaje a Machu Picchu, pensando que podía existir un lugar donde evadir mi propia cabeza.

Al llegar llevé una decepción: no esperaba encontrarme con un lugar abarrotado de turistas. De todos modos, el paisaje era más que impresionante y aliviaba mi cabeza. Esos picos verde azules, la ciudad plantada a media montaña, como el nido de un águila.

El aire enrarecido era diáfano. Parecía que limpiaba por dentro, aunque daba angustia respirar, como si los pulmones no pudiesen atrapar suficiente. El sol llegó a ser fulminante al mediodía. Después de un par de tazas de té de coca y el almuerzo, decidí tomarme una siesta. Desperté alrededor de las cinco, cuando un gran aguacero ensombrecía la tarde. Me sentía triste.

Pensé en salir a caminar bajo la lluvia, para respirar un rato el olor a hierba. Siempre he amado la lluvia. Necesitaba una caricia, algo benigno y suave. Sólo tenía la lluvia, pero era un maravilloso regalo.

Un maravilloso regalo... Era mi cumpleaños. Trajiste para mí el libro de poemas de Leonard Cohen. Estabas en la puerta con un ramo de flores en la mano. Indeciso, vacilante, parecías un adolescente. Sacaste el libro de la mochila que llevabas en la espalda. Apenas nos conocíamos, pero cuando me lo entregaste supe que algo crucial sucedería entre los dos.

Me puse un poncho plástico que había comprado por la mañana y salí. Las ruinas de la vieja ciudad inca están muy cerca del hotel y en menos de cinco minutos estuve dentro del complejo. Decidí recorrer despacio y a mis anchas lo que esta mañana había visto apenas, aturdida por el calor y el gentío.

Recorrí despacio y a mis anchas tu cuerpo. Aquel domingo todo parecía estar callado. Hablábamos muy quedo para no molestar el silencio. No queríamos interrumpir nada, nos sentíamos la continuación de todas las cosas.

Te recorrí despacio y a mis anchas. Tu cuerpo... Fue el agujero en el camino que me impedía llegar a alguna parte y, sin embargo, me dejaba ir, sin resistencia, al fondo de su caída insondable.

Dos perros se me acercaron, y decidieron acompañarme. Me seguían por todas partes, paraban donde yo lo hacía. Me pareció una compañía extraña, aunque benigna. La lluvia amainó y le abrió paso a un atardecer que dejaba filtrar apenas los débiles rayos de sol entre las gruesas nubes que todavía dominaban el cielo.

Nos gustaba caminar bajo la lluvia, viendo desfilar nuestras derivas. La historia nos parecía simple, podía volverse a escribir.

El ambiente fresco me llamaba a caminar, lo cual hice por largo rato sin sentir cómo pasaba el tiempo. Atravesé las enormes terrazas, lugar de las siembras en la época en que la ciudad estuvo habitada. Luego, subiendo por los interminables graderíos, llegué al laberinto de piedra donde una vez la ciudad estuvo viva. Allí, en medio de la mayor desolación, mis acompañantes y yo nos encontramos con unas llamas, madre e hija, que al ver a los perros, dieron un par de brinquitos entre asustadas y contentas, presintiendo que podrían jugar un rato.

Sí... hubo momentos felices. Días, horas o fracciones de segundo. El tiempo se detenía. Todo acto escondía un secreto, la cualidad embriagadora de la magia.

Así fue, pues los perros se pusieron a corretear a las llamas y yo seguía **detrás** caminando, riéndome agradecida de que hubiese seres apartados de las tragedias que nos organizamos los humanos. Mi extraño cortejo y yo llegamos un tanto lejos, apartándonos cada vez más de las edificaciones. Allí terminaba la montaña y se extendía el inmenso abismo. Al frente, otro de los picos que, según informaban las señas, podía escalarse.

Me pareció que era suficiente y quizá fuese ya la hora de regresar. Empecé mi camino de vuelta y en forma muy repentina, oscureció.

Pero nunca fue suficiente para nadie ser feliz. Tenía que haber otra cosa, algo que enganchara más, algo férreo, una cadena, o una condena.

La noche se cerró alrededor de mí, con tal negrura, que de repente no supe adónde ir. Me di cuenta que no conocía el lugar como asumía. No iba a poder ubicarme en la oscuridad.

Empezamos a caminar por el agudo filo de los abismos. Había que descubrir lo oculto, lo que nos estaba vedado. Descuartizar la mariposa y sacarle las entrañas. Quizá podríamos averiguar por qué era mágico el vuelo.

Llegué con trabajo al lugar donde se concentran las edificaciones, dando traspiés en las piedras que no lograban adivinar mis pies inexpertos. El problema se volvió angustioso. Todo me era indistinto: un laberinto de piedra. Caminaba de un sitio a otro. Iba a dar con un tope, o, peor aún, un abismo que se abría justo cerca de mis pies, en un fangoso desliz. Entraba y salía de recámaras paradas a medias. Tropezaba a cada instante con escalones, con agujeros, con declives del terreno, imposibles de prever. Descifrar aquellos espacios desconocidos era una tarea tan enloquecedora como intentar armar un rompecabezas a ciegas.

Un espejo se plantó frente a nosotros. No pudimos ver nunca más para afuera. Sólo veíamos hacia adentro: el lado oscuro del corazón. Las cabezas de hidra se multiplicaban y devoraban cualquier cosa benigna, cualquier intento esperanzado, cualquier deseo suave y tierno. Había que ser implacable.

Empecé a cansarme. Mis muslos atormentados por tan inesperada tarea, se resistían a seguir dando vueltas en círculo. Aparte, la altura castigaba mi respiración y el corazón quería explotar. Arriba, las estrellas aparecían de repente.

Me sentí abatida. Pensé que no iba a salvarme. El pesado sueño interior pareció presagio de la muerte.

Me recosté contra un muro y cerré los ojos tratando de pensar. Tenía miedo y los nervios me hacían temblar. Nadie sabía que yo estaba aquí. Podría desaparecer esta noche, en este lugar, y nadie lo sabría. No quería seguir luchando. El cansancio me llenaba la saliva de un sabor ácido. La situación me pareció una metáfora profética de mi propia oscuridad. Mi caos venía de antiguo: era espeso y denso. Un universo en sí mismo. Estaba harta de batallar, de intentar salvarme. Podía cerrar los ojos... y desistir.

Mi mente se volvió un agujero. Me sedujo la idea de quedarme allí. Justo entonces, una pregunta me asaltó. *¿Quiero morir?*

La pregunta regresaba con seductora insinuación, creciendo en intensidad. Por dentro estalló. Quizá fuese cólera, una síntesis cargada de dolor, como un agujero negro, como un latigazo en plena cara. *¡Odio la vida!* quise responder, *morir sería un alivio...*, y una rabia ciega me hubiese lanzado en un segundo al abismo que se abría a mis pies, pero el sonido no salió de mi garganta. Quedó atrapado en el impasible silencio, igual que mis pies en la tierra. Algo poderoso me había detenido.

Lloré sin límite, no sé por cuánto tiempo. Lloré hasta que pude ver claro: se había derrumbado una realidad muy pequeña, hecha a la medida de mis espejismos. Mi autoconmiseración se desvaneció, mi lástima pareció una caricatura. Supe que tenía que salir de esto: la oscuridad, los laberintos. En ello estaría sola. Nadie iba a ayudarme.

El atisbo de realidad me liberó de un peso excesivo, sentí mi ser, lo único que tenía. *Existía*, y había en ello un gozo maravilloso. Me sentí flexible, con el corazón abierto. La oscuridad dejó de ser claustrofóbica. Una fuerza desconocida surgió. Era como un segundo ser, doblado y guardado en el fondo de mí que se desplegaba como una bandera. Iba a salir aquí. En aquel momento, el dolor me parecía la mayor de las mentiras.

Me paré, con las piernas temblando, y empecé otra vez a caminar. Subí y bajé mil gradas, resbalé muchas veces, anduve a gatas en los lugares resbaladizos, palpando el terreno hasta encontrar el camino. Me arrastré, me levanté, llevé mi cuerpo al límite, pero sabía que nada me detendría. Al final del largo camino vi a la distancia la luz que iluminaba la guardianía afuera del parque. Todavía estaba lejos, pero ahora me guiaría.

Cuando llegué a la puerta, pasaba la medianoche. Estaba empapada en sudor, el pelo, la ropa pegada, como si hubiese tomado una ducha. La puerta estaba cerrada y tuve que gritar. El guardián se levantó envuelto en un poncho y somnoliento, llegó para abrir. Empezó por darme un regaño, que por qué estaba aquí a esta hora, que eso estaba prohibido y otras cosas que ya no pude escuchar. Todo mi ser esperaba que la puerta se abriera. Cuando el guardián logró dominar sus dedos todavía entregados a la pesadez del sueño y abrió el candado, salí con el alivio de quien sale de una cárcel. Los perros se despidieron con un leve meneo de la cola y regresaron por donde habían llegado. Ya en mi habitación, me quité la ropa mojada y me acosté desnuda, asombrada, sin pensar en dormir. Me sentía extrañamente viva.

¿Se quedó sola la muchacha?

No. Otro llegó hasta ella, fácilmente y sin trabas. Extenuado por mis esfuerzos, fui testigo de ello con tanta indiferencia como si yo fuese el aire a través del cual sus rostros se juntaron en el primer beso.

(Se cierra el círculo) F. Kafka

Hay tanto calor. Ojalá pudiera llover.

      Llo-ver
            Yo-ver
                 Yo-ver-te
                    Lloverte.

XI

He imaginado muchas veces la encrucijada de caminos donde mis padres se conocieron. Mi mente, mis ojos cerrados, nunca lograrán alcanzar el rostro perdido de mi madre a los quince años, ni tampoco el de mi padre joven, o más o menos joven. Nunca lo podré ver como un hombre interesado en una mujer, ni tampoco al carro ese que mi madre describe como una aparición: un Cadillac del año (eran los años cincuenta), color plateado, con alas de ángel, en un camino de tierra levantando una ventisca de polvo.

"Siempre había polvo y era peor en los días calientes de marzo. Por eso era mejor hacer el fuego afuera, para poder respirar. Ponerse un trapo en la cabeza, para no ensuciarse tanto el pelo, para no llenarse de humo y amasar las tortillas, tirarlas al comal, colocarlas en el canasto bien envueltas para que estén suavecitas y calientes."

Luego, cualquier cosa es un banquete... un pedazo de carne, si es día de pago, o si se consiguieron algunos centavitos por allí, siempre buscando maneras, haciendo cojines, coronas de muerto o persiguiendo a Manuel de la Rosa, su padre, el alcalde de Barberena.

"Si no, pues los frijoles de todos los días, cocidos, parados, con chile, o colados, aceitosos escurriéndose por un extremo y chorreando por las manos y los brazos de Julio César que se aparecía sudando, con la cara colorada de andar por el monte subiéndose a los palos... Pero, hay días en que ni los frijoles... Entonces, un pedazo de queso fiado y en los peores, un poco de sal."

Se aparece ese señor, en un carro grande y brillante. Se baja, bien peinado, bien vestido, impecable, preguntando por "la finca de café La Castellana..."

"Sí señor, claro que la conozco, siga hasta el cruce y luego..."

"Era ya un señor, pero bien guapo. Se me acercó mucho cuando le explicaba lo del camino. Me pasaba por la cabeza lo feo que yo debía oler, por el humo, pensaba en mis manos llenas de masa y en la ceniza que me ensuciaba las pestañas."

"Gracias señorita, si necesita algo, ésta es mi tarjeta."

"Me entregó una tarjeta con el olor de su colonia y unas letras doradas que parecían gotitas de agua. Un objeto venido de otro planeta. Lo puse bajo la almohada, porque era lindo, porque olía sabroso, porque venía de otro planeta donde existían carros que parecían ángeles, señores bien peinados, con las uñas brillantes, recortadas..."

Mi madre repasa con frecuencia ese momento, acaricia con sus ojos la vieja imagen: una tarjetita con letras doradas que parecían gotitas de agua, y compasivamente, se ríe de sí misma: "¡Dios!... Lo que me gustaba entonces... que parecían gotitas de agua..."

Vengo escuchando la historia desde que me acuerdo y me la he imaginado de mil maneras.

Cuando niña, el encuentro me parecía un acto milagroso: mi padre envuelto en una nube, con un carro alado, llegaba hasta mi madre a preguntar por un camino... y de allí arrancaba una historia.

Cuando era adolescente y estaba de pleito con ella y con el mundo, la historia me pareció una hipocresía, ya que no había por qué pintar como hermoso algo que se convirtió en sucio y maloliente.

Ya no distingo con tanta claridad la frontera entre lo blanco y lo negro. La trama intrincada de las cosas nubla mis juicios antes tan claros. Pienso en mis padres, atrapados por lo inmediato y lo vertiginoso de sus historias. Los veo cruzar las líneas del azar, reunir sus diferencias, caminar por el hilo delgado que se tiende con equilibrio precario sobre el vacío...

La tarjetita con letras doradas, donde cada vez más borroso el nombre de *Ángel Ferrara* apenas se podía leer, cayó de su lugar bajo la almohada al piso de tierra. Del piso, alguien la recogió y la puso en la esquina del cuadro del Señor de Esquipulas. Allí recibió muchos días la luz de la veladora que se encendía para propiciar la llegada del dinero para el desayuno, que mejorara Ibis de la hinchazón, o que llegara a tiempo el salario a fin de mes para pagar los fiados que se acumulaban en un cuadernito de orillas dobladas que guardaba la señora de la miscelánea.

Cuando llegó el mes de enero, la Nena pensó que era hora de buscar empleo. Iba a cumplir quince años. Había terminado la primaria y podía conseguir una plaza de maestra rural como su madre. Se fue temprano a la capital, en busca del

Departamento de Fincas Rústicas, Nacionales e Intervenidas, que Ubico había expropiado a los alemanes durante la segunda guerra mundial. Fue exigencia de Estados Unidos. Mandaron publicar una lista negra de más de doscientas fincas. Se intervino el Ferrocarril Verapaz, se cerraron los colegios, clubes, asociaciones. Los alemanes fueron deportados, enviados a campos de concentración y sus propiedades nacionalizadas.

Pero Ubico era ya sólo recuerdo. Ahora eran los tiempos del gobierno revolucionario. Las fincas eran una belleza. En ellas se habían fundado filiales de los partidos políticos que sustentaban el régimen de Arévalo: Renovación Nacional y Partido de Acción Revolucionaria. También había organización sindical y cooperativas de los trabajadores. Lo único que se les pedía a los maestros para darles un empleo era la afiliación al partido, pero luego, ellos podían gozar los beneficios de la cooperativa.

La Nena tuvo que hacer antesala varias horas y cuando al fin la recibieron, fue sólo para decirle que regresara a fines del mes porque, por el momento, no había plazas vacantes. Días antes del 30, volvió a pensar en la oficina de las Fincas Intervenidas y se convenció de que no había por qué esperar más. Volvería a la capital al siguiente día.

Sorpresivamente, el empleo se lo dieron de inmediato. Una plaza de maestra para la finca Las Viñas, lugar que ella no conocía. Como referencia, el funcionario mencionó que quedaba a unas cuantas leguas de Cerro Redondo. Le entregó un pliego de papel copia con varios sellos que era, como él dijo, *su nombramiento.*

Los días se fueron pronto. Su madre le repasaba con religiosidad la redacción del acta que era obligación de cada maestra levantar al tomar posesión del cargo. La noche antes de su partida, no podía dormir por la ansiedad. Pensaba en el acta y la mente se le ponía en blanco. No recordaba las palabras formales y retóricas de ese implacable documento. "Se hace constar...", repetía, "rúbrica, bien enterados de su contenido...", fraseología desconocida y pomposa que se volvía una obsesiva espiral de palabras sin sentido.

Cuando atisbó por la ventana, la estrella nixtamalera de las cuatro había ya salido. Tuvo que apresurarse en la oscuridad, vestirse con la ropa ya lista a los pies de la cama, despertar a la abuela, que la acompañaría y que con voz carrasposa contestó con enojo a su urgente sacudida. En un último arrebato, decidió llevarse a Aura o las Violetas, su hermana menor. Lo que menos quería era extrañar la casa. La tomó caliente de la cama y, así, enrollada en la sábana en la que dormía, se aprestó a cargarla por el largo camino de tierra hasta la camioneta. Metió un par de mudadas en una bolsa y pensó que eso bastaba, aun cuando por unos días anduviera *de lavar y poner*.

Llegaron a Cerro Redondo muy temprano. Las oficinas estaban cerradas y ni un alma se acercaba para poder averiguar dónde estaba el camino para Viñas. Se sentaron con desmayo en las gradas del corredor de la Administración, cuya puerta permanecía cerrada a piedra y lodo. La abuela se subió el perraje a la cabeza para no serenarse. Pasó la punta por encima de su boca y nariz, dejando fuera sólo unos ojillos inquietos con los que hurgaba el horizonte.

Al buen rato, apareció un señor con un traje azul percudido de polvo. La Nena se levantó para alcanzarlo en su paso abstraído.

"Chit, Chit... Perdone señor, ¿cómo llegamos a Viñas?"

"¡Huy!, eso sí que está lejos."

"Y, ¿entonces?"

"Mire, si me espera a que termine la misa, yo las puedo llevar. Eso sí, le advierto, allá en Viñas se ríen mucho de mí cuando llego."

Eran alrededor de las ocho cuando por fin se subieron al camioncito que hacía un ruido de máquina vieja. Tosía, tronaba, parecía a punto de desarmarse. Cuando ya iban llegando, la gente salía al camino como avisada. Se reían del camión, y a voz en cuello le gritaban: "¡Ya vino el Chorro de Humo! ¡Ya vino el Chorro de Humo!" Y luego, todos en coro: "¡Chorro de Humo! ¡Chorro de Humo!"

El dueño del camión se sintió avergonzado frente a las mujeres por la algarabía de la que era involuntario causante. Sudaba y manoteaba el timón con nerviosismo. Al estacionarse frente a las oficinas de la finca, una muchedumbre se juntó alrededor del camión, curioseando. Se entusiasmaron al ver que las mujeres bajaban sus cosas. ¡Venían a quedarse!

"¡Es una maestra!", gritaron los patojos cuando ella contestó a qué venía y como un eco, de boca en boca, el mensaje se fue repartiendo hasta los rincones más recónditos de la finca.

Los espectadores se acomidieron oficiosamente a llamar al Secretario General de las Oficinas, que estaba desayunando en su casa. Llegó con premura, pues darle posesión era un asunto oficial. Sacó el manojo impresionante de llaves y cuando ya había abierto el candado herrumbroso de las oficinas, llegaron también las otras cuatro maestras a quienes había mandado llamar. Parecían golondrinas, alegres y bulliciosas. Bromeaban y se reían mucho de todo. La Nena sudaba. Ahora se enfrentaría con el momento temido: tendría que levantar el acta. Oyó, como en un sueño, cuando el Secretario General pidió a una de las señoritas maestras que la redactara:

"Para que la niña sólo la firme", ordenó y ella recobró el aliento.

"¡Pero, si usted es la Nena!" Una de las maestras la reconoció con sorpresa y agrado.

Olimpia Barneond era hija de una mujer de Cuilapa que tenía dos vacas. La Nena recordó la silueta de la vieja caminando frente a ellas en las afueras del pueblo. Recordó también las rosadas ubres, tensadas por los dedos habilidosos, y el chorro de espuma que llenaba el vaso que costaba cinco centavos. Endulzaba la leche con miel, luego tomaba de su delantal un frasquito de esencia maravillosa y le daba el toque final.

Olimpia Barneond la tomó de primas a primeras como su protegida. El orgullo de esta joven era su origen francés y era lo primero que anunciaba al presentarse. "Olimpia Barneond, sí, con *d* al final, mi padre es francés. Por favor, no ponga tilde en la *o*. Es un apellido francés, usted sabe."

Al terminar las formalidades, el Secretario General la llevó a la casa de madera donde viviría. La mitad estaba ocupada por silos de maíz. La otra dividida en dos, una cocina y un cuarto con una única cama. Allí habrían de dormir las tres mientras encontraban otro acomodo. Una pizca de miedo la alcanzó. Ésta era una casa ajena. Sospechó que, por las noches, las ratas transitarían con sus ojillos rojos y sus mínimas patas sobre las vigas, dejando su rastro de mierda oscura y compacta. Al principio sus chillidos y el afán de los dientes sobre los sacos de maíz apilados tras la pared vecina, no la dejarían conciliar el sueño. Pero se acostumbraría. Su sueño aprendería a no poner reparo, se confortó.

Olimpia las invitó de inmediato a almorzar, lo cual fue bienvenido, porque andaban en ayuno y sin un centavo en la bolsa.

Hizo envueltos de coliflor y unas tortillas de maíz con un queso recién cuajado. Me llevó a la tienda a abrir crédito y de una vez pidió, para que yo llevara, una onza de margarina, "es un producto nuevo, Nena, tiene que probarlo". De allí nos fuimos con el marchante. Ella insistió en que pidiera fiado. Tres cortes de tela que no necesitaba "para que mande hacer sus vestidos de trabajo, porque fíjese usté, uno de mujer que trabaja, tiene que tener aparte ropa para hacer oficio y aparte ropa para estar presentable. Para eso gana uno su pisto. Para echárselo encima."

El padre de Olimpia era propietario de un taxi en la capital. Por eso, ella sabía tantas cosas... Era moderna y atrevida. Usaba pantalones y a cada rato se los arremangaba para mostrar sus pantorrillas. Tenía las piernas muy velludas y se las sobaba a contrapelo con gran complacencia y con mucho orgullo: "Tengo mi cuerpo velludo porque soy extranjera, Nena. ¿No ha visto que los indios son lampiños?"

Se depilaba las cejas pobladas con unas pinzas, se las dibujaba bien marcadas con un crayón negro, se doblaba las pestañas con un aparato y se pasaba un cepillito con una pasta oscura. Se le miraban grandes los ojos, con las pestañas colochas como patas de araña.

Montaba a caballo, abierta sobre la montura. A la Nena eso le parecía muy mal, porque su mamá ya le había advertido que no era correcto que la mujer anduviera abierta. Hasta habían excomulgado a alguna por ese pecado... el pecado de ser machorra. Pero nunca pudo resistirse a su amiga: cuando Olimpia la invitó a pedir prestados unos caballos para ir de paseo un domingo, a pesar de que se asustó y al principio no quería, terminó yendo con ella, a caballo, en montura de hombre.

Pronto, Olimpia empezó a invitarla también a la capital, a la casa de su padre. Allí, conoció otras cosas: un salón de belleza, donde Olimpia la arrastró el primer sábado. El *Salón Palace*, donde le cortaron el pelo cortitito, dejándole la nuca desnuda, a instancias de Olimpia que le repetía "es un estilo francés, Nena, es francés y le va a quedar lindo". Lo cierto es que el corte le costó una buena parte de su primer salario, pero a ella le gustó mucho ver los colochitos enroscarse en su nuca descubierta.

El siguiente mes, fueron los guantes y los tacones altos. "Eso usan las señoritas, Nena. Uno tiene que aprender, ni modo que no." Y cuando el invierno llegó, una capa para la lluvia de un material transparente, último grito de la moda en los almacenes de la Sexta.

Poco a poco, la Nena fue descubriendo algo que no conocía de sí misma: le encantaba gastar dinero. Había en ello un placer desconocido. Su salario se hacía agua, le servía casi sólo para sus gustos. En la finca repartían a las maestras leche, maíz, crema, cargas de leña, lo cual le aliviaba el gasto de la comida. La Cooperativa tenía otros productos a un precio muy bajo. Aparte, con el Gobierno de la Revolución los salarios de los maestros habían aumentado sustancialmente. Estos razonamientos le abrían la puerta a hacer con la plata lo que le daba la gana y ello le daba una íntima sensación de felicidad.

Llegado el mes de mayo, pensó en visitar a su familia en Barberena. Gran jolgorio se armó desde que las vieron aparecer en el camino. Su madre mató un par de gallinas del puro gusto y cocinó un caldo que mereció que mandaran a Ibis a buscar un par de aguacates y a Julio César a cortar unos chiles chiltepes para acompañarlo.

Al tener Guillermo noticias de que la Nena andaba por Barberena, se presentó de inmediato a contar las vicisitudes de un sastre sin clientela. Quería dinero prestado. La tarjetita de Ángel Ferrara permanecía intocada, en la esquina del cuadro del Señor de Esquipulas. La Nena no dudó en arrancarla de la orilla del marco y ofrecerla a su tío como esperanza de un posible trabajo en la capital.

"Con este señor, tío... Vino hace unos meses y me dijo que si lo necesitaba que lo buscara. Podemos ir, yo lo acompaño, no tenga pena..."

¿Si lo necesitaba? ¿Cómo no? Aquí, en el "Lugar de Todas las Necesidades", ¡cómo no lo iba a necesitar! Ella se arreglaría lo mejor posible, se estrenaría un vestido nuevo que le había cosido la tía de Olimpia, una señora que bordaba telas de novia y hacía prendas sacadas de revistas americanas. Era pegado, de flores lilas, con su pijazo atrás. Se probó frente al espejo los guantes que nunca había usado y los tacones altos que tenía sin estrenar. No podía verse muy bien: el espejo estaba roto. Con todo y zapatos se subió a la cama, procurando que la parte menos dañada captara su imagen. Se puso las manos enguantadas sobre la cabeza, frente al pecho, sobre las orejas. Parecía otra gente.

Queriendo verse mejor, dio un paso atrás y sintió caerse. A la par de la cama había un canasto lleno de mazorcas que esperaban ser desgranadas. También estaba la piedra de moler y una red llena de tusas. Los guantes, los tacones... las mazorcas, las tusas. Los guantes, los tacones, las mazorcas, las tusas. Carrusel de sinsentidos, ecos disonantes con gusto a nota en falso. Recordó las revistas. Las mujeres quiebra-palitos, sus gestos irreales, los sombreros de velito y las carteras de charol. Tan distantes, tan etéreas. Nunca se acercarían a ellas las redes de tusas. Los guantes, los tacones... vivir en medio de las tusas. El espejo roto lo partía todo en dos. Sintió que se la tragaba la fisura del espejo. Queriendo exorcizar ese extraño sentimiento, se quitó los guantes y los guardó entre la cartera. Metida en la cama, pensaba y repensaba: de todas maneras iba a usarlos. Si quería buscar al señor de la tarjetita, tendría que hacerlo. Esa noche, la fustigaron sueños turbulentos.

Tomaron la camioneta a las cinco en punto. Llegaron demasiado temprano. Dio tiempo para que el tío se limpiara los zapatos con un lustrador callejero, mientras ella mataba el ayuno con un atol. La dirección fue difícil de encontrar: por las afueras de la ciudad, cerca de la estación de buses de La Terminal. Pero una vez allí, el letrero era grande y claro: CAFÉ VENETTO. Dos puertas abiertas a la calle, los sillones grises frente a las viejas revistas sobre la mesa y muchos escritorios. Las cabecitas de los oficinistas salían apenas por encima de un gran mostrador.

Un señor se acerca y pregunta qué desean. Ella enseña la tarjeta.

"Busco a este señor." El oficinista duda. Le pregunta a otra empleada que se acerca para averiguar qué pasa. Ésta, a su vez, le pregunta qué desea.

Ella repite de nuevo la misma respuesta. La empleada duda. Ella lo distingue allá a lo lejos. "El señor blanquito de allá al fondo, ése es el que busco".

Él levanta la vista y ella lo saluda con un gesto de la mano. Él, siempre cortés, se levanta de inmediato y se acerca. "Mucho gusto, señorita, ¿en qué la puedo servir?"

Ella saca la tarjeta y sin decir más, se la enseña como si hablara por sí misma, como si fuese una señal convenida y no una simple tarjetita de presentación que se entrega en cualquier parte, con anonimato. Él no entiende, las cosas se hacen difíciles. Ella trata de hacerle recordar el cruce de caminos, cerca de la finca La Castellana. Él hace un esfuerzo. Por fin, ata cabos y la pasa adelante. El tío Guillermo se queda en la sala de afuera, a la espera. Ella explica que la situación se ha dado, que el tío necesita el empleo.

"No, no. No tiene experiencia de oficina. No, no. No tiene experiencia de vendedor. Es un buen sastre, fíjese usted, pero los tiempos están tan malos. No hay trabajo. Por allá no se consigue, así que a ver si nos ayuda."

"Pues... sí, con mucho gusto, que se presente mañana y veremos en qué lo empleamos, no tenga pena..."

A la salida, la lluvia que antes amenazaba se volvió un aguacero y la calle, sin asfalto, un lodazal. Cruzar la calle con los tacones entre el lodo es complicado. Se traban, se incrustan en la tierra suave que los mutila a la vista. Caminar es trabajoso. Lo hacen un par de cuadras y al atravesar:

"Tené cuidado Nena, viene carro."

Se detienen bajo el chaparrón a esperar que el carro pase, pero éste se estaciona frente a ellos. Ella se desespera. "¡Por Dios! ¡Que pase rápido, nos estamos mojando!" El carro no se mueve. Al momento lo reconoce: es el carro alado. El vidrio baja, Don Ángel Ferrara habla, pero no se le oye nada. Sería preciso acercarse, bajar de la acera, meterse en el charco. Tras una leve vacilación, su blanco pie se adentra en el fango.

"¿Don Ángel? ¡Nos estamos mojando!"

"Suban, llueve demasiado... los llevo."

Se siente avergonzada por los pies mojados, los zapatos llenos de lodo.

"¿Cómo va a creer? Vamos a ensuciarle su carro."

"Suban, no importa, luego lo limpiamos, suban, suban por favor..."

Ofrece llevarlos hasta la Séptima, donde podrán tomar con mayor facilidad su camioneta. Pone música en la radio. Unos boleros.

"¿Cuál es su música favorita?", pregunta con amabilidad, para hacer conversación.

"Pues... las rancheras."

"Ah... las rancheras. Y ¿por qué le gustan?"

"Pues porque no tengo radio. Oigo el de la vecina y a ella le gustan."

La respuesta lo dejó pensativo por un rato. Luego, siguió conversando hasta hacerlos sentirse cómodos. Como en su casa. Casi llegando a la Séptima, dijo de manera inusitada

"¿Les gustaría almorzar conmigo más tarde?" Y sin esperar respuesta, "los recojo aquí mismo a la una".

Guillermo asumió su tono más servil, "sí señor, con mucho gusto, claro que sí".

Había parado de llover. Caminaron hasta el Mercado Central, donde Guillermo tenía una mujer salvadoreña a la que visitaba con cierta asiduidad. El lugar estaba abarrotado de gente que iba y venía con dificultad en los estrechos corredores. Pasaron entre los puestos de frutas y verduras donde aguacates, mangos, zapotes, mameyes, matasanos, jocotes marañones, tunas, cushines y naranjas de Rabinal, así como manojos de culantro y hierbabuena, se disputaban un lugar en la retina de los compradores que hurgaban entre los canastos, escogiendo lo mejor. Las marchantas animaban el lugar con sus voces.

"Si no vas a comprar, no magullés la fruta..."

"Llévelo reina, está redulce. A cincuenta la docena, para ofrecer."

Más allá, anonas y papayas entreabiertas. Cestas con huevos de gallina, de pato. Papas de todas clases, papas por todas partes. Redes de carbón. Chicos, caimitos, nísperos. Güisquiles, montañas de ayotes. Trenzas de ajo, semillas, cortezas, raíces para curar entuertos. Minerales, cal viva, azufre y carbón, resinas, pom para ídolos y santos.

"Patroncita, ¿no me lleva unos güisquiles? A dos por cinco, reina. Escójalos, linda."

"¿Unas flores chula?"

En su puesto de jugos, Leticia tensaba la cara y el brazo exprimiendo naranjas. Su piel canela brillaba con un sudor fino. Cuando corría sobre su cara, lo secaba con un pañuelo a cuadros que guardaba en las bolsas del delantal floreado. Al ver a Guillermo, se incomodó y sin saludo previo lo regañó:

"Y vos, ¿no que ibas a buscar trabajo, pues? ¡Ya estás aquí otra vez!"

"No hombre, Licha, no seas así. Cómo sos de jodida... No te enojés por gusto, hombre, si de eso venimos, yo creo que ya tengo trabajo con un señorón en una fábrica." Le contó con lujo de detalles toda la historia, incluyendo la invitación al almuerzo, añadiendo que él ni loco pensaba ir con un señor así de encopetado a comer.

"Pero tío, ¿cómo lo vamos a despreciar ahora? ¡Por no ver que fue usted el que corriendo le dijo que sí!" A la Nena se le puso la cara roja de la cólera y sintió que su vehemencia tropezaba de repente.

"Ah, pues yo sí me apunto", exclamó enfática Leticia limpiándose el sudor con el delantal, mostrando una axila de pelos largos y negros. "Ni que babosa fuera. No todos los días puede uno comer de grolis, más si de un señorón se trata. Nos podemos pegar una buena hartada."

Entre plática y plática, Leticia y Guillermo iniciaron un ritual reiterado: sacaron un octavito que estaba escondido en uno de los canastos bajo el mostrador y se sirvieron un par de traguitos. Sabiendo que eran famosas sus borracheras, la Nena se despidió con la excusa de tener que hacer unas compras. "Regreso en un ratito", salió de allí para pasearse por las vitrinas de la Octava calle.

Vagó sin rumbo por un rato, distraída, sin conseguir poner orden en la confusión de sus pensamientos. Le molestaba pensar que la Licha se apareciera a la cita con Don Ángel. Quería, más que ninguna otra cosa, causarle buena impresión. Quería... Iba a atravesar la calle sin ver y una bocina ensordeció sus voces interiores. Se replegó en la acera frente a una vitrina. Ollas, sartenes, vajillas de china, vajillas de peltre. Nada que le interesara. No podía confesarse que el señor ese le gustaba. ¿Cómo iba a ser?

Caminó –vacilante– una cuadra más, queriendo enfrascarse en la extensa gama de zapatos y telas, se sorprendió embebida viendo botones, haciendo el ensayo de ponerlos y quitarlos de imaginarios vestidos, posibles vestidos que tenían su origen en un atractivo botón. Pero, sí. La manera en que su colonia se le había quedado impregnada en el olfato, los puños blancos de su camisa, los destellos de sus mancuernillas de oro, la seda de su corbata. Sin duda, él le gustaba. Él y su aura. Compró unos chicles para aliviarse la resequedad de la boca. *Ese hombre tiene clase.* Parecía que las palabras que se formaban en su cabeza salían de los labios carnosos de Olimpia. Y a ella, ¿le atraía eso? ¿La clase?

El tendero no tiene sencillo, busca y rebusca en el monedero una fichita de cinco. Sí. Por supuesto que sí, y ¿por qué no? Sin duda era eso lo que lo hacía comportarse como si fuera dueño del mundo, como si las cosas estuvieran a la espera de sus órdenes para acontecer. Por fin, la fichita. Se metió despacio el chicle a la boca en un acto de profunda reflexión. ¿Cómo podía resistirse? Atisbar el mundo desde ese otro lugar.

Alrededor de las doce treinta, tomó la decisión: iría sola a la cita. Se apresuró a caminar, nerviosa. Llegó a la Séptima y Doce, la misma esquina donde horas antes la dejara Don Ángel.

Esperó, dudó un par de veces. ¿No sería mejor irse, en este instante, antes que el automóvil cruzara sobre la avenida? Sí, irse. Pero se mantuvo allí, atada a la esquina, partida entre el miedo y la inercia de una corazonada. Momentos después, el auto se detuvo y el señor rubio sonrió con significado incierto. Ella también sonrió, con su sonrisa de quince años. La timidez se adueñaba de sus actos, la duda la entorpecía. Pero también tenía una seguridad, un impulso que la empujaba dentro del auto de aquel desconocido. Él no tenía ninguna sombra de dubitación. Tenía experiencia en tratar a las mujeres. Ser seductor le había ayudado a abrirse camino desde los tempranos días de la adolescencia...

Andaba descalzo, la ruina total había llegado a su casa. El Conde Ferrara, profundos ojos color violeta, cabello azabache de hebras demasiado finas. Su padre. Enamorado de las mujeres y del teatro. Con la vana ilusión que lo arrastró desde Verona hasta América: multiplicar la herencia que le había sacado a su madre casi a la fuerza. Esa mujer irritable y poderosa había cedido por primera vez ante la voluntad de otro ser humano. Cedió, pero también lo condenó: si se iba a América lo tendría por muerto.

El rompimiento lo había dejado exhausto. Lo alentaba la secreta esperanza de que podría regresar. Sembraría un campo de vid, le estamparía la marca de la familia al vino producido en una gran plantación de América. Ese sueño dorado lo reconciliaría con su madre y su casa. Nadie rechaza a los que triunfan.

El Conde Ferrara... su padre. Atravesó tantas fronteras para terminar en la modestia. Don Ángel volvió como tantas otras veces al vano de la puerta, desde donde se paraba a mirarlo: metido en la cama, aterrado, con el mundo que se le desmoronaba encima. El dinero se había acabado. Él no conocía ni de lejos los secretos del trabajo, de las finanzas, del mundo práctico. El asunto de convertirse en amo de una plantación no pasó de ser una colección de bellas imágenes en la cabeza. Los días iban y venían. Hablaba de sus planes mientras aplicaba sus acciones a lo único que conocía de cerca: la poesía, la ópera y las mujeres.

El Conde Ferrara... su padre. Un alma leve, proclive a la belleza. La disciplina era, según le gustaba decir, fea como una campesina robusta y con bigotes. Estaba hecho para una vida angélica, angélica como su propio nombre. De la realidad aprendió algo: el dinero se acaba pronto. La plantación de vid no sería ya sino una pesada ilusión fallida.

Acto seguido, Don Ángel recordó a su madre, esa mujer delgada y pálida, su imagen unida de manera indeleble a la de su padre. Era hermosa, mas no lo suficiente para agotar los afanes del Conde, quien emperifollado en su traje blanco, su eterno sombrero y su bastón, era *el hombre más guapo de Guatemala*.

Si algo podía definirla era el amor absoluto que tenía por su marido. Cuando él la defraudaba, acicateado por la lujuria de otras pieles que le resultaba impostergable, ella, sin ira y sin reproche, se sentaba al piano y perdía la vista en el corto horizonte que le imponía la pared. En una habitación demasiado pequeña para el armatoste, se entregaba a la ensoñación que le provocaba la música. La mayor virtud de su madre fue su secreto poder de olvidarlo todo. "Cuando toco, el mundo no puede alcanzarme", le confesaba a su hijo, que no había cumplido los siete años. El niño se quebraba la cabeza queriendo dilucidar el misterio que se le confiaba y en sus divagaciones, ese misterio se revolvía con los arabescos de los pendientes de rubí que nunca dejaban en libertad las largas orejas de su madre.

Le erizaba la piel recordarlos. Sus padres, fugitivos de la realidad. ¿Mediocres? La mediocridad era su fantasma. Su padre atravesó el mundo pero no pudo traspasar la única frontera que se le tomaría en cuenta: la de sí mismo. Sus debilidades fueron más fuertes. Sus debilidades fueron omnipotentes. Nunca quiso ser como él. Lo supo desde niño, aunque estaba marcado por su parecido físico. Era su vivo retrato. Su padre... le echaba en cara una única cosa: lo había hecho sentir que estaba solo en el mundo, que tendría que salvarse. Sin embargo, esa temprana conciencia de algo irremediable para todos, lo hizo quien era: un hombre fuerte. Antes que nada, más que todo, un tipo poderoso.

A los trece años había iniciado su pequeña empresa: vendía aguas gaseosas en una carreta de mulas que le alquilaban por día. Era bien parecido, simpático. Tenía las maneras dulces del padre y su belleza suave. Ésos eran sus recursos y aprendió a usarlos. Vendía mejor que ninguno porque las señoras de las tiendas lo esperaban para comprarle a él, solamente a él.

Ángel no veía la carreta de mulas, ni sus pies desnudos y sucios. Veía lejos... Nada era imposible. El mundo se le abriría. Nada podría detenerlo. De eso hacía muchos años. El tiempo había confirmado la visión: se convirtió en un gran señor. Pero como un barco que en la magnificencia de su travesía se deja plagar el casco de moluscos, así él se permitía caprichos y veleidades. La herencia oscura que surgía con su doble faz: una hecha de disolución y liviandad, la otra, católica y culpable. Terminar la tarde con esta muchacha desconocida... Era difícil decirle que no a estos impulsos. Se presentaban así, de la nada, ofreciendo un fruto irresistible: abrirse al momento, vivir lo inesperado.

Una mujer hermosa. Podría ser todo claro, demasiado simple. Pero, no lo era: aparte, como un asunto inconexo que se movía a su propio ritmo, había otra cosa. Con sus bordes desdibujados, ese sentimiento *aparte* lo conmovía de una manera extraña y dolorosa. La joven estaba desprotegida y se percataba de ello. Luchaba por salvarse. ¿Se parecían en esto? ¿Iba este asunto más allá de una cuestión simple, una cuestión de piel?

Ella subió al auto y las cavilaciones se desvanecieron. La llevó a Los Arcos, restaurante muy conocido, sitio elegante, donde lo recibieron como si lo conocieran muy bien. Era cliente asiduo. "Pase adelante Don Ángel, bienvenido a su casa", vino a recibirlo el dueño, saliendo de su despacho a ver qué se le ofrecía. Mandó de inmediato a varios meseros a acomodarles las sillas y a tomarles la orden. Le preguntó si deseaba algo para beber y ella contestó con presteza que él ordenaría por ella. Le llevaron un cóctel London servido en una copa alta y delgada como una flauta, coronada por una cereza brillante.

Conversaba, como si la conociera de antes. Le contó cosas fascinantes, historias de la *Divina Comedia* que ella nunca había leído, por ejemplo. Esa historia provocó su curiosidad y nunca la olvidaría: era un libro que hablaba del infierno. Le gustó en particular el relato increíble para muchos pero no para ella, del pobre condenado a quien un hambre arrasadora obligó a comerse a sus hijos.

También conversaron de sus viajes extraordinarios: le habló de Turquía y de Egipto. Ella le preguntó por España, de donde vino su abuelo y a donde ella siempre soñó ir. Él se extendió en describir esos parajes todo lo que ella quiso. Le habló de Madrid y de su vida nocturna, de los gitanos y el flamenco, de los paisajes solemnes, de la comida exquisita plagada de jamones, mariscos y arroz.

Después del segundo London de ella y el tercer jaibol de él, los ánimos estaban ya bastante ligeros. La invitó a la pequeña pista de baile, poniendo un disco en una rocola apostada en la esquina cerca de la vitrina. Bailaba con cierta falta de garbo, con cierta falta de ritmo pero con un abandono que era irresistible. Ella tampoco sabía bailar, así que no extrañó la falta de maestría. Sin que pudieran percatarse de ello, se hacía tarde. Alrededor de las tres, ella vio el reloj. Alarmada, le recordó a Don Ángel que debía tomar la camioneta de regreso.

"Yo la llevo hasta Barberena", dijo él, presto, "no tenga pena."

"Pero no, no puede llevarme. Me van a comer viva por subir al carro de un hombre desconocido. Mejor me lleva a la camioneta."

"Y qué tal si nos llevamos en el auto a algunos de sus paisanos. Me imagino que alguien que vaya para Barberena subirá en la camioneta de las tres."

"Bueno", replicó sin convencimiento pero sin atreverse a contrariarlo, "yo sé de algunos mozos que van a volver en la camioneta que podrían venirse con nosotros."

Se encaminaron a la terminal de buses a buscar un par de voluntarios. Dos mozos de la finca La Castellana se ofrecieron, pensando en la comodidad del gran auto que veían aparcado a la par de la camioneta esperando a los últimos viajeros. Si algún recelo les quedaba, Don Ángel terminó de convencerlos ofreciéndoles unos pesos.

Los dejaron esperando en las oficinas del CAFÉ VENETTO, mientras ellos se iban a almorzar en un restaurante español céntrico que él escogió pensando en sus conversaciones. Al terminar, recogieron a los hombres. Antes de tomar la carretera al pueblo, Don Ángel enfiló hacia la Sexta Avenida. Se estacionó frente a un almacén y les pidió a los dos muchachos que bajasen con él. Regresaron al rato con una caja enorme que cupo apenas en el inmenso baúl. Cuando iban en el trayecto, en medio de la oscuridad de la carretera, él tomó su mano y le puso algo en ella. Un objeto cuadrado y frío.

"¿Qué es?", preguntó.

"Guárdelo porque le va a servir", le dijo. Era un adaptador eléctrico. Ella no entendió el sentido del objeto que le había sido entregado, pero sin preguntar, lo metió en su bolsa. Cuando llegaron era de noche, todo estaba apagado. Él pidió a los muchachos que lo ayudaran a bajar la enorme caja que reposaba en el baúl. Tocaron a la puerta y una luz apenas luminosa se encendió en el recinto con una voz que decía:

"¿Quién toca?"

"Ábrame mamá."

Los muchachos entraron a la casa con la pesada caja. Dijo un adiós apenas audible cohibida por la presencia somnolienta de su madre, que más preocupada por cubrirse el escote del camisón y taparse la boca para que no le pegara el sereno, casi no se daba cuenta que entraban el mamotreto a la casa.

La Nena se fue corriendo a dormir, evitando con ello la posibilidad de un regaño.

La caja apareció en medio de la habitación a la mañana siguiente. Se congregaron alrededor preguntándose qué sería. Había que despertar a la Nena para que explicara, pues siempre se levantaba tarde. Cuando apareció asueñada y con las huellas de la almohada visibles en el rostro, no supo responder. No sabía qué había en la caja. La abrieron con dificultad, pues era de cartón fuerte. Adentro, la superficie pulimentada reflejaba los rostros que inclinados sobre ella ardían en curiosidad. Era tersa esa superficie, invitaba a resbalar sobre ella caricias, como si se tratara del lomo nuevo y lustroso de un animal. Al fin pudieron sacarlo. Era un radio de onda corta RCA Victor.

El Señor de Esquipulas fue desalojado de su sitial sobre el gavetero, y allí pusieron el radio. Pronto tendría encima un tapete bordado para guardarlo del polvo. La antena la puso Julio César en el techo, siguiendo con exactitud las instrucciones del libro. Ella recordó el adaptador que Don Ángel le había entregado. Corrió a sacarlo de su bolsa. Al ser conectado, el aparato reprodujo una música extraordinaria. Cuando habló el locutor, no podían salir de su asombro: ¡hablaba en otro idioma!

Guardaron silencio. Congregados alrededor del radio, pendientes de lo que salía de las bocinas, esperaban a cada momento un nuevo asombro. La música volvía una y otra vez, arrastrándolos a otras latitudes. Confirmaron que el radio era un verdadero milagro cuando encontraron una emisora cubana. ¡Estaban escuchando música transmitida desde Cuba!

Mientras todos se maravillaban, las melodías reproducían en la cabeza de la Nena, la imagen de Don Ángel bailando con torpeza y abandono, las copas del cóctel London y la magia, sobre todo la magia de un mundo apetecible que empezaba a descubrirse ante sus ojos.

XII

Guatemala es un país jodido. Yo viví aquí siempre y por eso lo digo. Hay algo aquí duro, sórdido y siniestro: la columna vertebral que sostiene, organiza y hace funcionar a nuestra sociedad (pero... ¿cuál funcionar si aquí nada funciona? ¿Cuál nuestra si aquí no hay nosotros?). Lo demás es paisaje.

No, no me vengan con la paja de que vivir en Guatemala es igual a vivir en otro lugar del mundo. Este país es el umbral de otra cosa. Un triángulo de las Bermudas donde se desaparece en la resaca de obnubilaciones oscuras, que se adhieren como resina a los órganos vitales. Guatemala es asfixiante y cruda como la más exasperante de las pesadillas. Un universo sin alas, un paraíso cercenado y sangrante, el hálito maloliente de todas las miserias y todas las desesperanzas.

¿Que hay otros lugares peores, más fustigados por la violencia y la locura? No lo sé... Sólo conozco bien mi propio dolor.

Me fui de Guatemala por el terror generalizado que incautó nuestras vidas por toda una generación. Me fui, por mi propio terrorismo personal. Por el terrorismo que ejercieron y que ejercí sin entenderlo sobre mi propia vida, y que llamé con distintos nombres, incluyendo el de "amor".

Recuerdo con claridad el día en que oí por primera vez la palabra *siniestro*. Mi abuela me daba un baño y el radio estaba encendido. Yo estaba dentro de un balde grande de aluminio, y ella echaba con un guacal tiznado el agua vaporosa calentada con leña que caía con suavidad sobre mi cuerpo enjabonado. Nos alumbraba el foco que colgaba del techo al final de un cordón envuelto en telarañas. La pálida luz teñía los azulejos blancos de un sucio amarillento y evocaba una débil sensación de irrealidad. La palabra era ajena, nueva, recién aprendida, pero comprendí muy bien su significado cuando la noticia fue siendo expulsada a golpes por una voz alarmada y chillona: en el Parque Central había ocurrido *un siniestro,* varios hombres habían sido ametrallados en plena calle...

Me causó estupefacción que algo tan horrendo hubiese ocurrido en pleno centro, en pleno día. Esas cosas no podían pasar allí donde transcurrían nuestras tardes de paseo, en medio del escenario de nuestros días divorciados de tragedias. El anuncio era un mal augurio. Ensuciaba el agua. Venía a robarnos cosas que nos pertenecían; penetraba las entrañas tibias de nuestras vidas.

La imagen de mi madre tendida en el piso, con un hilo de sangre en la boca, se me metió en la cabeza.

"Abuela, ¿dónde anda mi mamá?", pregunté con disimulada urgencia. Había salido desde mediodía y no había regresado. Una terrible coincidencia podría haberla llevado al parque, podría haber estado justo donde se desató la ráfaga de ametralladora... Ajena a mis pensamientos, concentrada en la noticia, ella susurraba su alarma: "¡Dios mío!,

¡Dios Santo!, ¡Cristo de los Desamparados!", sin dejar que nada la distrajera.

"Abuela, dónde está mi mamá te digo", repetí con tono exigente.

"¡Ay Dios, con usté Irenita, ya no lo deja a uno resollar! Entró hace rato. Está calentando su café en la cocina", respondió con el pretendido enojo que seguía a mis demandas en nuestro juego afectivo.

El relato de los *asuntos siniestros* comenzó a infectar las noticias de la radio y de los periódicos, cubriendo de pústulas el acontecer cotidiano. Los síntomas de la enfermedad se mostraban por todas partes: en primera plana, donde rostros vencidos reposaban como flores marchitas sobre los volantes de vehículos ametrallados y cuerpos abandonados yacían en medio de charcos de sangre. Poses y gestos congelados en la máscara de la muerte. Metáforas de silencio. *O callados, o muertos*, parecían exclamar los cuerpos flojos, con su lenguaje mudo y visceral... El miedo era el grillete que nos paralizaba.

Radio y televisión se unían en cadena para transmitir simultáneamente los comunicados del Gobierno. Los guatemaltecos aprendimos de memoria desde la música que los anunciaba, hasta la voz perfecta del locutor de TGW que narraba los acontecimientos más graves, con un timbre delicado y armonioso.

Todo empezó con el derrocamiento del Presidente Árbenz. El vergonzoso suceso vino aparejado de represalias violentas contra la población inconforme. El embajador estadounidense, Peurifoy, se presentó ante el jefe de las Fuerzas Armadas con un listado de los campesinos "comunistas" a quienes había que fusilar (con el nuevo gobierno, regresó el jefe de la policía secreta de Ubico). Se persiguió lo que tuviera "evidente propósito o fines comunistas", lo que fuera "de inspiración comunista", lo que tuviera "naturaleza y objetivos comunistas". Reina la paranoia.

Castillo Armas, el caudillo de "la liberación" y Presidente de la República, fue asesinado en plena Casa Presidencial. El país tambalea en los brazos de la inestabilidad: las represiones callejeras cada vez más violentas, una ola de protestas. Ydígoras promete reconciliación. Al convocar a elecciones, resultó electo Presidente.

El ejército, dividido desde el derrocamiento de Árbenz, sigue sumido en sentimientos confusos: un grupo de oficiales se acomodaron pronto a la corrupción que marcó desde su inicio el gobierno de Ydígoras, otros ven con desagrado e indignación lo que consideraban traición a la patria: en la finca Helvetia, en la costa sur de Guatemala, entrenan las tropas anticastristas que auspiciadas por el gobierno estadounidense se preparan para invadir Cuba.

Los militares nacionalistas, indignados por el curso que toma el país, organizaron un movimiento contra el gobierno al que llamaron Hermandad del Niño Jesús.

También mi mundo personal comenzaba a desmoronarse. Oí cuando mi madre le contaba a mi abuela que me mandaría al colegio. Sentí una punzada amenazante en el estómago, pero no hubo posibilidad de evitarlo, ni mis chillidos, ni las súplicas de la abuela. "Son órdenes de Ferrara", dijo mi madre.

Las órdenes de mi padre eran inapelables y ella también era implacable cumpliéndolas, por un miedo irrestricto a su poder. Me registró en la escuela. Todas las mañanas pasaba un busito a recoger a los niños. Al oír el claxon frente a la puerta, armaba un escándalo que se repetía día a día: la abuela y mis tías me jalaban de las piernas para desasirme de las patas de la mesa de la cocina a las que me aferraba, me arrastraban por el corredor en medio de chillidos y pataleos. Con trabajo, me subían al bus, auxiliadas por el chofer, mientras repartía manotazos. No me quedaba tranquila sino hasta que el bus se alejaba de la casa. Entonces, vencida, con la cabeza pegada al vidrio, divagaba mi malhumor mirando por la ventana.

Los colegios, la educación... ese segundo rompimiento uterino que me exigió abandonar el letargo del hogar para enfrentar a *los otros*. Esos otros "ajenos" sirvieron de espejo para ver en la imagen de mí misma, cosas en las que nunca había reparado, como que las meriendas envueltas en bolsas de papel grasiento que traía al colegio eran inaceptables porque existían las *loncheras*, o que no tenía, como los otros niños, un papá en la casa.

La noche del 13 de noviembre de 1960, un numeroso grupo de tropas enardecidas realizaron un levantamiento en el Fuerte Matamoros en la capital y lo ocuparon. Otro grupo disidente tomó el control de Puerto Barrios en el Atlántico y los cuarteles de Zacapa. Sin embargo, en los momentos decisivos, muchos mantuvieron su lealtad a las órdenes supe-

riores. 800 campesinos se congregaron en el cuartel después de que había sido tomado. Pedían "armas contra el gobierno", pero los rebeldes no se atrevieron.... Los aviones sin bandera que iban a ser utilizados en Cuba, bombardearon la base de Puerto Barrios.

La mayoría de los militares comprometidos con el alzamiento se rindió, pero un grupo de oficiales idealistas se fue al exilio para rearmarse y continuar con la lucha.

De mi padre tenía una impresión muy leve por entonces. Mis primeros recuerdos son pocos: una enorme mano colgando frente a mis ojos que atrapó la mía para atravesar la calle envolviéndola por completo (me sentí segura, como si mi cuerpo fuera un apéndice del suyo, avasallador y fuerte); los restaurantes, a los que alguna vez nos llevó, con sus comidas extrañas, camarones, turrones de Alicante, salsa tártara; el elefante inmenso y rosado que arrastraba las largas orejas hasta el suelo, que arruiné el día que decidí sacarlo al patio y bañarlo con la manguera. Aunque mi mamá trató de arreglarlo reemplazando el algodón, nunca lo logró. Quedó como un bolsón informe con la larga trompa colgando, que por algún tiempo nos sirvió a mi hermano y a mí en las guerras de almohadas saltando sobre las camas.

Mucho más palpable que su presencia física, mi padre se hacía presente en *el cheque* que íbamos a recoger cada fin de mes a la fábrica de CAFÉ VENETTO. *El cheque* era un papel insignificante a simple vista, pero nos llevaba directo al Banco, ese lugar que parecía tan serio. A cambio de él, después de algunas vueltas un tanto ceremoniosas, un cajero ceñudo *nos pagaba* entregándonos un fajo de billetes nuevecitos y olorosos. El cheque era muy importante: sostenía la casa.

Mi madre se arreglaba mucho para ir a recogerlo, se perfumaba, se ponía guantes y sombrero, a pesar de que en la fábrica nos atendía el mismo oficinista gordo y viejo que, sin reparar en nosotras, sacaba de la gaveta el sobre blanco sin destinatario. Al finalizar los trámites bancarios, íbamos ritual y directamente a la Pastelería Austria, un lugar elegante y maravilloso, *fino* como decía mi madre. Ella pedía su café *con crema* y yo un helado de fresas con alto copete de merengue. El sabor invadía mis sentidos por completo. Quedaba abstraída, absorta, en silencio, hasta terminarlo. Luego, todavía podía comerme un barquito de chocolate con el fondo de mermelada y darle un par de probaditas a la tarta de queso. Comprábamos también pastelitos para llevar a la casa, que nos empacaban en una caja grande con un listón amarrado.

Nos paseábamos juntas por la Sexta Avenida con nuestro paquete de pasteles, bien vestidas y lindas, sintiendo que la vida era buena. Si algo se me antojaba, mi madre nunca decía que no después de cobrar el cheque. Así, regresaba del paseo con alguna pulserita, zapatitos nuevos o pistachos de la Importadora del Sur. Eso, si no caíamos en la tentación de encaminarnos a nuestro destino favorito: el almacén *El Cairo*, los patrones *McCalls*, y un universo de telas, botones, tiras bordadas, encajes...

Marco Antonio Yon Sosa y Luis Turcios Lima (dos de los oficiales que huyeron), iniciaron la reorgani-

zación desde la clandestinidad. Formaron una fuerza subversiva. La convicción revolucionaria había dejado de ser una preocupación "del ejército" para convertirse en una bandera guerrillera.

La idea de derrocar al gobierno se cambió por un objetivo mayor: la búsqueda de transformaciones sociales. Establecieron relaciones con el partido comunista (PGT) que también había sido reducido a la clandestinidad. La opción era la vía armada. La opción era la revolución.

A principios de mes, había plata y mi madre no ponía reparos en gastarlo en ir al cine y luego a cenar pollo frito. Aprovechaba su cercanía para acariciarle la mano. Ella también acariciaba la mía y en este lenguaje mudo se traducía un amor reacio a otras demostraciones.

Los viernes íbamos a la lucha libre. Gritábamos a voz en cuello a favor de los luchadores técnicos, en especial Rayo Chapín, mi favorito, por quien alguna vez lloré: no pude soportar la escena ficticiamente sangrienta de su ser mordido, somatado en la lona con todo y su escapulario, pateado y vencido por un rudo bestial. Regresábamos a casa cerca de la medianoche, caminando por los callejones vacíos y oscuros. Me agarraba fuerte del brazo de mi madre, con miedo de los borrachos tirados en las aceras o de algún atrevido que desde la oscuridad de un portón le lanzaba piropos soeces.

Sí, mi padre era por entonces ese ente anónimo de cuya caja registradora llegaban tantas bendiciones. *Ferrara* le decía mi madre, eludiendo llamarlo por su nombre, como si mi padre fuese un apellido y con ese apellido un poder abstracto. Así lo entendía yo, o más bien, así era como nunca pude entenderlo. Sólo sentía el miedo respetuoso que producía en mi madre su voluntad implacable y que por largos años creí era mi propio miedo. Así, temido e inapelable a los ojos de mi madre, estaba presente en mi vida, casi sin rostro. Más que un padre, era una distancia.

Marzo y abril, turbulentos. El 9 de marzo los estudiantes realizaron el primer paro de tráfico citadino y diversos sectores se adhirieron. El 13 de marzo se convirtió en una jornada generalizada de enfrentamiento con la policía. La respuesta violenta de las fuerzas de seguridad llevó a la Asociación de Estudiantes Universitarios a proponer una huelga general para exigir la renuncia de Ydígoras.

El 24 de enero de 1962, en una céntrica avenida de la capital dieron muerte a Ranulfo González Ovalle, alias "Siete Litros", jefe de la policía secreta del presidente. El gobierno culpó al "marxismo dirigido desde Cuba". El asesinato fue reivindicado por el grupo guerrillero que se hacía llamar "Movimiento 13 de Noviembre". Ésta fue su primera acción militar.

Hay días que marcan etapas, tiempos de la vida. Aquél en que entraría de lleno en la vida de mi padre, me vistieron muy elegante, lo mismo que a mi hermano. Nos vistieron tan elegantes y mamá se sintió tan satisfecha que nos llevó a tomar fotografías a un estudio. Turín tenía corbata, chaleco y le brillaban los zapatos. A mí, Ibis me había peinado con tanta gomina, que el pelo se me miraba tieso como un pájaro muerto. Aparecemos en la foto posando muy formales, aunque se nota mi disgusto con el peinado. Nos recogió un chofer en el inmenso carro de mi padre que los vecinos veían con extrañeza en las raras ocasiones en que aparecía por el barrio. Nos sentamos sin saber qué esperar, callados y tensos, en la parte trasera. La casa de mi padre estaba en *La Reforma*. Era un gran chalet de esquina cerca del *segundo toro* y se llamaba *Villa Mercedes*. Grande y señorial, como las otras que reposaban sobre la avenida, la aletargaba un pesado sueño de buganvilias.

El chofer tocó la bocina y un mozo salió corriendo a abrir el negro portón de hierro. La escalinata se desplegaba como un abanico bajo la puerta. Una sirvienta con uniforme blanco enyuquillado y un sombrerito en la cabeza, aguardaba al pie.

Bajamos del carro con cierta aprensión. La muchacha uniformada nos pasó adelante. Estaba tensa, como si temiera a cada instante cometer un error imperdonable. Mi padre apareció en el inmenso salón caminando con energía sobre unos pisos que parecían espejos. En medio del océano de mármol negro, la estatua de una mujer blanca y desnuda ofrecía con mirada lánguida un fruto de piedra. A un costado, mis ojos quedaron atrapados por el fulgor azul de una piscina humeante, rodeada de puertas de vidrio que se abrían sobre un césped verde, con rosales en flor.

En la piscina una columna sostenía un globo terráqueo que chorreaba agua y en la pared, el ojo estático de un pez espada escudriñaba a los presentes. Al fondo, grandes y fuertes, las iniciales de mi padre *A-F*. Alfa y Omega entrelazadas... por aquellas épocas él lo podía todo. No supe qué decirle cuando se acercó, ni él tampoco dijo nada, sólo me tomó la mano y caminamos juntos. Mis zapatos nuevos rechinaron sobre el silencio extendido a lo largo del piso.

Recién entonces pude distinguir a las personas que formaban la concurrencia. Mi padre hizo público que Turín y yo éramos sus hijos. Silencio pétreo.

Nos presentaba a todos como tales, añadió, y esperaba que nos recibieran con los brazos abiertos. Nadie se inmutó, salvo yo, pues sus palabras cayeron como un fardo sobre mis hombros. Me sonrojé como si se hubiera revelado en público un hecho vergonzoso.

Luego del anuncio, nos llevó con cada uno de los presentes, y con sorpresa descubrí que quienes estaban allí eran mis hermanos.

Cristina, rubia, alta, con un lunar cerca de la boca, parecía una actriz de la tele. Si me lo preguntaran ahora, diría que se parecía a Marilyn Monroe. Se reía abriendo de par en par la boca, echando la cabeza hacia atrás mientras sus carcajadas, sus pulseras y los hielos del vaso que tenía en la mano, generaban un halo sonoro que atraía las miradas. Yo la veía asombrada, pensando que nunca había visto una mujer como ella fuera de las películas, tan alta, tan rubia y sonora.

Eugenia tenía el pelo oscuro, una mirada dulce, la nariz increíblemente fina, miles de pecas en el pecho y en la espalda descubierta. Se mantenía pegada melosamente a un hombre fornido y muy bronceado que le decía cosas en inglés en un tono suave. Ella contestaba en forma reiterada *"yes, honey"*. Viéndolo a los ojos, parecía no ver ninguna otra cosa.

Al final me presentaron con Enrique, delgado, con una mirada turbia, tartamudeando ligeramente al hablar. Se agachó cuando me acerqué y me colocó en la mejilla un beso mojado que me hizo esconderme tras las piernas de mi padre.

Estas tres personas eran mis hermanos, pero parecían venir de un mundo años luz distante. Creo que a ellos tampoco se les hizo agradable constatar nuestra existencia, aunque si algo sintieron o pensaron se lo callaron, recurriendo a la sencilla opción de ignorarnos. Platicaban y reían recio. Tenían experiencias comunes, anécdotas, nombres y un misterioso humor cuya comprensión se me escapaba.

Turín y yo nos sentamos callados y quietecitos en un sillón, respirando la atmósfera artificial, hasta que mi padre vociferó como un grito de guerra: "¡A almorzar todo el mundo!" Cuando todo terminó, mi padre dispuso nuestro regreso: cada uno recibió un billete de cinco quetzales (suma extravagante) para los dulces de la semana, y nos envió en el carro plateado de regreso a la casa, con la promesa de repetir la experiencia todos los días jueves.

Estados Unidos se alarmó. En mayo, dos oficiales y cinco reclutas de las Fuerzas Especiales estadounidenses, entrenados en Laos, establecieron una base contrainsurgente en Mariscos, Izabal. Con la ayuda norteamericana, las revueltas populares fueron aplastadas. Las fuerzas policíacas mataron o encarcelaron a cientos de estudiantes, líderes de trabajadores, campesinos y profesionales. Diezmaron a los grupos rebeldes. Se había implantado con éxito el primer programa contrainsurgente.

Comenzaba a gobernarnos el peor de los tira-
nos: "lo siniestro".

"Me voy a casar", dijo mi madre sin preámbulo, mientras me ponía la pijama. Yo estaba parada sobre la taza cerrada del inodoro para facilitarle la tarea. Muchas veces me contaba cosas en tono de confidencia, a pesar de mis cortos años, pero esta vez lo dijo con un tono distinto, a la defensiva, anticipándose a cualquier posible oposición. Yo la veneraba y de inmediato mostré mi alegría ante la noticia. Aparte, no me pareció que fuese una cosa mala o amenazante. La verdad, ni siquiera pensé que tuviese nada que ver conmigo. Pasaron los días y nada era distinto, salvo que mi abuela estaba siempre enojada con ella. Eso y que desaparecía por las noches. Mi abuela decía con desprecio: "ya se fue con el hombre ese".

Parada en la puerta de mi cuarto, una noche la vi salir. Llovía muy fuerte. Hablaba sola. Nerviosa y agitada, envuelta en sus pensamientos, pasó de largo sin verme. Me sorprendió que saliera bajo el fuerte aguacero, sin sombrilla, cubierta sólo por una vieja capa sobre los hombros. Se la tragó la oscuridad del zaguán y oí la puerta cerrarse de golpe. No pude dormir bien esa noche. Ella regresó en la madrugada. Mi abuela cuchicheaba que toda la plata que mi padre le daba, ella se la entregaba *al hombre ese* para que abriera un negocio. Don Asunción dejó el puesto de policía para volverse dueño de una ferretería. El día de la inauguración, mi mamá empacó su ropa para irse. En un arreglo de última hora, vació en unas cajas improvisadas también la mía y la de Turín.

Esa misma tarde llegamos a una casona vieja, llena de polvo y de infinito alboroto. Cajas de clavos y herramientas, algunas recién abiertas, impedían el paso. El baño estaba en el patio. Yo nunca había visto un baño así. Era oscuro y sobre unas tablas había un agujero. Mi madre nos explicó que era un *pozo ciego*. Al fondo, una bodega tenebrosa permanecía cerrada con un candado enorme. Don Asunción explicó, con meticuloso detalle que allí espantaban: aparecía *la ciguanaba*. Me pareció que se mostraba orgulloso al revelarlo. El miedo y su administración eran el pegamento que unía las confusas piezas de su vida.

La casa lucía al frente, en forma ostentosa, el rótulo en rojo *"Ferretería Rondolino"* y temblaba a media tarde cuando el tren ponía en alerta, con su pito estridente, a los pasajeros que subían en la *Estación de la Ermita*.

En diciembre de 1962, nació un nuevo movimiento: las Fuerzas Armadas Rebeldes (FAR).

Turcios y Yon Sosa, sus principales dirigentes, habían viajado a Cuba. El contacto con la revolución cubana les permitió definir sus concepciones revolucionarias. Ya creadas las FAR y organizadas con miembros del PGT por medio de la Resistencia Urbana, realizaron actividades de propaganda, sabotajes, atentados y secuestros, además de proporcionar apoyo logístico a los frentes rurales...

No habíamos terminado de instalarnos en la casa de Don Asunción, cuando mi padre mandó a recogernos. Nos llevaron a la casa grande de *La Reforma* con lo que teníamos puesto: eran órdenes de mi padre. Iríamos a vivir con él *para siempre*, nos informó su secretario Don Carlos, nervioso y apurado. Sus palabras sonaban dentro de mi cabeza con un eco detestable.

Íbamos desgreñados y sucios de estar jugando, no como en las otras oportunidades en que nos arreglábamos para la, reglamentaria, visita de los jueves. Él nunca nos había visto sin un cuidadoso arreglo previo.

Eran las primeras horas de la tarde. Nos dejaron en la sala, a solas con la blanca estatua en su pose petrificada. Una señora gorda y morena bajó al buen rato por las escaleras. Doña Imelda se presentó como la esposa de mi padre... Tenía la voz fuerte y se reía con estruendo de cosas que no eran divertidas, mostrando un amplio espacio entre los dientes frontales.

La cabeza y las manos le temblaban cuando enfatizaba alguna cosa, señalando con el dedo directo a los ojos para que se entendiera a quién hablaba. Como si no se supiera, como si se pudiera escapar de su dedo acusador y de su voz estridente. Era fea, con una cara ordinaria y gruesa. Los vestidos atrapaban entre las telas finas las carnes que desbordaban por todas partes. Sus manos regordetas llenas de anillos, las muñecas ataviadas con varias pulseras de oro y dijes colgando, querían gritarle al mundo que era rica.

Los días pasaron con algunas vicisitudes encerrados en la casa. No salíamos ni siquiera para ir al colegio. Se murmuraba que mi padre temía que mi madre pudiera llevarnos de vuelta, después de todo, él nos había arrebatado sin mediar siquiera una conversación.

Esa señora me compró unos vestidos y ni siquiera me preguntó si me gustaban. Me llevó a un salón de belleza a cortarme el pelo, corto, cortito, porque, según ella, se me enredaba mucho. Tenía ganas de llorar mientras oía los tijeretazos cerca de las orejas, pero no lloré ni dije nada. Opté por el silencio. Fue natural, surgió de adentro. Aprendí un silencio protector que me permitía pasar inadvertida, que quizá me salvaría de las circunstancias, pero que pospondría el deseo hasta volverlo difuso, insustancial, inaprensible...

Al despertar, el Señor Presidente se encontró con un tanque estacionado en su jardín. El Miami Herald *atribuyó la resolución de derrocarlo, al presidente John F. Kennedy, al director de la CIA, y al embajador estadounidense en Guatemala.*

Ydígoras entregó el poder "pacíficamente".

El "establishment" impuso como sucesor al coronel Peralta Azurdia, un oficial de los sectores más extremistas del ejército. Decretó una arbitraria legislación anticomunista que podía resumirse así: cualquier persona sospechosa de un acto de terrorismo sería ejecutada.

Muchas nuevas palabras llegaron para ampliar nuestro vocabulario: tiros de gracia, comandos insurgentes, guerrilleros, minas Claymore, secuestros...

Cada una traía consigo una perversión distinta, invadía un territorio nunca más recuperable.

La casa de mi padre estaba llena de sirvientes, callados y prontos a cumplir las órdenes que venían de todas partes. Órdenes dadas con gritos y con urgencia. A los patrones había que servirlos en todo: llevar, traer platos de comida, vasos de agua, servir licores, cocinar banquetes, correr con las pantuflas hasta la entrada misma de la casa en cuanto bocinaba el chofer. Quitarle los zapatos *a la señora*, vestirla, subirle las medias sobre sus anchos muslos, abrochar el enorme brasier en la espalda, alcanzar uno y otro vestido hasta que la patrona quedara satisfecha.

Turín y yo matábamos el tiempo en la cocina con ellos, pues en la casa inmensa nunca había nadie, excepto a la hora del almuerzo. Sólo entonces, veíamos a mi padre.

En el reino de la cocina, *la Urbana* era la mandamás, a pesar de que *la Cándida* le doblaba la estatura. Ella era el ama de llaves y compartía con *la señora* los secretos de la casa. *Vidalina,* la fugaz cocinera, no iba a sobrevivir a los constantes reclamos que hacían que los azafates de comida regresaran, sin tocar, a la cocina y por eso les podía decir a *esos arrastrados* sus verdades. También estaba el personal menor, un par de jovencitas *para el de adentro* que no se atrevían a pronunciar palabra y los choferes. Los sirvientes tenían con nosotros algunas condescendencias, pero también sufríamos su tiranía, pues les quedaba el ansia de oprimir de la misma forma en que eran oprimidos, de usar frente a quienes pudieran, sus propias gotas de poder.

Pasaban los días, pasaban las semanas y no sabíamos nada de mi madre, de mi abuela, ni de la casa. Vivíamos entre extraños, en un ámbito ajeno, de coordenadas desconocidas. Me sentía extraviada, como si hubiese perdido corporeidad, como si mis pies no pudiesen tocar el suelo. (La empleada con su uniforme blanco me desviste y mete a la tina tibia, me restriega y reclama algo que yo no sabía de mí misma: siempre tengo los pies sucios.)

Mi madre se cansó de llamar a Ferrara sin recibir respuesta. Se atrevió entonces a cruzar la ciudad y acercarse a La Reforma. Parada en la ventana del segundo piso, la vi llegar, vacilar ante la puerta de hierro, tocar por fin. Tuve en ese momento un acto de inusitada cobardía: me escondí tras la cortina para que no me viera. Una sirvienta salió a abrir, pero no la dejó entrar. Vi cómo negaba con la cabeza varias veces mientras mi madre insistía. Resignada, entregó a la empleada una bolsa que tenía en la mano. Era para nosotros, unas pantuflas rojas, una lámpara de mesa para leer. Cuando recibí la bolsa de papel que venía de aquel mundo perdido, sentí el amor de mi madre, distante y tibio, acercarse, encarnar en las pantuflas rojas. Por primera vez supe que el amor puede doler. Con las pantuflas puestas, le conté entre sollozos lo ocurrido a mi hermano. Se fue poniendo tinto rápidamente; las venas azules le latiguearon la frente. No le dije que me había ocultado. No podía afrontar esa vergüenza.

La vieja gorda se enojó cuando lo supo.

"Díganle que tiene prohibido poner un pie en esta casa", nos amenazó. No le pareció suficiente y se puso a gritar otras cosas con una histeria que hacía que toda su cabeza temblara como sostenida por un viejo resorte. Yo lloraba con las pantuflas rojas puestas. Turín se desesperó de oírla a ella y de verme a mí. "Escapémonos", me urgió, inaugurando sus actos de insurrección frente a mi padre.

La estrategia contrainsurgente basada en el terror se generalizó. Obrar fuera de la ley se convirtió en la norma para el gobierno.

La Policía irrumpió en una reunión secreta del proscrito PGT y arrestó a 28 personas. Entre el 3 y 4 de mayo un comando de las FAR secuestró al vicepresidente del Congreso, al presidente de la Corte Suprema de Justicia y al secretario de Información del gobierno, poniendo un ultimátum para la exhibición de los desaparecidos.

La respuesta fue: "En este asunto ya se ha dicho la última palabra".

NO se volvió a saber de ninguno de los presos: se informó que los cuerpos habían caído desde un avión a 20 mil pies al océano Pacífico.

Comenzaba "la guerra sucia".

Salimos por la puerta de atrás. Ya en La Reforma, corrimos varias cuadras para que nadie pudiera vernos. Con dificultad seguí a mi hermano mientras atravesábamos corriendo las calles. Tomamos *la dos* frente al Cine Reforma. Llegamos al *Cerrito del Carmen* donde bajamos. La marcha se hizo lenta. Mi hermano iba ensimismado, y yo también caminaba detrás silenciosa. Estaba preocupada. Nunca le había desobedecido a mi padre.

Del *Cerrito* caminamos hasta la casa de Don Asunción, pero no entramos sino hasta que oscureció. Entonces, mi hermano se saltó la pared y me abrió la puerta. Logramos escondernos detrás del baño viejo sin ser descubiertos. Yo tenía la boca seca y bien cerrados los ojos. No quería ver nada, aunque imaginaba... arañas, cucarachas, toda clase de animales asquerosos en las paredes sucias y destartaladas.

Cuando la casa quedó a oscuras y en silencio, los gatos iniciaron su tránsito por los tejados, inaugurando un tinglado de ruidos sospechosos: latas y tiestos tumbados, maullidos de celo y de grescas.

—¿Entramos ya, Turín?

—No. Si nos encuentran, nos regresan.

—Mejor me hubiera quedado.

—No seas chillona.

El frío tendió una húmeda manta sobre las sombras. Mi madre salió al baño ya muy entrada la noche. Venía envuelta en una frazada. La vi llegar como una aparición. Se pegó un susto tremendo cuando me levanté y le dije vacilante:

"Mamá, nos regresamos."

No paraba de preguntarnos cosas. Yo tenía sueño y frío. Sólo quería dormir.

En 1966 se celebraron elecciones generales, el país volvía a "la institucionalidad". Con grandes esperanzas, Julio César Méndez Montenegro, el candidato civil, fue electo presidente.

Hizo un llamado a la guerrilla para incorporarse a la vida política del país. Buscando adaptarse a la situación, la guerrilla adoptó un cese al fuego unilateral. La vigencia de la lucha armada, planteaba un dilema. De hecho, se discutió por primera vez una solución negociada del conflicto.

Sin embargo, las elecciones generales no arrojaron una mayoría absoluta para Méndez Montenegro. El Congreso de la República debería decidir quién sería presidente. Tendría que negociar. El 4 de mayo de 1966, Méndez Montenegro firmó un pacto secreto con el ejército: los militares asumirían el poder real, con la más completa y absoluta liber-

tad de acción contra la guerrilla y los movimientos populares. Cuando el Congreso decidió sobre el resultado final de las elecciones, el pacto ya estaba firmado. La capitulación del presidente permitió que los oficiales de defensa estadounidenses colocaran a sus Boinas Verdes en Guatemala.

Mientras, la guerrilla, confiada, había relajado su seguridad, había confraternizado con la población civil, recibido a varios periodistas y realizado contactos políticos.

La apertura fue aprovechada por el servicio de inteligencia del ejército que obtuvo información sobre la estructura rebelde.

El comandante guerrillero Turcios Lima murió en un misterioso accidente de tránsito. Al día siguiente, el ejército lanzó su ofensiva en oriente. Se había optado por la solución armada.

Los intentos de mi madre por incorporarnos a su nueva vida fracasaron.

Vivir con Don Asunción nunca fue fácil. Sus decisiones eran tiránicas, abusivas e ilógicas, como si quisiera demostrar que sin importar cuán absurdo fuera su deseo, podía imponerlo. Así comprendía Don Asunción el poder y él deseaba más que ninguna otra cosa ser un tipo poderoso. Teníamos malas costumbres, según su particular punto de vista. Después de todo, éramos hijos de un tipo ricachón y decadente. Sería él quien nos tendría que enseñar disciplina. Nos mandaba a la cama a las cinco de la tarde, con el mandato de no hablar, sin nada qué hacer más que observar las grietas del techo horas interminables.

Hostigaba constantemente a mi hermano, intentando doblegarlo. Turín optó por no dirigirle nunca la palabra, haciendo lo más evidente que podía, su decisión de ignorarlo. Esta actitud era irritante para todos e insoportable para Don Asunción, quien hacía esfuerzos inútiles por obligarlo a violar su silencio, hasta que un día estalló: impotente, amenazó con arrancarle la cabeza. Se lo dijo a gritos, alzando su musculoso cuerpo frente al flacucho y desgarbado de mi hermano. Con sus grandes lentes, se veía tan frágil al lado de Don Asunción que deseé que un viento fuerte se lo llevara volando. Pero él no tenía conciencia de su propia fragilidad. Lo desafió sin vacilación clavándole los ojos encima con un silencio testarudo. Estaba furioso, lo delataban sus orejas enrojecidas. Don Asunción quedó atrapado ante la imposibilidad de ejecutar su amenaza y optó por meterse al baño. Mi hermano salió para la casa de mi abuela, prometiéndole a su adversario con voz tajante y entrecortada por la rabia, nunca más volver.

El tiempo fue desgastando pronto el sueño del *dulce hogar* que había cegado a mi madre. Don Asunción le reprochaba su desafección a las labores hogareñas, su falta de entusiasmo por el trabajo duro de la casa. Quería ver en ella a la matrona que entierra su vida bajo el peso de las responsabilidades domésticas, modelo perfecto aprendido de su madre.

Ella respondía mal a sus expectativas. Los últimos años, había sido más bien una reina indolente en la casa de la abuela. Después de todo mi padre sostenía la casa. Incapaz de comprender el fondo de las cosas, Don Asunción se dejó arrastrar por sus fantasmas. Todo comportamiento de mi madre era sospechoso. En sus momentos de delirio, la acusaba de una cadena infinita de amantes, de infidelidades burdas o fríamente planificadas. Ella no decía nada pero yo presentía que era infeliz, lo cual se traducía en su desarreglo, las eternas pantuflas en los pies donde las uñas mostraban el desaseo, la ropa manchada de la cocina, el pelo desarreglado.

Su frustración la hacía violenta. Quiso pegarme con el cordón de la plancha porque perdí el bus del colegio. Decidí marcharme. Salí a las calles desconocidas, sola por primera vez. Atravesé la línea del tren donde ya las putas merodeaban, justo un segundo antes que el ensordecedor ruido de la locomotora pasara delante de mí, levantando una ráfaga de viento y dejando en mi memoria la cicatriz de un sonido. Una infinitud de calles me separaban de la casa de mi abuela. Se extendían con su indescifrable rompecabezas, pero nada podía detenerme. Tuve conciencia de que todo había cambiado. El mundo de mi infancia se había roto y no se podía reparar.

La doctrina contrainsurgente abrazaba dos preceptos clave que le daban forma: el primero, que la lucha por el poder no debería estar regida por la ley, las reglas de la guerra o la moral; el segundo, que el terror de la guerrilla sólo podría combatirse con el libre uso del contra-terror.

Méndez Montenegro nombró a un coronel de mano dura, Carlos Arana Osorio, en el puesto de comandante de Zacapa, núcleo de la actividad guerrillera. El "Chacal de Oriente" pacificaría el país en caos, mientras nos enseñaba de mala ma-

nera la geografía: el río Motagua, era aquél donde flotaban los cuerpos de los ejecutados.

Las gorras militares se convirtieron en la imagen "del poder establecido del Estado" que nos protegería del advenimiento apocalíptico del comunismo.

La batalla legal entre mis padres se desató con la notificación del reclamo judicial que él hizo de nuestra custodia. El juicio duraría un año penoso, sin dinero, como bien habría de esperarse de un buen estratega como mi padre: había que acorralar al adversario, cerrando la llave del dinero. Desapareció *el cheque* y con él la plata para comida, zapatos, médicos y colegios. Sin dinero, todas nuestras pequeñas comodidades fueron desapareciendo. Constaté que mis zapatos tenían agujeros el día en que me paré en un charco y mi pie terminó lleno de lodo. Turín enfermó del oído: la fiebre lo consumía y no soportaba el dolor, los ojos se le llenaban de lágrimas, aunque si alguien le preguntaba, decía que no tenía nada. Mi abuela emprendió la peregrinación al CAFÉ VENETTO a suplicarle a mi padre dinero para el doctor, pero él estaba en pie de guerra. Su contrincante era Don Asunción. "El que recoge una gallina con pollitos, recoge a la gallina y recoge a los pollitos", enunció al despedirla sin un centavo. Don Asunción no conocía esa máxima.

Yo oía a medias, veía a medias, el pleito legal. Mi madre iba al juzgado o donde el abogado con frecuencia. Comentaba al regresar cosas con mi abuela, se le veía tensa, molesta. Una tarde llegó muy cansada. Tenía el vientre abultado por su avanzado embarazo y los pies deformes por la hinchazón. Se acostó en la cama y me pareció una enorme ballena encallada, acezando, incapaz de procesar el oxígeno de un aire enrarecido, dijo que le dolía la cabeza. Se encerró con mi abuela y las oí discutir. Cuando la abuela salió, entré despacio a verla. En la penumbra, la toalla azul que le tapaba los ojos la hacía verse pálida en extremo.

Me acerqué a mirarla. Estaba dormida. En su gesto y en su cuerpo irrumpían las inquietudes como una reverberación. Supe que no estaba bien. Salí y pregunté a la abuela qué pasaba. Me abrazó largamente, como si no me quisiera soltar nunca y dijo: "Llegó tarde a la audiencia en el juzgado. El abogado le dijo que a causa de eso podría perder el caso". Sentí tristeza en su voz, me abrazó como queriendo protegerme, pero no supe comprender lo que acontecía.

Bajo la dirección de Arana Osorio se introdujo una nueva arma: matanzas políticas en escala masiva. Pocas víctimas eran guerrilleros. Día con día, se iban dibujando los confines de un universo desgarrado.

Al emitir su fallo definitivo, el juez ordenó el pago de las pensiones atrasadas. Mi padre entregó un cheque que nos pareció una fortuna. Mi madre me compró la ropa que tanto necesitaba y unos aritos que le pedí. En un verdadero derroche de generosidad dispuso que, al día siguiente, fuéramos a la playa con Turín y la abuela.

Subimos temprano a la camioneta y desayunamos en el camino. Los vendedores ambulantes ofrecían por las ventanas del bus tortillas con pollo, pacayas envueltas en huevo, dobladas de queso, gaseosas, atoles, huevos duros, dulces... En medio del bullicio confuso, ofrecían tantas que no sabíamos ni qué pedir. Llegamos al calor pegajoso del Puerto de San José como a las diez de la mañana.

Al bajar, los patojos que se agolpaban esperando a los pasajeros preguntaban una y otra vez si queríamos hotel. Habíamos pensado buscar despacio, pero su insistencia era tan molesta como las abundantes moscas y accedimos para que nos dejaran en paz. De inmediato se hicieron cargo de los maletines, ya que era parte del trato brindarnos comodidad inmediata. Los cargaron hasta un edificio verde de madera, sudando con largas gotas que resbalaban sobre los rostros morenos, desde los cabellos, rubios de recibir tanto sol.

El edificio, viejo y desvencijado, miraba al mar. Las escaleras rechinaban, pero el cuarto estaba limpio y tenía unas amplias ventanas cubiertas con cedazo.

La brisa marina olía sabroso. De cuando en cuando, las formaciones de pelícanos pasaban pellizcando la superficie del mar que parecía muy bravo. Con un gran estrépito, reventaba las olas contra la playa.

Pasamos el día bajo el sol, metidos en el agua, enterrados en la arena, haciendo hoyos que se convertirían en lagos con la ola siguiente o volcanes que serían pronto arrasados. Los tumbos violentos nos revolcaban, dejando dentro de las calzonetas montoncitos de arena fina y oscura. Recogimos conchas y caracoles. Bebimos agua de coco. El fotógrafo ambulante reunía a los grupos o hacía besarse a los novios antes de transformar el recuerdo insustancial en un cartón con imágenes estáticas. Mi madre se compró un sombrero de paja que acentuaba su nariz afilada. Luego, se tomó una foto en calzoneta.

Por la noche, ya limpios y bien bañaditos con agua dulce, cenamos en el hotel donde un señor alto y negro nos sirvió sopa y pescado frito. Yo nunca había estado en un hotel y me sentía muy animada, hablando hasta por los codos. Sentía la piel inflamada y roja. Todo me parecía novedoso, hasta cosas tan simples como las sábanas limpias o las lámparas con pantallas de paja en las mesas de noche. Las encendimos para platicar un rato antes de dormir. Pero luego, las apagamos porque era más lindo hablar a oscuras.

Cuando todo estuvo quieto, me percaté del sonido. Nunca había estado en el silencio de la noche acompañada de ese sonido, reiterativo como una palpitación. El mar inmenso llevaba sus olas blancas hasta la playa oscura, como queriendo alcanzar la casa verde y desvencijada. Extendía los brazos, estiraba las manos. Estaba aquí con quienes amaba, nada podía tocarnos.

Emprendimos el regreso al otro día, a media tarde. Me había enfermado del estómago y tenía diarrea. Subimos a la camioneta, y a medio camino la urgencia me atormentaba. Mi madre me pedía que me aguantara un poco, asegurándome que ya llegaríamos, pero no podía más. Entonces, tuvo conmigo un gesto sorprendente: me dio su sombrero nuevo y me dijo que *hiciera* allí. No lo podía creer, le pregunté si hablaba en serio y contestó que sí. ¿Cómo podía desprenderse así de su sombrero nuevo? No me cabía en la cabeza..., pero terminó causándonos mucha risa. Luego que lo usé, lo tiramos por la ventana, dejando en mi memoria un recuerdo de mi madre que nunca olvidé.

Los comisionados militares eran "los ojos y oídos del ejército". Gente común, de las localidades, cumplían con funciones de inteligencia, portaban impunemente armas sin licencia y un escudo de impunidad para matar. Llegaron a ser nueve mil, esparcidos en los cuatro puntos cardinales, extendiéndose como una enorme telaraña de control poblacional en las ciudades, pueblos, aldeas, caseríos, fincas...

Los "escuadrones de la muerte" hacían detenciones ilegales, torturaban y ejecutaban extrajudicialmente a personas sindicadas de pertenecer o apoyar a la insurgencia. Sus veredictos se hacían valer a diario...

Llegaron a operar 23. Movimiento Anticomunista Nacional Organizado (MANO), Nueva Organización Anticomunista (NAO), Ojo por Ojo (OJO) ... En diciembre de 1967, uno de estos grupos mutiló y asesinó a Rogelia Cruz Martínez, ex Miss Guatemala, conocida por su oposición al gobierno.

Al llegar a la casa, extendimos con Turín las conchas y los caracoles sobre una mesa. No queríamos perder la dimensión extraordinaria del viaje. Estaba fascinada viéndolo colocar en orden, por tamaños, formas, colores, nuestros tesoros.

Él coleccionaba cosas: sellos, monedas, revistas... Podía desentrañar de ellas un universo oculto. Las conchas, los sellos, las monedas eran sólo un montón de objetos inconexos para mí... Sin embargo él poseía el secreto para restablecer sus relaciones perdidas, rescatar el orden interno que les daba sentido. Encerrado en su habitación, se dedicaba a acaparar tesoros como un mago. Los demás lo castigaban apodándolo *raro* o *extraño*. Ante la incomprensión, tácita o manifiesta de un entorno obtuso, se fue volviendo un solitario. Teníamos acceso a su mundo personal sólo cuando él quería. Se aseguraba de esto una guardiana implacable: mi bisabuela Amparo. Mantenía su habitación cerrada con un celo sin mácula, y a Turín, totalmente protegido del mundo exterior.

Los deseos del niño eran órdenes. A pesar de su absoluta pobreza, encontraba alguna forma para proveerlo del dinero necesario para sus costosas adquisiciones: sellos raros, monedas antiguas, libros polvorientos que iba a buscar a los almacenes mínimos y misteriosos del Portal del Comercio. Mama Amparo no cuestionaba las excentricidades de su nieto. Llevaba en las bolsas de un delantal que nunca se quitaba, el manojo de llaves que usaba para cerrar cofres, cajones, puertas que vedaban el paso al universo adorado de mi hermano. De la misma manera, él vedaba con cerraduras menos tangibles, pero no menos férreas, el acceso hacia sí mismo.

La muerte de Rogelia Cruz desató la ira de su compañero, Leonardo Castillo Johnson, destacado jefe militar del PGT. Enfurecido, desató una ola de acciones militares. En pocas horas, ocasionó la muerte de un grupo de asesores militares estadounidenses que estaban arribando al país, el atentado contra Manuel Villacorta Vielman, conocido ultraconservador, la muerte de Alfonso Alejos y un ataque con granadas contra el Cuartel General. Castillo John-

son murió en la Calle Martí, cuando intentaba
escapar de la feroz persecución policíaca.

En la madrugada de un día de agosto en 1968,
en la zona 11, Camilo Sánchez, comandante de las
FAR, fue capturado. En un intento por rescatarlo,
un comando guerrillero quiso secuestrar al emba-
jador de los Estados Unidos, John Gordon Mein, pero
en el operativo, el diplomático resultó muerto.

El preludio ya conocido de lo que supuse era
el reinicio de las visitas a mi padre, sucedió aquella
mañana cuando mi madre me bañó y me puso un
vestido nuevo de los que tenía para las piñatas. No
recibí de buen grado el retorno de esa rutina no
sólo por la tiesura y el protocolo que imponían
sobre mi vida despreocupada, sino también por el
peso que significaba frente a toda aquella gente el
acto de obvia hostilidad que había sido nuestra
fuga. Fue extraño que mi abuela se preparara
también para acompañarnos, pero me abstuve de
preguntar razones. Estaba muy contenta de que
viniera, su presencia hacía las cosas más fáciles.

A las seis de la tarde, Don Carlos, muy puntual
como siempre, nos llevó a la casa de La Reforma.
Mi padre estaba solo. Nos atendió como nunca y
después de cenar nos invitó a nadar en la piscina.
No traíamos traje de baño, pero él nos había comprado lo necesario. Nadamos hasta bastante noche,
cuando ya cansada, le dije a mi abuela que me
quería ir. Entonces apareció mi padre. Nos dijo que
el chofer llevaría a Turín a casa, con mi madre. Yo
me quedaría a vivir con él, me informó, la abuela
me acompañaría para cuidarme. Explicó, en forma
muy escueta, que ésta había sido la sentencia salomónica del juez: un niño para cada padre. La noticia

me cayó encima, inaudita. No podía creer que mi madre me hubiese mandado aquí sin advertirme. Sentí su silencio como una traición impensable. Turín partió con el chofer. Mi abuela y yo fuimos conducidas al dormitorio donde viviríamos, en el último piso de la casa. Había dos camas, pero esa noche ella y yo dormimos juntas. Me arrulló hasta que en la madrugada, caí rendida a un sueño pesado e intranquilo.

En febrero de 1970, Pablo Monsanto y Percy Jacobs secuestraron al canciller Alberto Fuentes Mohr y lograron la liberación de su compañero Vicente Girón Calvillo, capturado por las fuerzas de seguridad. El 31 de marzo, fue secuestrado el embajador de Alemania Conde Karl von Spretti, a cambio de cuya liberación los insurgentes exigieron la libertad de 40 prisioneros. En esta oportunidad el gobierno no accedió a las exigencias que le fueron planteadas y Von Spretti apareció sorpresivamente asesinado.

Posteriormente a esos golpes de gran impacto mediático, fuertes contradicciones surgieron en el seno de las FAR. Entre julio y agosto se produjo una fractura importante. La insurgencia fue diezmada por acciones de terror. Los disidentes salieron a El Salvador y después se asentaron en México.

Siempre me he preguntado la razón por la cual le temía tanto a mi padre. Su presencia me arrojaba en un mar de confusión. Nuestra relación era protocolaria y distante. Yo era obediente y casi invisible. Él, ausente y ensimismado. Por momentos, quería ser cariñoso de una manera tosca y desacostumbrada. Éramos dos extraños, arrojados por las circunstancias a la arena del amor filial. Me mostraba cercanía robando de mi plato cosas que le gustaban, como mis plátanos fritos o bocados de arroz.

Quizá si hubiésemos podido conocernos, todo hubiese resultado más fácil o, al menos, humano, pero teníamos pocas ocasiones para vernos o hablar a solas. Quería acercarme y no sabía cómo. La distancia entre nosotros me parecía tan alambicada e incomprensible como un laberinto y, peor aún, envuelta en una oscura culpa sin nombre. Mi padre se fue convirtiendo en una imposibilidad.

Una tarde, al bajar las escaleras, sorpresivamente lo encontré en la sala. Con mi cuaderno de literatura en inglés en la mano, me atreví a acercarme despacio. Se sorprendió de mi presencia fuera de la acostumbrada hora del almuerzo. Con extrema tiesura le dije que quería enseñarle mi dibujo: había pintado un unicornio. Se sentó en la mesa del comedor y lo examinó. El caballo azul celeste con un cuerno de oro estaba pintado con trazos de crayón de cera que me parecieron descuidados cuando estuvieron bajo el examen de sus ojos. No dijo nada del caballo, ni de la dedicada explicación que quise hacerle de su historia. Me lanzó un discurso haciendo apología de los estudios, me instó a que me esforzara mucho por aprender ya que en los tiempos del comunismo nadie estaba seguro. "Le quieren quitar todo a uno estos comunistas, pero la cabeza... nadie podrá nunca quitarte la cabeza".

Quería gustarle. Quería que me amara. Yo le pedía un cariño sin límites, él me ofreció educación. Tomé lo que me daba. Atiborré mi cabeza de palabras, pero quedé abierta a una difusa e irremediable insatisfacción.

La guerra no terminó. Se le aplicaron maquillajes.

Se convocó a nuevas elecciones, controladas por la élite en el poder. El terror intimidó a diversas opciones políticas, sumergiéndolas en el silencio o en la retirada.

El Movimiento de Liberación Nacional, partido de extrema derecha, sintetizó claramente la manera en que en este país se entendía la actividad política: "El MLN es el partido de la violencia organizada... no hay nada de malo en la violencia organizada; es el vigor y el MLN es un movimiento vigoroso."

Los resultados "indeseados" de las elecciones fueron convenientemente evitados. El coronel Carlos Arana Osorio, el hombre fuerte, la mano dura, el Chacal de Oriente, fue electo presidente.

Al asumir el poder, decretó un estado de sitio que duraría un año. Las medidas que tomó fueron muy drásticas: censura de prensa, cierre de las vías de acceso a la ciudad, cateos, casa por casa, el toque de queda... A los jóvenes con el pelo largo, se les detenía para raparlos. A las mujeres que usaban minifalda les marcaban las piernas con un sello de hule. Las fiestas quedaron prohibidas, la sociedad estaba paralizada.

Durante ese largo año, 857 cadáveres fueron encontrados con señales de tortura, las manos atadas y el acostumbrado "tiro de gracia".

A mediados de 1971, las estructuras de la guerrilla habían sido destruidas y la mayoría de sus integrantes había muerto.

Tocaron a la puerta. Nunca abría, pero ese día andaba por ahí y me pareció que debía hacerlo. Dos hombres vestidos con traje y corbata preguntaron si podían entrar a la casa, pues eran amigos de mi hermanastro Enrique, a quien deseaban sorprender. Quise hacerme la muy educada y elegante. Los pasé adelante muy amable, tratando de hacer conversación como había visto hacer. Los conduje a la habitación de mi hermanastro y al llegar a la puerta, me dijeron que me fuera. Entraron y se lo llevaron a la fuerza. Lo sacaron del cuarto, lo bajaron a empujones por la escalera y al salir de la casa, vi cómo lo metieron en un carro que salió rechinando las llantas a través del portón.

Los sirvientes se juntaron a comentar lo ocurrido, la Urbana llamó con urgencia a *la señora* y a mi padre, quien acudió de inmediato al llamado. En cuanto estuvo libre un momento, me preguntó si era cierto que yo los había dejado entrar. Acorralada, dije que sí. Se quitó el cinturón y me dio dos latigazos en las piernas. Le prometí de inmediato que nunca lo volvería a hacer y sentí el agudo dolor de lo irremediable. Habían secuestrado a mi medio hermano. Los días posteriores al secuestro fueron oscuros y difíciles.

Sin embargo, la guerra no terminó.

La polarización y la ausencia de espacios democráticos, así como el terror, alentaron la actividad de la insurgencia armada y su consiguiente reorganización.

Surge una nueva ola de actividad guerrillera. Las FAR, cuya comandancia fue asumida por Pablo

Monsanto, se reagrupó en el Petén, principalmente en las márgenes del río Usumacinta.

Por otra parte, varios revolucionarios que se encontraban en el exterior del país, se agruparon en el Ejército Guerrillero de los Pobres (EGP), cuyo núcleo inicial estaba en México. La organización guerrillera buscaría ahora una nueva estrategia: propiciaría el apoyo de la población. El 19 de enero de 1972, una columna de quince elementos que incluía a Mario Payeras y César Montes penetró en el territorio guatemalteco por la selva de Ixcán. Durante más de dos años se establecieron en el área selvática y en la Sierra de los Cuchumatanes.

En junio de 1975 realizaron la primera acción ofensiva: la toma de la finca La Perla en el Triángulo Ixil, donde se ejecutó al propietario y agricultor Luis Arenas Barrera, apodado El Tigre de Ixcán.

Una iniciativa adicional provino de lo que había sido la Regional de Occidente de las FAR. En septiembre de 1971 dicha fuerza, que durante algún tiempo sólo fue conocida como La Organización y que después pasó a denominarse Organización Revolucionaria del Pueblo en Armas (ORPA), bajo la comandancia de Rodrigo Asturias (Gaspar Ilóm), inició su implantación en una zona que abarcaba desde el volcán de Tacaná, hasta el lago de Atitlán.

Cuando mi medio hermano fue liberado tras el pago de un jugoso rescate, mi padre dispuso la salida del país de toda la familia, incluyendo a Turín, a pesar de que su custodia estaba en manos de mi madre, según la sentencia del juez, formalismo que importaba poco a mi padre. Nos iríamos exiliados a México. Los días se sucedieron vertiginosos. Nos envolvía una atmósfera de urgencia. Yo no conocía por aquel entonces la palabra exilio. Su significado se inscribió en nuestra historia, como tijera que corta los hilos afectivos del paisaje, la familia, la Avenida de los Árboles, la zona Seis, la infancia y ese olor del trópico que todo lo envolvía con sus manos sutiles sin que nos diéramos cuenta.

Llegamos a una casa en la Cerrada de las Vertientes, San Ángel. Nunca sacamos la ropa de la maleta en aquella casa. Yo la abría para sacar cosas y tardaba, porque aprovechaba la intimidad, la secretividad del pequeño recinto, único reducto que quedaba de lo que consideraba mío, para llorar. Turín se enojaba conmigo. "No vas a arreglar nada", me decía, "no vas a arreglar nada".

Repentinamente, mi padre tomó la decisión de llevarnos a Estados Unidos. Llegamos de noche a Los Ángeles. Vi por la ventanilla del avión la inmensidad de la ciudad dibujada en la extensión de luces por los cuatro puntos cardinales. Me dormí en el taxi que nos llevó a un hotel del que tan sólo recuerdo un fuerte olor a humo de habano. Eso y que a la mañana siguiente desayunamos con mi padre, unos waffles belgas, delicadeza que nunca había probado. Nos llevó a Disneylandia, con una edecán vestida como aeromoza que nos acompañó durante una visita de mediodía. Por la tarde compramos algunas cosas, un abrigo entre ellas. Nunca había tenido uno, así que me empeñé en que me compraran el que me pareció más vistoso, con una piel ostentosa y muy peluda alrededor del cuello. Dijo la dependienta que la piel era de zorro y mi padre accedió a pesar del precio. Me sentí contenta al verme tan diferente en el espejo. También accedió a comprarme una falda escocesa con un gancho a un costado, y una blusa blanca de cuello alto. Ropa de invierno, en Los Ángeles hacía frío. Ya avanzada la tarde, recogimos las maletas en el hotel y fuimos con rumbo desconocido. Llegamos casi de noche a un lugar cerrado con una alta verja. El rótulo decía: *Villa Cabrini Academy*.

Me pareció de inmediato un convento porque nos salieron a atender unas monjas vestidas de estricto negro. Altas, o bajitas, todas me parecían iguales, quizá por la uniformidad del rígido vestuario. Aparte, me daba la sensación de que todas eran muy viejas, tal vez porque emanaban un olor parecido a la naftalina. Con el pecho plano, y las manos escondidas, como si las tuviesen atadas sobre el vientre, su pose insípida y sosegada me ponía nerviosa. Nos estaban esperando. Mi padre entró en una oficina y cuando salió, nos enseñaron el lugar con detalle: no era un convento, era un colegio de niñas, con dormitorios llenos de camas y un baño con una fila interminable de lavamanos. Pude colegir muy despacio sus designios. Había planificado todo esto de antemano: me iba a quedar aquí. Cuando terminó la visita, me dio un beso, dijo que me portara bien y se marchó.

Al salir de mi inicial estupefacción, mi primera pregunta fue: ¿hasta cuándo? No había ya nadie que respondiera. La pregunta se quedó colgada del silencio. Me vi a mí misma parada frente a la larga fila de camas, la larga fila de lavamanos, vestida con un abrigo nuevo que tenía una piel alrededor del cuello, sin saber cosas fundamentales. ¿Dónde quedaba Los Ángeles? por ejemplo. En el mapa aparecía al Norte, pero Guatemala era mi Norte conocido. *Los Ángeles* quedaba en mi geografía en un solo lugar posible: lejos, muy lejos.

Durante los años setenta, el ejército perfeccionó la contrainsurgencia cuidadosamente, como si se tratara de una ciencia necesaria. Se creó el Comando Especial de la Escuela de Kaibiles.

En 1976, Guatemala fue sacudida por un terremoto. El esfuerzo de reconstrucción abrió espacios para la reorganización de la sociedad civil, especialmente por medio de sindicatos urbanos, rurales y de entidades indígenas.

Resurgió la beligerancia de los movimientos que habían sido desmantelados. Se movilizaron organizaciones de estudiantes, habitantes de barrios marginales, grupos de mujeres... nuevos actores planteaban su lucha contra el autoritarismo.

La Iglesia católica de Latinoamérica declaró en Medellín su "opción preferencial por los pobres". La Teología de la Liberación impregnó de conciencia social a los campesinos.

El tiempo se había ido escurriendo. Para mi sorpresa, no había muerto. En lugar de eso, había encontrado una forma para que los recuerdos no dolieran tanto. Era simple, consistía en imaginar que no existía ningún otro mundo más que éste, que no existía otra tierra, otras caras, otro idioma. Sólo este mundo encerrado en los patios del colegio, que a pesar de todo, me iba creciendo adentro.

Sister Mary hacía poporopos las noches del martes, mientras esperábamos con ansiedad la película de Shirley Temple. Se puso de moda entre las niñas usar canelones iguales que los de la niña artista y la monja se ofrecía para poner tubos en la cabeza a quienes así lo quisieran. Me sumé a las *fans* de Shirley y lucí, como las otras, sus innumerables rizos. Ello, sin duda, aportó mucho a mi sentido de pertenencia.

Susana di Leo apareció un día de invierno, tan pálido que todas las figuras parecían sombras vagando por los corredores. Era italiana y al igual que yo, no sabía inglés. Las ojeras alrededor de sus grandes ojos eran ostensibles y yo no apartaba de ella la vista. Al igual que yo, todas tenían algo que decir de la niña, ya que no existe nadie tan expuesto a los comentarios como una alumna que se asoma a clases a medio año. Una tarde de jueves, en las prácticas de coro, Susana nos reveló algo que no sabíamos y que cambiaría cualquier concepción que de ella tuviésemos. Seguíamos las indicaciones de la maestra que a su vez seguía el orden de rutina, pero había algo que era diferente. El oído de la maestra captó de inmediato y sacó del grupo a Susana. Le hizo algunas pruebas y luego, le pidió que cantara. La niña escogió una canción napolitana que interpretó con un delicado sentimiento. Su voz era etérea, tan frágil como una cascada de cristales. Sentí que no podía sino quererla, y no sé si al quererla era a ella a quien quería o si era esa voz la que despertaba en mí sentimientos indescifrables.

La matanza de Panzós, en mayo de 1978, en la que murieron cerca de cien indígenas q´eqchi´es que realizaban una manifestación en demanda de tierra para sembrar, señaló el inicio de una etapa de recrudecimiento de la represión. Soldados apoyados por residentes de la zona preocupados por el creci-

*miento de organizaciones locales de campesinos,
abrieron fuego contra los indígenas que deman-
daban tierras.*

*El presidente Romeo Lucas García había llegado
al poder. Antes que finalizara el año, habían sido
encontrados 500 cadáveres, 200 de ellos con señales
de tortura.*

*Numerosos atentados cegaron la vida de los
principales líderes de la oposición. Así murieron
Alberto Fuentes Mohr y Manuel Colom Argueta,
Oliverio Castañeda de León, Manuel Andrade Roca,
Mario Mujía Córdova y muchos otros... Los asesinatos se producían a plena luz del día, en zonas
céntricas de la capital, con notable descaro. La acción política estaba descabezada.*

*Muerte, muerte, muerte... el país se iba infectan-
do un fuerte hedor a muerte.*

La hora en que entregaban el correo me pasaba
desapercibida hasta que un día me entregaron una
carta. Nunca recibía cartas. La pusieron sobre mi
mano y reconocí de inmediato la caligrafía amada
de mi abuela. El sello venía de Guatemala, igual
que el sobre. Aun sin nada escrito hubiera conocido
su procedencia. No la abrí. Sentí el peso del papel
e imaginé varios pliegos doblados, llenos de palabras azules paradas como una muchedumbre frente
a mis ojos. Tuve miedo de ella, de los lazos imposibles que traía anudados. No quería saber nada
que esas palabras pudieran decirme. La tomé y la
puse dentro de una caja de zapatos. Allí fueron a
parar las otras que recibí, sin falta, cada semana.

*A principios de 1980, el EGP inició la "fase de gene-
ralización de la guerra" en Ixcán, para lo cual*

organizó unidades regulares y enfrentó al ejército por medio de emboscadas y ataques a blancos fijos. La mayor acción fue el ataque al cuartel militar de Cuarto Pueblo.

Al mismo tiempo se activaron otros frentes. Se buscó reclutar a la población para sus unidades regulares o bien para las milicias locales llamadas Fuerzas Irregulares.

Se estima que en el momento de mayor auge, las diversas organizaciones guerrilleras tenían seis mil combatientes y cerca de doscientas cincuenta mil personas, desarmadas, controladas u organizadas bajo su apoyo.

Urbana y Cándida, dos de las sirvientas de la casa de mi padre, habían viajado con la familia a México. Debido a la amistad que habían hecho con mi abuela, se convirtieron en espías de nuestro bienestar y paradero. Enviaban constantes reportes sobre nuestra situación.

Cuando partimos con mi padre a Estados Unidos, lo comunicaron con urgencia a mi abuela, desafortunadamente, no sabían dónde estábamos. Mi madre cayó presa del pánico. Fue a la policía, reclamó la intervención de la Interpol. Nada sucedía. Angustiosos meses se fueron. Cándida y Urbana no se dieron por vencidas. Llegó el día en que su labor indagatoria rindió los frutos esperados: hallaron entre los papeles de mi padre la dirección de mi hermano. Mi madre escribió al colegio, y también preguntó por mi paradero. De inmediato, le remitieron la dirección donde me encontraba. Fue entonces cuando empezaron a llegar las cartas, deseosas de saber cómo estaba. De Turín sabían que estaba bien, pues contestó con prontitud. Pero de mí, sólo silencio.

Don Asunción se había trasladado a nuestra vieja casa de la 15 avenida. Allí había restablecido paulatinamente su feudo. Nació su primer hijo y, de inmediato, mi madre resultó de nuevo embarazada. Esta vez tuvo mellizos. Un niño y una niña que no habían cumplido cuarenta días, cuando ella tomó la decisión: iría a Los Ángeles a buscarnos. No tenía un centavo, no conocía ningún lugar fuera de Guatemala, ni siquiera tenía pasaporte. Pero, paso a paso, fue encontrando la forma para resolver el complicado rompecabezas que significaba emprender un viaje tan extraordinario. La acompañaría como única referencia, un papelito manuscrito con la letra desgarbada y apenas legible de la Urbana: una dirección en la ciudad de Los Ángeles, California.

El bus para México salía de madrugada. Estaba oscuro cuando dejó la casa, con la pequeña maleta y una pequeña fortuna: cien dólares. Quiso dar un beso a sus pequeños hijos. A Emilio, metido en la cama con ella, cuyo calor la acompañaba hasta hacía unos instantes, le dio un beso en la mejilla deformada por el dedo que se chupaba con afán. El niño no registró la caricia de su madre, que habría ya desaparecido cuando él despertara. El gesto no fue más que una provocación para succionar con mayor devoción el dedo aprisionado en la boca.

Los dos pequeños compartían la cuna de hierro, que en forma sucesiva habían ocupado sus hijos. Quiso también besarlos. A mitad del movimiento se arrepintió. El temor a que se despertaran la detuvo. No podía pensar que algo pudiera detenerla a última hora. El golpe de leche manchó su blusa justo en ese instante cuando ya no tenía tiempo de cambiarse y no pudiendo hacer otra cosa, se metió dentro del sostén un poco de papel higiénico que abultó de forma artificial su pecho. Se abrochó el suéter y salió a buscar un taxi a la esquina de La Parroquia, en medio de la bruma de enero.

El bus cruzó México, subió despacio por el calor seco de California hasta llegar a la urbe. Conoció a una señora mayor en el bus que le ofreció un lugar donde quedarse, a cambio de unos cuantos dólares. La anciana le advirtió que tendría que buscar trabajo, ya que con la suma que llevaba no iría muy lejos. Ella conocía una pareja que buscaba empleada doméstica, podría recomendarla...

Muy temprano en la mañana, se encaminó a buscar la dirección siguiendo las instrucciones que le había dado la recién conocida. Pero se perdió. Subió de un bus a otro, preguntando a quien veía con cara de saber español. Un viaje que le hubiera tomado quizá una hora, la hizo perder el día completo. Cuando por fin llegó a la puerta del colegio, agotada y nerviosa, eran casi las siete de la noche.

Después del estudio, era la hora del baño; con la pijama puesta, podíamos ver televisión y jugar hasta las nueve. Fue ése el momento en que me llamaron. Dijeron que mi madre estaba aquí y quería verme. Yo no podía asimilar las palabras de la monja. El mensaje que me transmitía me parecía tan insólito que lo único que lo explicaba era un error en la comunicación. Mi madre... ¿Quién era mi madre, según esta monja? La monja no sabía nada de mi madre: estaba en otro planeta, en otro tiempo, en otra vida. Ante mi estupor, reiteró lo dicho y el pánico me tomó por sorpresa.

"No quiero verla", las palabras salieron de mi boca tan enfáticas como un vómito. Por dentro sentía que estaba por desmoronarme. No podría sostener la pared que me resguardaba si veía a mi madre. Flaquearía, lloraría, no podría soportarlo. Tenía terror de que mi corazón desbocado corriera tras las huellas, tras la sombra, tras los restos de lo que había sido yo.

Fui obligada a ir a la Dirección. Estaba allí sentada, un poco intimidada, con una bolsita en la mano, con sus ropas de Guatemala, su mirada de Guatemala, sus pasos de Guatemala. Cuando me vio no dudó en acercarse y abrazarme como si yo fuese suya, como si le perteneciera. No se había percatado de lo que había hecho la distancia. Me había marchado de su lado, de su recuerdo, de su amor.

Cuando me abrazó, me traicionó algo que no pude sujetar, algo que se zafó de mi mano y corrió a su encuentro. Las lágrimas salieron sin límite, en una cantidad que no pensé podía contener, como un borbotón, como un cántaro.

El gobierno reaccionó a la intensificación de la guerra con una contraofensiva. El primer frente atacado fue el urbano.

Grupos religiosos, sindicales y populares, partidos de tendencia socialdemócrata, la Universidad de San Carlos, fueron blanco de los ataques de los "escuadrones de la muerte". Centenares de dirigentes de primera línea y cuadros intermedios perdie-

ron la vida o abandonaron el país, lo cual condujo al desmantelamiento de las organizaciones de masas, que se vieron forzadas a pasar a la clandestinidad.

El 31 de enero de 1980, un grupo de campesinos del Quiché realizaron una toma pacífica de la Embajada de España. Su objetivo era llamar la atención sobre la violencia en esa región y pedir apoyo internacional para una investigación y exhumación de siete campesinos asesinados en Chajul por el ejército. Al cabo de cuatro horas, en una acción extremadamente violenta, las fuerzas de seguridad destruyeron la sede diplomática y dentro fueron quemadas 39 personas. Esa masacre fue el inicio de una escalada hacia la violencia masiva ejecutada por el ejército en las zonas rurales entre 1980 y 1983.

En los frentes rurales, el ataque principal se dirigió a las bases de apoyo social de la insurgencia en las zonas en disputa. Se destruyeron total o parcialmente numerosas comunidades, una parte de la población fue eliminada mediante ejecuciones extrajudiciales colectivas, masacres que fueron parte de la estrategia de "tierra arrasada".

La última fase de la represión costó alrededor de doscientos mil muertos, en su mayoría campesinos indígenas. Aproximadamente un millón de personas abandonaron sus casas y se convirtieron en refugiados.

Siempre tuve miedo al abandono, a decir adiós, a que me dejaran. Hice tantas concesiones imposibles, transacciones nefastas, negocios oscuros con la vida para evitar que ese dolor, semidormido, fuese alertado.

Muchas noches desperté sudando, atrapando apenas los últimos vestigios de aquel sueño reiterado que me llevaba de vuelta a ese colegio de colores apagados donde mi padre me llevó a los diez años. Los corredores vacíos de los fines de semana me llenan todavía la cabeza de telarañas. La voz fibrilante de Susana cantando *Torna a Sorrento*, a la que acompaña indefectible en mis recuerdos su mano húmeda apretada a la mía, queriendo que yo la salvara de su propia fragilidad; el enorme salón con la veintena de camas que se volvían sombras cuando, vagando en lo oscuro, ya todas dormidas, me levantaba descalza y con sigilo, a rezar la cuarentena de Santo Tobías. Debía hacerse caminando, de una hasta 40 repeticiones de la misma letanía que hablaba de arcángeles vengadores, de fuegos del infierno y de la compasión absoluta que perdonaba todo pecado, oración aprendida de memoria del papelito arrugado que mi abuela me había mandado. *"Haga la cuarentena como dice allí, junto con su petición. Es un secreto"*... Todo con tal de volver a casa.

En ese lugar de rompimiento nació un atisbo de mi independencia personal aunque, curiosamente, también allí nacieron muchos de los sentimientos turbios que después me extorsionaron. Mi padre me había dado, como herencia, ángeles y demonios, alas y cadenas.

La guerra duró un tiempo impreciso. En todo caso, más de 36 años. Olvidamos el sabor del pan, la brisa que se desprende de los árboles, la suavidad quieta de los cielos transparentes. Fuimos otros.

Con el paso del tiempo, nuestro vocabulario seguía ampliándose, añadiendo palabras que la vida, sin nuestro parecer, nos iba enseñando: reductos guerrilleros, fusiles galil, trampas cazabobos, kaibiles, fusiles y frijoles, masacres, polos de desarrollo, aldeas modelo y una amplia variedad de otras que el olvido se ha ido llevando. Palabras, recipientes huecos, que nunca contuvieron la existencia cotidiana de "nosotros".

"Nosotros" somos los que, engañados, creemos que no nos sucedió la guerra.

Mi padre regresó a Guatemala, presionado por las necesidades de sus negocios. Mi madre porque se le acabó el dinero. Sorpresivamente para ella, mi padre la mandó a llamar para comunicarle su decisión de traernos a pasar las vacaciones. A cambio de este gesto gracioso, mi madre tendría que acceder a que partiésemos de nuevo. Esta vez el destino sería Suiza.

Para convencerla, mi padre sacó a relucir su discurso acostumbrado sobre las bondades de la educación, cuestión de vital importancia en el mundo que ellos vivían, amenazado por el comunismo. "La cabeza no se las podrán quitar", le repitió como ya era costumbre, intuyendo que ella, no podría sino doblegarse ante lo obvio de esta afirmación.

Regresamos a una Guatemala que ya no era la misma. La casa de la Avenida de los Árboles había caído en la desgracia. Todo estaba sucio, decadente, como si un enorme sufrimiento hubiese impregnado las paredes, los pisos, la taza del inodoro, la cocina. Mi tía Ibis ocupaba el que antes fuera el salón de belleza. Vivía allí, amontonada, con su hijo y su marido. Los tres peleaban todo el día, gritándose obscenidades.

Ya no me sentía parte de esa casa y sus habitantes. Una sutil distancia se había establecido entre nosotros. Turín y yo nos habíamos quedado solos. Cuando llegó el día de nuestra partida, me sentí aliviada.

Estuvimos muchos años fuera. Turín se volvió mi guardián y amigo. Venía cada domingo a recogerme al colegio y recorríamos juntos las calles vacías de Laussanne. Íbamos al cine, a comer en los pequeños restaurantes, a visitar los viejos y solitarios museos, como dos turistas acorralados por demasiado tiempo en un pequeño pueblo sin horizontes.

Crecimos de niños a adolescentes. Cambiamos gustos: de juguetes a la música, de los amigos a los enamorados. Nos unían las cartas y las fotos a ese otro universo llamado Guatemala, donde mi madre tenía ya una desbordante familia de seis niños, a los cuales conocíamos apenas.

Fuera de esos domingos, cuando en nuestras conversaciones regresábamos al ayer, toda mi historia se había desvanecido en medio de las clases de ski, la equitación, el francés, las exigencias de la *tenue a table*, las amigas.

Para reemplazar una realidad que se había vuelto nebulosa, había creado otra de fantasía desde donde explicaba mi vida. La inventé de la manera que hubiese deseado que fuese, de la manera que debió haber sido. Es decir, la convertí en literatura. Nunca me sentí tan dueña de mi destino.

Nuestras conciencias terminaron por no reparar ni en el terror ni en la muerte. Aprendimos a ser indiferentes, callados, obstinados en la pretensión de que nada está sucediendo "realmente".

Prisioneros de un espacio sin nombre, donde nada importa y nada existe, tenemos la costumbre de hacer bromas de lo más terrible y así, de la quema de la Embajada de España, donde tantos murieron calcinados, no queda por estos días sino un vago recuerdo "del churrasco español".

Regresamos a Guatemala con el mismo estrépito que nos habíamos ido, fruto de la costumbre de mi padre de no planificar las cosas. Don Carlos nos recogió en el aeropuerto y nos llevó directo al despacho donde él aguardaba. Al vernos llegar, constató que estábamos hechos dos jóvenes. Recuerdo su asombro al darse cuenta que me parecía a mi madre.

No fui a su fiesta de cumpleaños ese jueves. Esa primera insurrección desató una cadena de inconformidades: no iría más a los almuerzos familiares, no obedecería a órdenes irrestrictas, no permitiría que manejara los hilos de mi vida. Nunca iba a perdonarlo.

Antes que llegara el próximo jueves y que mi rebeldía pudiera ser evidente, los diarios nos comunicaron en grandes titulares la noticia: el conocido industrial Ángel Ferrara había muerto de un balazo en la cabeza. Especularon que se trataba de un suicidio.

XIII

Aquel año las fiestas se nos vinieron encima anunciadas con varios meses de anticipación, con el estruendo y la vulgaridad propios de los modernos verduleros, genios de la mercadotecnia. Traté de refugiarme de esa vorágine, porque las fiestas navideñas hacía tiempo ya no significaban nada para mí. Se anuncia con bombos y platillos una felicidad universal, impuesta por la obligación implícita de ser dichosos, mientras la realidad nos golpea con un mazo.

Pero una de esas noches frescas de diciembre, llegué de visita a la casa de C y el olor a ciprés y a manzanillas despertaron un gozo inusitado al cual no pude resistir. Sin pensarlo, me descalcé y me uní al relajo que imperaba en la sala. Los amigos sacando cajas con figuritas para el nacimiento, bombas lustrosas para adornar el árbol, luces para decorar afuera...

Íbamos al mercado a comprar lo necesario para el Nacimiento. Aserrín de colores, arena blanca, piedra pómez, musgo, gallitos... Luego de venta en venta, escogiendo figuritas de pastores, lavanderas, vendedoras de gallinas o verduras, madres cargando sus niños con perrajes multicolores, camellos, caballos, ovejas, cabras, gallos, patos, perros, hechos de barro, de lana, de cartón y papel de china. Los ranchitos, las iglesias, los árboles de alambre con pie de barro, la Virgen, el Niño, San José, el buey y la mula, el pesebre y una gran estrella para ponerla sobre el rancho mayor, donde, después de las doce, estaría Jesús.

Al llegar a la casa, encolábamos el enorme lienzo de manta para formar las colinas y los valles. Con anilinas, mamá pintaba en el fondo las nubes, el cielo, las montañas. Formábamos toda la geografía accidentada con cajas. Siempre incluíamos ondulantes ríos de aserrín y un lago hecho de espejo con la orilla de arena blanca para que pudieran nadar los patos.

El aserrín verde de distintos tonos cubría pronto las protuberancias y unas manchitas de rojo y amarillo simulaban las flores. En ciertas partes, se acomodaban las alfombritas de musgo y los gallitos para mayor credibilidad. A continuación, el desfile de personajes: los pastores, las ovejas, las mujeres, los camellos revueltos con los chompipes y las gallinas; los burros con las tortugas del nacimiento del año pasado que no se rompieron; una indita de cartón cerca de las torres de Jerusalén que vienen de un par de años atrás. El toque final lo daba la manzanilla colocada alrededor y las hojas de pacaya.

Era una labor colectiva que no generaba mucha discusión, pues parecía que la estética del nacimiento era muy flexible. El árbol era otra historia. Mi hermano y yo armábamos tal jaleo escogiendo la decoración, que mamá pensó en darle una solución salomónica: "un año cada uno", dispuso en un momento crucial. Así pues, cada año, le tocaba a uno de los dos esmerarse en darle un toque especial y único a *su* árbol.

Yo hice uno con palomitas color plata. Les puse ojos y plumas con papel platinado de distintos colores que saqué de una caja de chocolates. Al año siguiente, Turín quiso ser original y le puso largas tiras de papel de colores colgando de las ramas. Abajo instaló un ventilador. Las tiras de papel volaban con las correntadas de aire, dándole al árbol un extraño aspecto de espantapájaros carnavalesco. El efecto estaba lejos de conformarse con la idea generalmente aceptada de un árbol navideño. Mi juicio fue implacable: el árbol estaba espantoso. Protesté como si fuese un asunto de vida o muerte. No podía creerlo, ¡a nadie le importaba! Lloraba con desconsuelo como último recurso para atraer la atención. Según mi punto de vista, el asunto del árbol no podía dejarse así. Pero nadie me hizo caso, y para lograr que al menos el ventilador fuese removido, tuve que acceder a ser esclava de mi hermano por todo un mes.

Mi abuela se entretenía en la cocina enrollando la bola de cibaque, cociendo las hojas de plátano, preparando la masa blanca de maíz, las piezas de pollo o cerdo, moliendo con la piedra el chile guaque, el achiote, para el recado colorado de los tamales que luego llevarían su ciruela, su aceituna y una tira de chile dulce. La casa se llenaba de aromas. El olor fresco del pino, el olor dulzón de la manzanilla, el olor de las hojas de plátano, hirviendo en la olla de los tamales. La casa se llenaba de ansiedades. Arreglar linda la mesa, poner los regalitos bajo del árbol, encender los foquitos cada noche, tener listos los cohetes, las manzanas, las uvas y esa espera por las doce que no llegaba nunca.

Temprano en la tarde, tocaban el timbre. Mi corazón saltaba porque sabía que era Don Carlos, el secretario de mi padre, quien llegaba con las cajas grandotas de regalos. Mi padre lo compraba todo grande y espectacular, un elefante de peluche rosado con las orejas largas que colgaban hasta el suelo, en el que podía sentarme, unas muñecas gigantes que no podía cargar. Cuando las *Barbies* se pusieron de moda, envió una caja con la familia completa, pero sin ropa, y andaban sólo con las calzonetas. Mamá y mi abuela se pusieron a hacer los vestidos. Los hombres se quedaron así, desnudos, paseándose por la marquesa de mi mamá que terminó siendo una casa de muñecas.

Esa Navidad la abuela pasó perdida en su universo de sombras. Nadie la pudo convencer de bañarse o peinarse. Sin embargo, eran unos días buenos ya que su cuerpo le había dado una tregua. Con docilidad, se dejó tomar fotos con todos, recibió un montón de cajas de regalos que apartó de sí con indiferencia. No logró comprender que era Navidad, aunque nos deshicimos en explicaciones, reiterándole una y otra vez lo mismo: "Abuela, ¡ponete contenta!... hoy es Navidad." Pero al rato, preguntaba de nuevo con aire ausente: "Y ¿qué pasa pues? ¿Por qué tanto relajo? ¿Qué andarán haciendo todos por aquí?" Sólo el tamal pareció entretenerla. Se dedicó a comerlo con entera atención.

Cuando sonaron las doce y empezó el retumbo de los cohetes, se llevó un susto tremendo. Primero el absoluto asombro, después un llanto descarnado. La abracé pensando que quizá tuviera miedo. Sentí su esqueleto pequeñito aferrándose a mi cuerpo. Me sorprendió encontrarla tan flaca. Su abrazo se fue tornando una súplica a la cual yo era incapaz de responder.

Para el Año Nuevo, C me vio tan deprimida y desganada que me convenció de ir con él y varios amigos a *La Antigua*. Pasaríamos allá las fiestas. Tenía muchos años de no ver la ciudad colonial, con sus ocres y naranjas refulgiendo bajo el sol. Las calles empedradas hacían rebotar el auto. Estaba tan hermosa como la recordaba, reposada, serena, sumergida como un tesoro en el fondo de un océano verde de montañas. El volcán de Agua mostraba esa tarde su perfil perfecto, recortado en el azul cristalino del cielo frío. Pasamos frente a las ruinas de una masiva iglesia. Pensé que ése era uno de los encantos de la ciudad: las huellas de cataclismos sucesivos que se olvidan en un imperturbable reposo.

El hotel tenía un jardín exuberante con una fuente cuyo discreto murmullo de inmediato nos dio calma. C y sus amigos habían llevado unas botellas de ron que destaparon al nomás instalarse. Ya para las siete, bromeaban en el corredor. Se reían mucho. Una pareja de turistas canadienses protestó por el ruido.

"Your behavior is disgraceful", dijo la señora enjuta, alta y rígida como un palo. Quería silencio, a pesar de ser tan sólo las siete.

"Si supieran lo que les espera", anunció Benjamín con los ojos brillantes, anticipándose con regocijo a ese momento cuando, a las doce, la noche estalle, los cohetillos revienten, zumben los canchinflines, exploten las bombas, las luces de colores y las cien mil formas de pólvora hecha luces y ruido. La algarabía dura más de media hora. Aquí, a la gente le gusta la bulla, estruendosa, ensordecedora, hasta hacer zumbar los oídos y dejar el ambiente nublado. Nos reímos mucho de los "gringos" que querían silencio la noche de Año Nuevo.

—Es que no pueden dormir —decía Lucía conciliadora.

—Pero... nunca pueden dormir —comenté con sarcasmo—. En Canadá les cortan las cuerdas vocales a los perros para que no ladren. Ponen multas y hasta penas de prisión por tener perros que ladran.

—Pero, Dios Santo, ¿no se supone que ladren los perros?

—No, no en ese mundo de casas de revista, donde todo está en su lugar y es perfecto.

—Me vas a decir que sólo aquí en el tercero hay chuchos que ladran? ¿Será producto del subdesarrollo?

—Espérense a las doce, ya van a ver la bulla que les hacemos, hasta que estén furiosos, echando chispas, queriéndose cambiar de cuarto.

—Pero ¿adónde van a ir en donde la bulla no los alcance —dije. ¿Hasta dónde se puede extender un silencio suficientemente amplio, suficientemente ancho, suficientemente largo?, pensé.

—Sólo en la tumba —se rió C—. Sólo en el hoyo.

Votamos por el restaurante italiano para la cena. Una pizza y una botella de vino. Preferimos la sencillez. Convenimos en que las tradiciones no nos decían nada con sus manteles largos y sus ritos. Mejor lo informal, donde pudieran seguir las bromas. La calle del arco fue cerrada para acoger a los paseantes. Se instaló una tarima con enormes bocinas para el concierto de marimbas. La muchedumbre se congregaba para ver más de cerca el espectáculo y una larga columna que parecía de hormigas drenaba por sus dos extremos la calle. Apretujados logramos llegar a nuestro destino.

Las mesas estaban llenas. Se iluminaban los rostros alegres, con la luz incierta de las velas, mientras las pastas, las pizzas, los antipastos pasaban en azafates presurosos a las mesas de los comensales. Nosotros también ordenamos pizza, lasaña y una botella de vino. Comenzamos pronto a sentirnos relajados y estruendosos, molestando a Luis, siempre molestando a Luis. "Vos colocho..."

El restaurante se transformó de súbito, como si una corriente eléctrica recorriera su espina dorsal. Algo sucedió en la calle. Se cierra la puerta, se inicia un silencio tenso. "¡Todos abajo!", urge el italiano en su mal español. Recién nos percatamos que dos policías armados recorren el local con la cara lívida, los ojos alerta. Le piden al dueño que apague las luces, que todos callen. Por el techo resuenan los pasos. Alguien huye con desesperación. Las huellas de esos pasos sobre el techo dejan una impresión en el silencio y la penumbra. La angustia del crimen, el peso anticipado del castigo están presentes en esos pasos presurosos, en el silencio de los comensales que se esconden bajo las mesas aguardando que algo pase.

Todos tienen miedo, los maleantes, los paseantes, la policía. La cuadra se ha quedado vacía, las puertas están cerradas en tiendas y restoranes. El italiano, confuso, saca una botella y exclama con un tono que pretende ser divertido. "¡Mejor chupemos muchá!" Me parece irónico recordar lo que ya había dicho Asturias: en Guatemala sólo se puede vivir borracho.

Lucía quiso regresar al hotel. Julio se rió de ella. Luis la abrazó, queriendo tranquilizarla. C allaba esperando. Lucía se puso más tensa, puso tensos a todos, quería salir, no soportaba estar en la oscuridad y el encierro. Se levantó, se acercó a la puerta y sin que alguien pudiera detenerla salió corriendo a la calle, que se encontraba silente y tensa como un arco listo para disparar. Tratamos de seguirla, ella corría despavorida. Fue entonces que sonaron los disparos. Un bulto blanco cayó del techo y se estrelló en el suelo con un sonido bofo. Sonaron otros disparos, las voces nerviosas de los policías llenaron el espacio, corrían con las armas en alto. Todo se tornó caótico. Lucía fue alcanzada por Luis. Se abrazaban a media calle. Decidí alejarme del lugar donde se aglomeraba la muchedumbre. Necesitaba aire, no quería regresar para enterarme de los detalles morbosos del muerto.

Caminé por mucho rato por las calles donde las personas ajenas a lo que pasaba en la otra cuadra, desbordaban las aceras, quemando cohetillos, apurándose para llegar a la visita o las fiestas, o buscando donde comer. Crucé por un callejón oscuro. Un borrachín que se bamboleaba apareció en la penumbra. Se bajó los pantalones y me quiso enseñar su sexo. Sin pensarlo, descargué sobre él la cólera contenida:

"Bolo hijo de puta, a mí no me asustás con esa cosa. ¡Te vas a ir preso, cabrón!"

Inhibido por mi reacción inesperada, se escondió en el dintel de una puerta subiéndose los pantalones. Las calles que destilaban un aire melifluo y pausado por la tarde, se habían vuelto hostiles. La oscuridad pareció querer atraparme en sus hilos tenebrosos. Sentí prisa por llegar al hotel y arrecié el paso.

Dos sacerdotes se aproximaban con sus hábitos dominicos, la capucha cubriendo sus rostros, el lazo en la cintura, las humildes sandalias. Los vi como si fueran aparecidos, espantos, imágenes surrealistas de este país surrealista. Me quedé quieta, congelada, sin comprender si estaba despierta o soñaba. Pasaron a mi lado, bajando la vista. El perfume de una colonia varonil resultó inusitado. Era sensual y penetrante. Envolvía como una caricia suave y lenta. ¡Qué sorpresa!... el cura exhalaba en ese perfume su sexualidad, provocaba detrás de ese hábito, para luego desaparecer como una sombra.

La luna era redonda y coronaba la noche. El final estaba próximo, eran cerca de las doce. Corrían los segundos. De pronto una lluvia de luces se desgranó por todas partes. Los cohetillos silbaban por doquier, estallaban, llenaban el ambiente de humo y ruido.

Corría, atravesando las calles, tratando de esquivar los cohetes, quería meterme de una vez por todas en la cama. Olvidar un miedo preterido que asomaba su cabeza y quería renacer. Cuando llegué al hotel, me esperaban con ansia. Me habían llamado con insistencia de mi casa. Era una emergencia.

Devolví la llamada con la cabeza hecha un estropajo. Al otro lado del hilo, Ibis histérica. Mi abuela había muerto.

Las morgues son lugares fríos. Los pintan de colores raros, *aqua* por ejemplo. En tarimas hechas de cemento varios cadáveres esperan.

Mi familia vivió en Amatitlán, en una casota añosa,· con un gran patio en medio de los cuatro corredores. Fue por el tiempo en que nació mi hermano. Los palos del patio eran viejos y umbrosos. Allí, bajo sus grandes abrazos oscuros, ponían el carruajito tapado con un velo blanco para que las basuritas no molestaran. Los pajaritos se acercaban a mirar al niño, bello como un sol.

Nena:
    Tuve mucho placer en haberla conocido. Me dio un enorme gusto haber tenido el honor de acompañarla. Es muy lindo el lugar donde vive. Viñas siempre fue una de las mejores fincas cafetaleras del país. Me daría mucho gusto poder invitarla a usted y a su señora madre a almorzar la próxima vez que viajen a la capital.
    Espero que le gusten las flores.
                                        Ángel

    Un niño hermoso, hecho de las manzanas verdes que su madre comió durante el embarazo. Manzanas verdes y libros de Alejandro Dumas que iba a pedir prestados a la biblioteca del pueblo, donde, sin nadie que los buscara, hacía tiempo que reposaban olvidados en los estantes, presa del polvo y la polilla.

DIOS, PATRIA Y LIBERTAD

John Peurifoy, un hombre de cuarenta y seis años, extravagante y de hablar rudo, era un anticomunista descarado. Le gustaba la acción y nunca albergaba dudas sobre su misión. Hombre fornido, de mediana estatura, tenía voz estentórea, maneras jactanciosas, un estilo descortés y olfato para la intriga. La prensa estaba deslumbrada por su pintoresca personalidad: vestía habitualmente un Borsalino verde con una pluma encajada en la cinta, una corbata llamativa y chaquetas deportivas de colores chillones.

Peurifoy, carecía de ideas profundas. No discernía matices de opiniones, no hablaba español, no sabía nada de Guatemala, pero se expresaba de ella como un gran conocedor. Más que ninguna otra cosa, le gustaba sacar a colación el *problema de los rojos* en el gobierno de Árbenz.

El comunismo estimulaba su rabia, rasgo de carácter al que se entregaba sin pudor. La verde bilis salía de sus vísceras hecha grosería y sobre todo, mala educación. Se libraba así de los malos humores. Exhibía una terca determinación y no podía mantener la boca cerrada. Constituía lo que podía llamarse *un arma tosca*, pero poderosa. En una encrucijada de espacio y tiempo, esa arma apuntaría a la cabeza del Presidente Árbenz.

El 16 de diciembre de 1953, Peurifoy y su esposa fueron a cenar a la casa del presidente de Guatemala. Su discusión se prolongó hasta las seis de la mañana. Al salir, el embajador escribió un largo memorando al presidente Eisenhower que finalizaba diciendo: "las soluciones normales no servirán en Guatemala" y, con un toque dramático: "la vela se está quemando lenta y seguramente, y es sólo

Don Ángel:

Gracias por las azucenas, las gladiolas y las rosas. Me sorprendió mucho recibirlas. A los mozos, les costó bastante bajar la gran caja de la camioneta. Le cuento que llenamos toda la casa con flores, eran tantas... Si le gustó Viñas, yo podría tomarle fotos para que usted pudiera conocerla mejor. Si me presta una su cámara le tomo las fotos y las mando en la camioneta.

Gracias por su invitación. Cuando vaya por allá, le aviso.

Nena

De manzanas verdes, libros empolvados y paseos por el parque de Las Ninfas al atardecer, cuando bajaba el calor que azotaba con inclemencia el día. Calor pesado que hacía a la tarde tirarse boca arriba sobre la cama, desfalleciendo en sudores, la piel colorada, sintiéndose sofocar por su enorme barriga.

Nena:

Perdone que no le respondiera antes su fina cartita. Anduve de viaje por España.

Le mando la cámara y un recuerdito del viaje.

Ángel

El día en que iba a nacer su hijo, le dio un hambre feroz. Los antojos se le amontonaban uno sobre otro, pepescas fritas, tortillitas con chicharrones, dulces de pepitoria, cuadritos de zapote... "Mama Amparo, ¡ya no aguanto el antojo!..."

cuestión de tiempo que los grandes intereses norte-americanos sean expulsados del país".

Sus palabras llevaban el anzuelo adecuado. Si bien el presidente Eisenhower había dado el "adelante" inicial para un golpe cuatro meses atrás, admitió tiempo después que fue el telegrama de Peurifoy el que finalmente lo convenció de que Árbenz debía ser derrocado. El embajador guate-malteco en Washington percibió la aceleración de la actividad norteamericana. Intensificó sus esfuer-zos por llegar a un acuerdo. Intentó algo ingenuo e inocuo: **explicar.** Entrar en razones... ¿pero, cuáles razones?

Bueno, pues "que la reforma agraria afectaba intereses de guatemaltecos y extranjeros por igual, que beneficiaba a un gran número de cam-pesinos sin tierras que vivían en una miseria ex-trema, y que además ponía fin a injustas conce-siones otorgadas por Estrada Cabrera y Ubico".

Ah, esas razones... Hechas de la misma materia que los espejismos, las razones no llevaban a ninguna parte. Se quedaban flotando sobre el hori-zonte y al acercarse a ellas desaparecían sin dejar rastro. Nunca hay **razones** entre desiguales. Sin em-bargo, la laberíntica lógica estadounidense no to-leraba una total falta de razón.

Los funcionarios norteamericanos tuvieron que buscar lo que se conoce como **razón máscara**, y que en lenguaje común podríamos llamar **ex-cusa.** Hallaron la mejor, pues venía bien con los tiempos que corrían: *los comunistas en el gobierno de Árbenz.*

Tras las delicadezas semánticas de la actividad diplomática, se escondía una verdad fraguada bajo las tenebrosas oscuridades del engaño. Cier-

Don Ángel:

Llego con mi mamá y mi hermanita a Guate-
mala la otra semana, el miércoles. Tal vez po-
dríamos ir al cine, si a usted le parece.

Nos vamos a quedar en el Hotel Colonial. ¿Lo
conoce?

Lo esperamos a las tres.

Nena

Se fueron caminando perdidas en los colores
albaricoque de la tarde. Caminaron despacio, una
porque era ya una vieja, la otra por la pesadez de
sus piernas, por su vientre inflado como un globo.
Llegaron hasta la orilla del lago, donde los vendedores espantaban moscas de los apastes rebosantes
de comida, los frascos enormes, llenos de curtido
de zanahoria, jalapeños y cebollas, el atol de elote
en las ollas de barro envueltas en gruesos trapos
con sus granitos flotando por arriba del vaso, las
gallinas asadas con tortilla caliente, el chojín...

Nena:

Me gustó mucho verte y conocer a tu
mamá y a tu hermanita. Qué bueno que nos
dejaron entrarla al cine, aunque se haya
dormido a media película. Me gustaría que
vinieran otra vez este sábado si tienen
tiempo. Podría llevarlas de nuevo al cine
y a comer.

Puedo mandar a mi chofer a recogerlas.
Me agradaría mucho volver a verte.

Quiero decirte que el otro día parecías una reina.

tamente, fue en el rosado crepúsculo de Irán cuando la CIA recibió autorización de John Foster Dulles y del presidente Eisenhower para llevar a cabo el plan que destituyó a Jacobo Árbenz.

El objetivo: reemplazarlo con un régimen encabezado por un militar poco conocido llamado Castillo Armas, cuyos amigos consideraban bien intencionado, aunque un poco tonto. Se precisaba un hombre dócil, sin anhelos de grandes cambios.

Las *banana republics* eran feudos de un grupo norteamericano vendedor de fruta con sede en Boston. No convenía a nadie, es decir, a ninguno de los que cuentan, cambiar el estado de las cosas.

Al romper el alba sobre la ciudad de Guatemala, un avión de transporte C-47 volaba ruidosamente por sobre las montañas. Todavía era temprano. Los rayos del sol aparecían débiles en el Este. El tiempo era fresco y brumoso. El avión llevaba un curso directo hasta la capital dormida. Descendió abruptamente hacia el centro de la capital. Bajó en picada sobre el Palacio Nacional, arrojando miles de pequeñas hojas al aire. Viró y se apresuró fuera de la ciudad, desapareciendo por el horizonte.

Las notas portaban una insolente demanda: el presidente Jacobo Árbenz debía renunciar. Las hojas estaban firmadas: *Fuerzas Nacionales de Liberación*. Tropas leales al líder rebelde Castillo Armas habían cruzado esa mañana la frontera hacia Guatemala, avanzando hacia el interior del país, bajo el estandarte de "Dios, Patria y Libertad". *Dos columnas, numerosas y bien armadas, se abren paso rumbo a la capital...* dijeron las noticias de la radio clandestina.

```
Con mi admiración,
                    Ángel
```

Comió lo que quiso, comió hasta sentir que iba a reventar. Luego se sintió enferma, como si fuese a morir. Los dolores del parto habían empezado.

```
Nena:
    Creo que es inútil seguir fingiendo.
Me gustas mucho. Me haría muy dichoso que
aceptaras mis sentimientos. Sería tan fe-
liz si pudieras recibir lo que te ofrezco:
un corazón que arde en deseos de acer-
carse, aunque sea un poquito a ti.
    Voy por unos días a México a causa de
mis negocios. Lo que más me apena es que
no podré verte pronto, pero cuando regrese
quisiera hablar con tu mamá para pedirle
permiso para visitarte de manera oficial.
    Ángel
```

Lo último que sintió antes que la anestesia la hiciera traspasar el azul límpido del techo, fue el tijeretazo. Quedó grabado en su memoria como un estertor agudo de su carne y se quedó dormida como si la estuviesen derrumbando del sueño. La habían cortado para que naciera el niño, justo un segundo antes que la anestesia hiciera efecto.

Las grandes cajas de flores de todas clases llegaban puntualmente cada semana en la camioneta de las seis. Cajas transparentes, de una floristería cara, que obligaban a dos ayudantes a bajarlas. Más de cinco docenas de flores, "¡Qué exageración,

La falsedad era obra del jefe de propaganda de "Operación Éxito" de la CIA, pues las columnas eran magras y poco temibles. Sin embargo, cumpliendo su misión, había decidido, antes de ese último fin de semana de junio, que había llegado el momento de la gran mentira final: una serie de transmisiones emitidas el sábado por la noche y el domingo. Conforme pasaban las horas los transmisores siguieron detalladamente el avance de las míticas columnas, alarmando al gobierno, alarmando al ejército, alarmando a la gente. Una guerra de nervios, una parodia, un *show*. No se esperaba menos de quienes inventaran Hollywood.

Fue una tarde, alrededor de las tres y media, cuando Árbenz se reunió con el jefe del Estado Mayor Presidencial, el coronel Sarti y el ministro de la Defensa. Esperanzado, buscaba el apoyo en su ejército. Las esperanzas fueron vanas. Los militares se habían reunido previamente con Peurifoy. Sin escrúpulos, violaron su deber militar de apoyar al régimen. Le presentaron un ultimátum al presidente: contaba con media hora para abandonar el Palacio Nacional.

El régimen revolucionario conocía su pecado: en el minuto final, antes de sucumbir, la transgresión se volvió clamor en la boca de Árbenz, para que dos o tres oídos lo oyeran. A medias, por interludios, entre la estática anunciada, de una emisión de radio, Árbenz dijo:

"Nuestro único delito consistió en el deseo de decretar nuestras propias leyes y aplicarlas a todos sin excepción.

Nuestro delito es haber deseado una reforma agraria que afectó los intereses de la United Fruit Company.

por Dios, qué hace uno con tanto monte metido en la casa!"

Los perfumes, la enorme estrella con media docena de lápices labiales, la falda de lentejuelas de charra mexicana, la pulsera de oro, los aretes de rubí sangre de pichón, la botella de ocho onzas de *Shalimar...* Ningún deseo pronunciado, sugerido o imaginado se quedaba sin que Don Ángel respondiera, galante y caballero, nítido con sus mancuernillas de oro, sus camisas blancas, las corbatas de seda italiana. Su loción dejaba el lugar impregnado de perfume por varios días.

Nena, mi reina:

Estos últimos meses he sido muy dichoso a tu lado. Has sido como una luz en medio de la soledad que embarga mi pecho, sin que nadie lo sepa.

Sin embargo, hay entre los dos un abismo que nos separa. Me duele sobremanera decirte adiós, pero no hay salida. Mereces todo, ser venerada como una diosa. Yo no puedo ofrecerte nada. Hay algo que no te dije nunca: soy casado. No puedo pensar en divorciarme. Asuntos económicos, negocios compartidos lo impiden.

Mereces que un hombre te lleve del brazo al altar con todos los honores, vestida de blanco, en una iglesia llena de flores. Yo, desafortunadamente, no puedo. Perdóname.

Ángel

Nuestro delito es desear tener nuestra propia ruta al Atlántico, nuestra propia energía eléctrica, nuestros propios muelles y puertos.

Nuestro delito es nuestro patriótico deseo de avanzar, progresar y obtener una independencia económica que vaya de acuerdo con nuestra independencia política.

Hemos sido condenados porque hemos dado a la población campesina tierra y derechos".

La voz entraba y salía de la estática de la radio, como la cabeza de un hombre que se ahoga en un mar alebrestado (hecho de agua y espuma), en un mar de indiferencia, (hecho de infierno y de arena), en un mar de lágrimas (que dejó salada esta tierra).

Mr. Foster Dulles, secretario de Estado, Mr. Allen Dulles, director de la CIA, lejos, frente a una ventana abierta sobre otro paisaje, filosofaban sobre la banalidad del deseo de aquéllos a quienes no les fue concedido el privilegio de desear. La historia es la historia, y designa con claridad a sus elegidos.

Brindaron por la buena marcha de sus intereses... Lo hicieron, por supuesto, en inglés. Shhhhhh...

(SILENCIO)
Inmediatamente después, el Palacio fue ocupado por oficiales armados con ametralladoras... el Presidente estaba desarmado. La "Operación Éxito" había tenido, por supuesto, ... éxito.

Las manos blancas de la Nena recibieron la carta y después de leerla, la doblaron respetando los pliegues que él mismo había hecho al introducirla en el sobre que tenía su nombre. Era el final del día. Los niños se acababan de ir de la escuela. El corredor estaba desierto y pudo sentarse sin que nadie la interrumpiera en los escalones de la entrada. El patio se extendía enfrente, también desierto y silencioso. Pensó despacio en su vida. Pensó por mucho rato. Las palabras escritas cuidadosamente por Don Ángel, habían hecho germinar las semillas de una desnudez interior que sólo a veces presentía. Le dio risa. Se rió a carcajadas, pero no era risa verdadera. Eran nervios.

Un par de veces el amor había aleteado en sus sentidos. El arrobamiento había sido total, sin remilgos y... volátil. Con Don Ángel le sucedía algo distinto. Sus sentimientos eran confusos. A ratos no era sino un ser extraño. Sentía por él un profundo fastidio. Al momento siguiente, precisamente porque le era tan extraño, se daba cuenta que estaba fascinada. Pero, más allá de esos vaivenes, la presencia de ese hombre en su vida había puesto en su ánimo un toque liberador, algo con lo que nunca había contado.

No tenía interés en el dinero de Don Ángel. No la conmovían ni las joyas ni los lujos. Pero, contar con su interés era como contar con la directa e inmediata atención de Dios. Sí. A su lado se sentía segura y quizá por ello, por vez primera, libre. Por su mente desfilaron en un segundo las mil imágenes de sus carencias. La impotencia frente a ellas le causaba una rabia insoportable, una frustración depredadora. Se juró que nunca más pasaría hambre. La fobia a ese espectro le erizó la piel: el hambre. Encarnaba la suma de todas las ausencias. Cuando no era una mordida, era el recuerdo de una mordida. La perseguía: a veces, su rostro era esa inseguridad frente a todas las cosas, otras, una incertidumbre frente al destino, vacía e intensa como una sombra.

Quería más que ninguna otra cosa ser libre y nada encadena tanto como la necesidad. Tomó una decisión fundamental. Le daría un sesgo a su destino. Un acto atrevido e inesperado que tuviera la mágica cualidad de cambiar su vida.

Ángel:

Estás equivocado. No sueño, ni he soñado nunca con alguien que me lleve del brazo al altar. Tampoco con ningún traje blanco. O con una iglesia llena de flores.

No deseo que rompas tu hogar o dañes tu vida. Termino las clases el jueves. Puedo irme contigo, sin condiciones, si así lo deseas, a partir del viernes.

Eso es lo que yo decido. Si estás de acuerdo, manda al chofer.

Nena

Don Ángel recibió la carta después del almuerzo en la Cámara de Comercio, justo antes de que llegara su primera cita de la tarde. Al leerla, un trago de agua se atoró en su garganta.

Una parte de su vida estaba regida en forma disciplinada y estricta. El mundo del trabajo y los negocios. El recuerdo de sus padres. Allí era inflexible, ortodoxo, apegado a una moral maniqueísta y culpable. Pero... estaba la otra. Su vida desaforada e impredecible. Tomaba un avión el día que se le apetecía y amanecía en La Habana. De un viaje al Puerto de Santo Tomás, podía terminar en España... Bebía en exceso, le gustaban las putas, se codeaba con malandrines sin moral, ratas de alcantarilla. ¿Por qué esta realidad escindida?

¿Por qué esta incoherencia? Una de estas facetas contradictorias era la imagen de su fragilidad interior, de su oculto desamparo, pero, ¿cuál?

Esa mujer que lo tenía inquieto era muy joven para él, no importando el ángulo desde el cual lo viera, pontificó. Quince años, la edad de su propia hija. ¿Era eso? ¿La pasión de un hombre maduro por una jovencita que podía ser su hija? El péndulo iba y venía, mientras tomaba un sorbo de un café ya helado, con terror de terminar siendo patético a sus propios ojos. Era una mujer muy hermosa. Pero, podía tener otras. Aun su mayor lascivia podía encontrar alivio, aquí o en otra esquina del mundo. ¿Por qué esta carta lo ponía tenso, nervioso, expectante? ¿Estaba enamorado? Espantó este último pensamiento, pues las emociones lo incomodaban.

Dentro de unas semanas eran los quince años de su hija mayor. La gran fiesta armaba revuelo en la sociedad, columnas en los periódicos aludían al gran suceso, *los que contaban* en este país estaban pendientes. Sobre su escritorio, los pasajes para la familia. Un viaje en el *Andrea Doria*, dos meses de paseo por Europa.

Su familia. A veces se sentía tan distante de ese concepto: su mujer era hija y nieta de militares influyentes, incultos y vulgares, pero necesarios.

Su mujer, una obligación autoimpuesta, pesada, pero imprescindible. Vivían en habitaciones separadas, un muro que ella construyó para que él lo derribara, había quedado incólume. Sobre esta circunstancia se apilaban los años. Ella, a veces resentida, a veces melancólica, no cejaba en sus afanes de reconquista. Él jugaba con ello a su conveniencia. Sus hijos, a ratos no más que una insoslayable obligación, eran por momentos la oportunidad más genuina para abrirse en gestos heroicos y exuberantes. Sus regalos eran entonces magnánimos, su protección absoluta. En esos momentos era un imperioso Zeus, su ser no tenía límites...

Pero aun el padre desaparecía. Pocos sabían y ninguno podía comprender que a veces, lo agobiaba un inmenso hartazgo. Vencido, su único alivio era recluirse en una austeridad extrema. Aislamiento, soledad, desnudez de todo. Lo envolvía un sentimiento trascendente que lo arrojaba lejos de los vaivenes de su vida atribulada. Nada terreno le interesaba entonces.

Acarició la carta y un temblor le recorrió de nuevo la espalda. La vida le presentaba la posibilidad de jugar un juego riesgoso. Nunca había apostado en estas lides con alguien como ella. Casi una niña.

Borroso, su pensamiento evaluó con rapidez cuántas vidas entrarían al juego. Le pinchó el alfiler de la responsabilidad, seguido por el de la culpa. El acto descarado de la joven le gustaba, sin poder definir a qué parte de su ser apelaba, o quizá porque apelaba a sus dos polos al unísono. Los convocaba a una difícil fusión. El llamado de una

mujer. Le entusiasmaba tanto, que seguir elucu-
brando resultaba vano. Había tomado la decisión.
Iba a vivir aquello.

¡Y qué si no funcionaba!... El dinero le había
dado eso: un espacio de posibilidad para hacer lo
que le diera la gana. Podía permitirse ese lujo: dejar
que le pasaran las cosas o impedirlo. Todo le
pareció claro. Nada lo iba a detener. Haría su santa
voluntad. Era dueño de su vida. Así, dejando de
lado casi todas las aristas que planteaba la cuestión,
Don Ángel resolvió la encrucijada en el terreno que
dominaba: el poder. Sus movimientos serían empu-
jados por ese motor. Era inmune a cualquier reclamo. Saldría indemne de los riesgos que este sesgo
le planteaba. Deseaba a esta mujer que se abría
con tanta llanura a sus posibilidades y la tendría en
sus términos.

—Me voy a vivir con Don Ángel, mamá.

—Pero sí sos menor, ¿cómo te vas a ir así
nomás?

—Pues sí, así nomás.

—¡Ah no!... Voy a ir a buscar a tu papá para
decirle que te meta presa, porque sos menor y no
tenes ni el permiso ni la bendición para irte con
ese hombre.

—Pues no lo va a hacer porque mi papá no
tiene ningún derecho de decirme nada. Me voy... y
usted si no es tonta, se va conmigo. O, ¿quiere
quedarse aquí, tronándose los dedos toda la vida?

El viernes de madrugada, llegó el chofer con un
camión. Subieron en él todas las cosas. Su madre,
sus hermanos, Mama Amparo. Ella nunca hubiera
tomado esta decisión si hubiese implicado una

separación de su familia. Uno de los hilos que la manejaban era precisamente su deseo omnipresente de salvarlos. Estaba unida a ellos por lazos más fuertes que cualquier otra cosa. Eran la misma carne, ese vínculo atávico. Este cambio de rumbo era un buen presagio. Ellos, tampoco lo dudaron. Acostumbrados a que la veleta del destino cambiara de dirección sin advertencia, dejaron el campo sin grandes cavilaciones y se fueron a la ciudad.

Cuando llegaron a la capital, era todavía temprano. No habían dado las siete. Sólo tenían en el estómago un sorbo de café que la Toya había apagado antes de salir. A Mama Amparo le lloraban las tripas del hambre. Se sobijeaba el estómago abultado con un pedazo de papel periódico para evitar la indigestión. Sólo pensaba en llegar, juntar fuego, calentar sus pishtoncitos que traía bien envueltos en una manta, untarles unos frijolitos que venían en la olla amarrada con un trapo y aliviar su necesidad. "Andan desbocados... ¡como que a recibir herencia vinieran! Ya no lo dejan a uno ni tragar", pensaba, y hasta dentro de su cabeza las palabras estaban impregnadas de malhumor.

El chaletito de la zona Diez al que los llevó el camión se llamaba *Week End*. Como las otras casas de la zona, estaba en medio de un jardín y una pared exterior lo mantenía aislado. No había nadie en la calle. Un absoluto silencio se rompía con la alharaca que ellos hacían bajando las cosas del camión y disponiendo dónde ponerlas. Sólo las jacarandas parecían darles la bienvenida tirando de una en una, a cada golpe de brisa, las flores lilas que ya tenían tejido un pedazo de alfombra sobre las aceras.

Cuando la puerta se cerró y quedaron dentro del recinto, se sintieron un tanto decepcionados. El lugar estaba tan apartado, tan silencioso.

"Ay, mamá, no vaya a empezar a buscarle peros..."

En el fondo, la Nena pensaba igual: esto estaba muy quieto, podría ser abrumadoramente aburrido. A ellos les gustaba la ciudad, a donde venían cada poco, pero por allá por el centro. Ésa era la ciudad que les gustaba. Por sus tiendas, por su vida burbujeante. ¡Qué mundos de gente andaban en la calle! Uno podía ver pasar gente todo el día, ya con eso se distraía cualquiera.

"Nena, es que esto está muy silencio. Aquí uno se puede morir y parte sin novedad. Si a uno se le ofrece algo, una raja de ocote, un poco de azúcar, un remedio, aunque sea una sobada... no hay nadie a quien molestar." Y luego, masculló entre dientes: "¿A qué hora va uno a ir a tocar a una de esas casas? A saber quién vivirá ahí..." Y puso cara de enojada, como que a propósito se había fraguado un plan para incomodarla.

Eso sí, la casa era linda, nadie podía discutir eso, los pisos bien lustrados, las grandes ventanas que llenaban todo de luz. Había un montón de cuartos... Se sentían raros, sin saber dónde moverse con tanto espacio. Era difícil decidir cómo acomodar sus dos, tres cosas. Ni bien habían terminado de bajarlas, otro camión se estacionó en la puerta. Iba cargado de muebles. Una mesa grande, un montón de sillas. Las bajaban, una tras otra, los hombres del camión, y ya no tuvieron sosiego. Eran doce. Un mueble pesado de madera oscura, que les recordaba aquéllos de la casa grande de los De la Rosa. Les costó a los pobres muchachos cargarlo, meterlo de lado, ver que no se llevara las esquinas de las paredes. Los chorros de sudor les corrían por la cara. "Para guardar trastos", dijo la Nena, ante la pregunta implícita de en qué lugar habrían de ponerlo. Una platera se fue directo a la cocina y quedó pegadita a la otra que venía de Barberena, media coja, despintada de tan vieja. Un juego de sala, coqueto, con sus puntitos negros resaltados en la tela, como si fueran pellizquitos de lana, con su mesita esquinera donde la Nena ya se imaginaba acomodando un gran jarrón. Una marquesa con espejo redondo, con puertas y gavetas, "para las cremas y los perfumes", pensó la Nena, recordando que todas sus pinturas y frascos andaban metidos por allí en una caja. Una enorme cama con sus mesitas de noche y dos imponentes roperos de tres cuerpos.

Al rato, apareció Don Ángel. Supervisó que bajaran los muebles, y hasta ayudó con su gran estatura a darle un par de empujones a un ropero indócil que no quería pegarse a la pared. Se dio cuenta de inmediato que este arreglo se tornaba más complicado de lo pensado. La familia entera parecía dispuesta a instalarse. No era lo que había imaginado. Debía confesarse a sí mismo que estaba un poco confundido... ¿Cómo sería la cotidianidad de este arreglo? En todo caso, era un hombre pragmático. Por el momento había que dejarlos instalados. Los bultos que traía la familia eran bastante limitados. Se imaginó que esta nueva vida les impondría nuevas necesidades. Ése sí era un problema que Don Ángel sabía cómo resolver: para las necesidades, nada como el dinero. Sacó de inmediato un grueso fajo y se lo dio a la Nena.

"Vete a comprar lo que necesites. Te dejo al chofer para que te acompañe, yo me voy en taxi. Cuando terminen, añadió, me van a recoger al Venetto, para que nos vayamos a almorzar. ¡Hay que celebrar, mi reina! Hoy es día de fiesta." Se fue a pie hasta el Hotel Biltmore para que se le aclararan las ideas. Allí, pudo encontrar un taxi.

El chofer las llevó a ella y su mamá a los almacenes de la Sexta Avenida. La Nena no sabía realmente qué era lo que venía a comprar. Nunca había tenido tanto dinero en la mano, ni casa que necesitara *cosas*. Tener lo mínimo la había mantenido alejada de estas vicisitudes. El primer almacén que encontró frente a sus ojos cuando el chofer estacionó fue *Casa Música*. Al nomás entrar le preguntaron qué deseaba. Se sintió nerviosa, obligada a responder de inmediato, sin darse tiempo de vacilación. Frente a sus ojos estaban unos enormes azafates de china blanca con bordes dorados y diminutas flores rosadas.

"Quiero esos azafates", enunció intentando una voz segura y cortante.

"Son parte de una vajilla para veinticuatro personas, señorita, ¿quisiera verla? Es inglesa."

Esta última frase la añadió la dependienta, haciendo mucho énfasis. Ya se hacía bajando ese trasterío, para que después *la doña* se largara como había llegado, escandalizada por el precio.

"Sí, claro que quiero verla", contestó con aplomo la Nena. La vajilla tenía toda clase de cosas: recipientes para salsas, mantequillera, un juego de jarrilla, tazas, cremera... en fin, mil y un detalles de las mesas refinadas. A la Nena le fascinó ese despliegue de fineza. Había trastos para cada cosa, cada uno como una joya: brillantes, nacarados, con su orillita de oro, sus diminutas florecitas, perfectas. Había tazas grandes, tazas chiquitas. Platos grandes, medianos, soperos: un universo de vajilla. Más que su uso práctico, la Nena se entusiasmaba con la belleza que veía desplegada Y quiso tenerlos, que fueran suyos. La insignia de esta nueva vida. "Me la voy a llevar, señorita..."

Mientras se la empacaban, ahora dos dependientas la atendían, se puso a curiosear por el almacén. Encontró un juego de cepillo para ropa que era un pato tallado en madera. Lo examinó sin atinar a adivinar para qué se usaba, pensó en lo inútil del objeto. Decidió sin dudarlo que era el regalo ideal para Don Ángel. Un hombre que tenía de todo, quizá podría encontrarle uso a un pato como éste. Decidió también comprarlo.

La mañana se hizo corta: ropa de cama, sartenes, tela para cortinas, un juego de cubiertos que pudiera acompañar a su hermosa vajilla, media docena de manteles...

Cuando ya estaba exhausta, era cerca de la una. A última hora, se acordó que quería unos camisones. Olimpia se lo había dicho, "los camisones son importantes para las recién casadas. Se compran especiales para la luna de miel. Deben ser elegantes y también seductores, hechos de sedas que caigan sobre el cuerpo, insinuando, pero sin mostrar de una manera vulgar". En las vitrinas de *Magda*, los maniquíes los mostraban largos hasta los tobillos, con su batita de encaje. Ella miraba la cara del maniquí, tan cómoda con ese complicado traje. "¿Será que se puede uno dormir con tanto trapo encima?", pensaba. "¿No irritará la piel todo ese colochero?" Le pareció una complicación un tanto rebuscada, pero de todas formas entró y se decidió por tres de distintos colores, rechazando el negro. No quería que él pensara que era experimentada o viciosa.

A la una en punto, Don Ángel los estaba ya esperando. Fueron a un restaurante muy exclusivo cerca del lago de Amatitlán. Todo estaba listo para ellos. Una larga mesa con manteles blancos y varios ramos de flores. Les habían hecho *una paella*. Al nomás entrar les ofrecieron vinos y licores. Mama Amparo, con ademán de asco, frunciendo la boca y la frente, rechazó la copa de champán que le ofrecía cortésmente un mesero, pero Don Ángel estuvo atento: "¡Ah no!, eso sí que no se lo voy a permitir, abuelita, usted tiene que hacer el brindis con nosotros, si no, ¿entonces qué? Tómese un su traguito que eso no le hace mal a nadie, al contrario, le va a caer bien en el corazón, ya va a ver. Hágame caso..."

La Toya ni se animó a contrariar a Don Ángel y no sólo se tomó la primera, sino también la segunda, que se la sirvió él mismo. Ibis, Aura o las Violetas y Julio César niños estaban felices. Correteaban por el jardín frente al lago. Se pegaron la gran comida del arroz con pollo y camarones y luego vino el enorme pastel. Don Ángel se sentía contento. Los recelos se borraban de su cabeza alivianada por el alcohol. Le gustaba esta gente. Eran sencillos y diáfanos. Se podía ver a través de ellos. Le daba mucha tranquilidad poder relajar sus defensas, dejar de lado sus protocolos. Tomar unos tragos y que lo escucharan hablar y hablar, con su vozarrón que se oía por todas partes, con sus carcajadas fuertes. Poder levantarse y bailar porque le daba la gana. Que se le saliera la camisa de los pantalones, quitarse la corbata. Estar desgarbado, desarmado, desguachipado, como en el fondo le apetecía. Eso era una verdadera fiesta.

Pero no siempre se podía celebrar así, sin tanto recoveco. La sociedad tiene sus ritos. Él los conocía y respetaba. Sabía cuidarse de no hacer las cosas que sus ímpetus mandaban cuando resultaba inapropiado, era un tipo poderoso y el poder maneja todas esas cuerdas.

Cerca de las cinco de la tarde, a Don Ángel se le ocurrió, como le pasaba con frecuencia, cambiar de escenario. Su mente inquieta galopaba de una experiencia a otra, a veces con insaciable ritmo. Ahora se le había ocurrido ir a terminar la parranda al *Puerto*, como hacía de ordinario, ya pasado de tragos. La Nena pensó que se le hacía realidad un deseo: sería como un viaje de luna de miel. "¡Sí, vamos!...", dijo entusiasmada. Fueron a dejar a la familia que se resintió de que el cese de la fiesta fuese tan abrupto. Ella no prestaba atención a los velados reproches y preparaba, con prisa, un maletín. Cuando terminó, se fueron, sin más consideraciones. La Nena no conocía el mar.

Llegaron ya de noche a la casa que él tenía en la playa. Don Ángel dijo que irían de inmediato a nadar. Fue en ese momento en que se dio cuenta que era indispensable un traje de baño que no poseía, sin embargo, no dijo nada porque el ridículo era algo que la horrorizaba. Se metió al baño con la excusa de cambiarse y adentro cavilaba. Se le ocurrió ponerse uno de los camisones que había comprado en *Magda*. Después de todo, recordaba haber visto a muchas mujeres bañarse con camisón en los ríos.

Cuando él la vio salir se sorprendió, pero con tacto no hizo ningún comentario. Afuera estaba muy oscuro. Sólo la palidez de los astros cernía una dudosa claridad en el ambiente. El ruido de las olas tomaba preponderancia en el ambiente. Don Ángel soltó su mano para meterse con intrepidez y de lleno en la espuma amarillenta del agua. Las olas eran violentas. Al primer intento que ella tuvo de introducirse en el agua, la ola la arrastró, la revolcó y la dejó llena de arena y descompuesta a la orilla de la playa.

"Éste es el mar", se decía a sí misma. Se lo había imaginado diferente. Nunca creyó que fuera salado. ¡Cómo quemaba la garganta tragar su agua! Tampoco pensó que bañarse fuera tan difícil y diera tantos nervios. La ola se le venía a uno encima, envolvía con tanta fuerza, hacía de uno lo que quería hasta dejarlo sin resuello, tirado en la arena. Llegó a la conclusión de que le gustaba más el mar antes, cuando no lo conocía.

Él la miraba, y no podía dejar de mirarla. Ahora se daba cuenta que había sido magnífica idea la suya de ponerse ese camisón. Mojado sobre su cuerpo, la hacía verse sensual y deleitable, como ni siquiera ella se lo imaginaba. O quizá sí. Quizá detrás de su transparencia, era capaz de maquinar. Quizá se hallaba escondido en ella un peligro dormido, un peligro aguardando.

Al día siguiente, Don Ángel amaneció como siempre a las cinco. Ella, que tenía dificultad para levantarse temprano, podía apenas abrir los ojos para mantener la conversación. Se sentía cansada como nunca. Como si estuviese desinflada, adolorida, gastada. Él, por el contrario, estaba contento, lo cual lo hacía verse más joven. Parecía un cachorro de león. La apuró para que se vistieran y dispusieran marcharse. Iba a llevarla a Quetzaltenango. Ella nunca había ido a ese lugar. Le pareció un exabrupto agarrar así de sopetón camino a otro lugar desconocido. Su carácter era más sedentario y reposado. Sus energías no llegaban en ráfagas devastadoras que arrasaban todo a su paso, como las de Don Ángel, cuyo demonio interior lo llevaba de una experiencia a la otra con vertiginosidad. Era perezosa, comodona, aletargada. Pero no dijo nada. A regañadientes, se arregló y se dispuso a estar lista para el viaje.

El camino le pareció largo como la eternidad. Se sentía mareada y enferma. "Es mal de montaña, mi reina..." En Xela, tuvo que tomarse un Alka-Seltzer y reposar un rato en la cama gigantesca que ocupaba gran parte de la habitación que les habían dado en la Pensión Bonifaz.

Cuando se sintió mejor, Don Ángel la arrastró de un lugar a otro, le compró vestidos lanudos y joyas de plata. Pudieron conversar mucho. Había muchas cosas que preocupaban a Don Ángel. "El mundo se está llenando de comunistas... ¡adónde iremos a parar! Lo peor es que el gobierno de Árbenz es un nido de esos sinvergüenzas. Imagínate, mi reina... ¡Reforma Agraria!, no respetan nada... ni a Dios, ni la propiedad privada... ni siquiera a los Estados Unidos. La cosa se pone color de hormiga, mi reina, se pone color de hormiga."

Ella sentía que su presencia le daba abrigo. Esas manotas grandes y gruesas, su mirada inteligente. Por primera vez se sintió confidente. Le contó muchas cosas de su vida, los éxodos con su madre maestra, la temporada que vivió con su tía Julia en Guatemala. Hablaron de Puerto Barrios, de la United Fruit Company, de todas esas cosas que la tía Julia le había contado. Algo en su manera de decir las cosas tenía un dejo de impotencia al cual Don Ángel reaccionó. Detestaba la impotencia. Convertir lo imposible en posible era su debilidad. "Pues no. Esas cosas no están fuera del alcance. Es más, mañana mismo puedes estar allá en Puerto Barrios, donde está la Bananera, viendo los barcos que llegan con mercadería de todas partes. Se pueden comprar licores, jabones, perfumes, lo que quieras. Vámonos mañana, llegamos a la capital y de allí tomamos al día siguiente una avioneta."

Llegaron ya tarde a la capital y por no molestar a la familia, se quedaron en un hotel. En la madrugada partieron al aeroclub donde una avioneta rentada los estaba ya esperando. La Nena nunca había volado y tenía terror. Ayer, la perspectiva de comprar cosas de otros lugares, exóticos y desconocidos, le era apetecible. Ahora estaba arrepentida de su inicial entusiasmo. Pero no se atrevía a decir que no. El *no* se le quedaba pegado en el esófago, sin fuerza para salir. Desayunó en silencio, preguntándose si comer pudiera provocarle náusea al volar, lo cual la espantaba. No podía pensar en hacer algo tan feo como vomitar frente a él. Para la Nena el romance tenía sobre sus frágiles espaldas la pesada obligación de ser hermoso *siempre*. Había cosas execrables y sucias que no toleraba quedaran expuestas. Debían suprimirse, o callarse, según fuera el caso. El romance transformaba a las personas en ángeles, no era humano.

Por fortuna, su estómago respondió bien a las tiranías del romance. Llegaron rápido a su destino. En Puerto Barrios, Don Ángel pidió un taxi para que los llevara a la base naval. El jefe de la base de inmediato se puso a sus órdenes para atenderlos. Uno de los barcos de la marina fue prontamente alistado. Los llevaron a dar un paseo por la bahía cuya naturaleza exuberante era espectacular. Pero a la Nena no la impresionaba. Le gustaba la fantasía y hubiera preferido mil veces estar en una ciudad llena de luces, carros, movimiento, que en una selva llena de árboles. Lo que oía llamar *naturaleza,* lo había conocido, peyorativamente, como *monte.*

De regreso en el puerto, Don Ángel se puso a beber. Los amigos que los acompañaban, hombres más viejos que ella, contaban chistes que le parecieron asquerosos. Se empezó a desesperar, estado de ánimo que vino a acentuar el hambre. Ninguno de ellos estaba pensando en comer nada sustancioso. Se contentaban con *las bocas* de aceitunas, y chicharrones que les pasaban. Aburrida, se acercó a la baranda del barco para ver el mar. El piloto que los había llevado, fumaba discretamente un cigarrillo alejado del grupo. Cuando la vio apartarse del resto, se le acercó y con la mayor fineza que encontró se presentó: "Me llamo Jean Paul Le Carte. Está aburrida, ¿verdad? Es que usted es una señorita muy hermosa y suave. Debería ser tratada como una princesita." Esto último se lo dijo muy quedo, casi en un susurro y a ella le costó entender qué decía.

Le parecía galante y guapo, vestido con su uniforme, con su cuerpo atlético de militar, su gorra de capitán y su bigotito bien cuidado. Se dio cuenta de que había hombres agradables, atractivos, deseables... Pensó por primera vez que el quedar para siempre atada a uno, sólo sería un enorme peso. Se le atravesó por la mente que quizá la fidelidad no sería para ella. La fidelidad le pareció un tanto sosa y muy pesada. Casi un acto heroico. El piloto no era ningún inocente. Aprovechó su tiempo lo mejor que pudo, logró interesarla. Le prometió volver a buscarla, le prometió que la próxima semana, cuando volviera de un viaje a Panamá, le traería un collar para adornar su lindo cuello, le prometió la luna y las estrellas.

Eran ya las horas de la tarde. A estas alturas, Don Ángel se había quedado dormido sobre la mesa, totalmente borracho. Con mucho trabajo, debido a su gran tamaño, lo bajaron del barco y buscaron acomodo en la pensión más cercana. Lo cuidó toda la noche. Había pasado el día sin probar bocado, lo cual la ponía terriblemente nerviosa y malhumorada. La comida era fundamental, un ritual sagrado que no puede ser nunca violado. Comer sustenta todas las demás cosas. Significa seguridades, certezas. Después de comer todo está más claro, es más fácil. Cuando algo obstaculizaba el alimento, le crecía adentro un sentimiento de infelicidad abrumador que tenía raíces tan profundas que podían arrastrarla a tiempos sin memoria. Sin saberlo, Don Ángel la había hecho infeliz por vez primera.

Cuando despertó, al otro día, estaba callado y taciturno. Apenas si pronunciaba palabra. Don Ángel había tocado el borde de sí mismo. Quería estar solo. Era ya hora de volver. En silencio desayunaron lo de costumbre: huevos revueltos, frijoles volteados, plátanos fritos con crema... Ella, confusa por un silencio inesperado al que no sabía responder, encontró justificación para servirse varias veces y al terminar, quedó inflada y satisfecha. Emprendieron sin más demora el regreso. Habían estado fuera ya varios días y ella también empezaba a sentir cierta desazón, quería sentirse en su casa.

Llegaron antes del mediodía al chalet. El guardián estaba fuera, cuidando la puerta. Cuando se acercaron al portón para entrar el carro, se paró frente a la ventana para hablarles.

"Seño, sus gentes se jueron", le avisó con evidente preocupación.

"¿Cómo así que se fueron? ¿Adónde?"

"La *doña* a mí no me dijo nada. Vino un don con una carreta y se jueron, yo no sé nada, porque estaba haciendo mi trabajo, sin meterme en los asuntos ajenos."

"Mire, le dejaron este papel para que se lo entregara. Allí seguro le darán razón."

Nena:

Vos decidiste por tu cuenta. Contra mi gusto te pusiste a vivir con Don Ángel. Ya tomaste tu decisión y vos sabrás por qué. Nos trajiste a la capital y te largaste. Todos estos días nos dejaste solos, sin quién por nosotros, pasando penas. Mejor me voy con los patojos y Mama Amparo de regreso a Barberena.

Allá tenemos nuestra gente. Vos mirá qué hacés. De todas formas, nadie se halla en esta casa. Hacé tu vida

Victoria

La Nena leyó la carta y montó en cólera. No era justo lo que le hacía su mamá. ¿Cómo se iba y la dejaba sola? A veces su madre era una incógnita. La traicionaba, la violentaba, tenía su propia voluntad y esa voluntad anulaba la de ella, la dominaba, modificaba sus planes, su vida, su propia voluntad. "No esta vez", pensó. "Ángel, me voy a quedar aquí. *no* me importa que ellos se hayan ido."

Don Ángel pensó rápido. En su mente estaba presente que en unos pocos días se iría de viaje con su familia. Era un viaje largo. Dos meses fuera. Ahora se daba cuenta que no podía dejar a la Nena sola en este lugar por dos meses, sin visitarla, sin hacerle compañía. Eso era impensable. "No, mi reina, no puedes quedarte solita. Yo no puedo estar contigo todo el tiempo y esto no te va a caer bien. Es mejor que regreses a Viñas. Prepara tus cosas, esta tarde vendrá el chofer por ti y te llevará de regreso."

No rebatió nada, no peleó por imponer su punto de vista. Entró a su cuarto a meter las cosas en una maleta, sin doblar, sin ningún arreglo, demostrando de esta callada manera su contrariedad. Todo se había arruinado y estaba preparada para aceptarlo sin resistencia. Antes del anochecer, estaba en Viñas.

Sin embargo, con quince años, las cosas se olvidan pronto. Sobre todo cuando se está acostumbrado. En el campo se vive así, atenido a la suerte. Cada día hay que resolver el problema total de la existencia. Cada día la vida se presenta con toda su intensidad. Cuando se plantean problemas fundamentales que ocupan la totalidad del entendimiento: subsistir o morir de hambre, tener o no tener donde dormir, queda poco tiempo para elucubraciones, poco tiempo para lamentarse. Su vida en la finca volvió a ser la de siempre, aunque ahora le parecía deslucida y sin ilusiones. Aparte, su reputación estaba hecha añicos. La gente, no dejaba de puntualizarlo. Su mamá estaba furiosa, lo cual a la Nena le parecía injusto después de que ella había sido la causante de su desgracia. "Pero, ¿cómo que te viene a dejar aquí, así nomás, ese hombre? Sin ningún respeto para la casa. Vos eras una señorita cuando te pusiste a vivir con él... ¡Qué suave, ahora sólo te viene a tirar, y parte sin novedad!..."

"Mamá, cállese ya por favor."

"Yo le voy a ir a hablar a Don Ángel. Tiene que tener respeto."

Pero Don Ángel se había marchado a Europa y en su oficina nadie supo dar razón de cuándo volvería. Un par de meses después, la Nena se dio cuenta de que estaba embarazada. Se sintió feliz al saber que iba a tener un niño, y empezó a cuidarse con esmero. Sin decirle nada a su madre, empezó a escribirle cartas a Don Ángel, para que supiera la buena noticia. Las cartas no tenían respuesta. Iban y venían en las camionetas de la capital sin tener respuesta. Cada día era una nueva decepción. Iba a cumplir casi tres meses de embarazo. Iba a empezar a notársele. Pensó que, contrario a lo que le dictaba el orgullo, iría a la capital a buscarlo.

Se fue temprano. Antes de las ocho estaba parada frente a la puerta de la fábrica de CAFÉ

VENETTO esperando que abrieran. Preguntó por Don Ángel, pero la secretaria le dijo que no estaba. Preguntó a qué hora podía hablarle, pero la empleada, con bastante pedantería, la cortó. Viendo la situación tan difícil, se animó a hacer lo que había pensado en caso extremo: dejarle una carta que había escrito despacio durante varios días. La había releído y reescrito hasta que dijo exacto lo que deseaba. No importaba si él quería o no a su hijo. Ella lo cuidaría. Lo único que pretendía era que él lo supiera. Había decidido no regresar ese mismo día a Viñas, pues al hijo que esperaba podía caerle mal tanto ajetreo. Al entregar la carta, dejó un recado: que se le avisara a Don Ángel que se iba mañana de regreso, estaría hospedada en el Hotel Colonial.

Al salir, se fue a desayunar despacio a un comedor cerca de La Terminal. Se montó en una camioneta que la llevó al Mercado Central a buscar a su tío, pero no lo encontró. Se distrajo toda la mañana viendo en las vitrinas los trapos de niños, sintiendo ya dentro una ilusión muy grande, pero sin tener dinero para comprar nada. "Ya habrá tiempo", se daba ánimo, escondiendo el miedo que tenía: podría ser que, al percatarse de su embarazo, las autoridades la despidieran. El negro nubarrón se le atravesaba por la cabeza. ¿Qué iba a pasar entonces? La gente era tan chismosa. ¿Qué tal si la ponían en mal con las autoridades? Sólo de pensar en andar errante con su niño pasando penas, se le hacía un nudo en la garganta.

"No", venía en su auxilio una voz consoladora, "su niño no iba a pasar las penas de ella. Su niño no iba a tener miedo del hambre, ni de su futuro.

En medio de todo lo nebuloso que se veía el porvenir, una solución surgiría." Cuando llegó al hotel, un mozo le entregó una tarjetita con un mensaje de Don Ángel: "Llego a buscarte a las cinco." Era, sin lugar a dudas, su letra. Desordenada y difícil de leer, pero decía que vendría a las cinco. Eso estaba claro.

Sintió que le habían quitado un peso de encima. Le dio hambre y preguntó qué había de comer. Estaba tan a gusto, tan contenta, que hasta le contó a la dueña del hotel que estaba embarazada. Le preguntó qué sería bueno comer, algo que sirviera para alimentar a su bebé. La señora le ofreció un cebiche de conchas y lo aceptó sin reparo. Cuando le sirvieron el picadillo negro con toda suerte de cosas dudosas dentro le causó un poco de asco, pero se obligó a comer por lo menos la mitad, para bien del niño.

Don Ángel llegó puntual. La entrevista no fue como las de otros días, con galanteos y fiesta. Todo se redujo a algo muy práctico. No la visitaba ya un amante.

"Habrá que buscar otra casa en la capital. Ni pensar cabe que el niño pueda nacer en el campo. El traslado a la ciudad deberá ser inmediato, pues debes tener tus chequeos médicos por bien de la criatura. Pero esta vez, busca tú la casa. Algo donde ustedes se sientan cómodos, Nena. Búscala tú, piensa en tu familia, que ellos estén contentos."

Fue así como llegaron a la casona en Amatitlán. Era un pueblo amigable, cerca de la capital, con sus carruajes de caballos que en cualquier tarde podían sacarlo a uno de paseo, con sus tiendas y sus comedores a la mano por cualquier necesidad que se ofreciera, con su hermoso parque.

De inmediato encontraron acomodo. El niño nació un Viernes Santo, en el Hospital Americano. "¿Tiene los ojos claros?", fue la primera pregunta de su padre. Y al saber que sí, se sintió eufórico. El niño era rubio, "con los ojitos *claritos como de agua*", decía Mama Amparo, a la que no terminaba de asombrarla que pudiera haber una piel tan blanca como la de este niñito, con su pelusita dorada.

Después de haber aguardado todo el día el nacimiento en el hospital junto con las dos viejas, cuando regresó a dejarlas Don Ángel se emborrachó con ellas. En medio de la borrachera, Mama Amparo y Doña Toya lograron arreglar una maleta de frijoles y calentarle unos chiles rellenos con tortilla para darle de comer. Él se tropezó con uno de los sillones que encontró mal puesto en su camino al baño y Mama Amparo estuvo sobándolo con Vicks, pues ambas llegaron a la conclusión de que sino el pie se le hincharía en seguida. Él dejaba a las viejas hacer lo que quisieran. Su hijo había nacido. Le pondría uno de los cuatro nombres con que lo bautizara a él su padre, quien teniendo la certeza de no tener más que un hijo, le puso todos los nombres insignes de la familia.

—Buenaventura se llama —le comunicó Don Ángel a la Nena.

—Luis Ángel —replicó la Nena.

—Pero si ya está inscrito. Su nombre es Buenaventura.

La madre hizo aprender al infante dos cosas: que se llamaba Luis Ángel y a mentirle a su padre, repitiendo cuando él se lo preguntara que se llamaba *Buenaventura*.

—Luis Ángel, mijo, Luis Ángel te llamás. Pero no se lo digás nunca a tu padre.

"¿Han traído la ropa para vestirla?", preguntó una enfermera mientras se desanudaba la gorrita que le cubría la cabeza. Era su manera de avisarnos que habían terminado de hacer la autopsia del cadáver.

Ahora habría que vestirla. Ante la perspectiva del cuerpo inerte de mi abuela, yo me abrazaba con más fuerza al paquete que ella misma había preparado hacía ya algún tiempo: la bata naranja peluda que le mandó Julio César de Estados Unidos y unas gruesas calcetas. Su traje mortuorio.

Cuando lo abrieron Aura o las Violetas protestó, "esa no es ropa para ser enterrada. Mucha gente la va a querer ver y esa ropa no es la apropiada", sentenció. Ibis, imitando los gestos que consideraba muestra de refinamiento en su hermana, también protestó, "yo le había regalado cosas muy finas, porque nunca fui miserable con ella", añadió tratando de justificarse como de costumbre.

"Pero, si ella lo escogió...", me atreví a recordarles. "Quizá pensaba que tendría frío, quizá querría estar cómoda, como en casa", quise hacerlas reflexionar. ¿Qué sabía yo, qué sabían ellas cómo escoge uno un vestido para ese viaje? De todas maneras, ganaron sus argumentos. Yo no tenía voluntad para pelearles la partida. Al fin y al cabo, ¿qué podría importarle a mi abuela? Hicieron esperar a todos, mientras iban a recoger *un atuendo elegante*.

Mi abuela era un cadáver... pero, quién lo diría, yo me agarraba a una de sus manos con el pensamiento fijo de que nadie podría soltarme. No quería que esa mano desapareciera. Era importante para mí. Todas las ideologías, todas las filosofías y sus disquisiciones desaparecen frente a algo tan contundente como una mano amada.

Me daba cuenta ahora: mi abuela era, para mí, su cuerpo, ese lugar de refugio repartido en sus piernas, sus brazos, su pecho, esa calidez de su respiración cerca de mis orejas, ese resuello en la noche que me mantenía tranquila, pero sobre todo esas manos que estaban por todas partes, haciendo comida, lavando trapos, doblando ropa... Poniendo en orden el caos.

Vi sus uñas, manchadas todavía con los restos de la pintura que le había puesto unos días atrás jugando. Pintura roja, estridente, ahora descascarada. Los dedos rígidos. Jugaba con esa rigidez mientras esperaba, mientras la acompañaba a través de los actos impúdicos a que la sometían... Recordé sin querer algo terrible. Los muertos se parecen.

—Mamá, ¿con quién hablás por teléfono? ¿Qué hacés? ¿Qué fue lo que pasó?

—Hablo con el Juez de Paz.

—Pero, ¿para qué? ¿Para qué querés hablar con el Juez de Paz?

—Es que tiene que venir para levantar el cadáver.

—¿Qué pasó con Turín? ¿Qué fue?

—Está muerto. Turín está muerto.

Mi hermano estaba tendido en una camilla en el hospital. Yo trataba de doblarle con suavidad el dedo del pie, cubierto por una sábana. Parecía un dedo de hule. Un hule tieso. Estaba muerto.

Muerto: una palabra simple, cualquiera sabía su significado. Una mínima palabra con pocas letras. Pero no entraba en mi cerebro. La oí como oír llover. Como si se tratara de un par de sílabas en otro idioma, escuchadas en medio de una multitud extranjera. La oí como si fuera un sonido abstracto que quisiera meterse dentro de mis neuronas a la fuerza. Un clavo que encuentra camino entre las fibras compactas de un trozo de madera y se queda allí, ensartado, ajeno a las fibras rotas que le abrieron espacio para que entrara, pero que le dejan fuera como lo que es, un cuerpo ajeno. Estaba muerto. ¿Qué quería decir eso?

—Mamá, ¡dejá ya el teléfono! ¿Qué pasó con Turín? ¿Cómo así que está muerto?

—Está muerto, muerto —contestó, volteando su rostro para mirarme.

Fue en sus ojos. Allí pude encontrar el significado que buscaba. La mirada de mi madre estaba cayendo dentro de un inmenso vacío. Iba manoteando, esperando que de un momento a otro el terrible golpe le avisara que había tocado fondo, que se había estrellado. Su mirada parecía decirme, "no sé si voy a poder soportar este golpe. Cuando aterrice, cuando me estrelle, seguramente me voy a desintegrar."

Comprendí todo. Exclamé y mi voz salía desde mis vísceras: "¡Dios es un imbécil! Hoy sí que se equivocó. ¡Qué imbécil!" Era la primera vez que confrontaba la tragedia. Hasta ese día nunca me había pasado algo cruel sin apelaciones. Tomé conciencia de que hay momentos en que la vida da vuelta a su rostro y muerde. Arranca pedazos que quedan por siempre mutilados, irrecuperables.

Las siguientes horas fueron como un rompe-cabezas. A ratos, mi cabeza se evadía del dolor. Me vi riendo, contando anécdotas divertidas a gente que tenía años de no ver y que se aparecieron en los funerales. Me vi pasar frente a un espejo y fijarme en que estaba despeinada, sentir sed, tomar agua. Me vi darme cuenta a través de la ventana que, del otro lado de la calle, una señora gorda arrastraba los pies hasta la tienda de la esquina y salía luego con una bolsa de pan.

En otros, me sumergía entera, como quien se ahoga, en un pozo sin fondo, donde me sentía demasiado pequeña. Quería suplicar, ponerme de rodillas. No quería vivir sin verlo... Y sabía que me sería impuesta la obligación. Un pensamiento obsesivo me dominaba: quería volver a verlo vivo. Sólo una vez. Tenía que decirle algo que nunca le dije: lo amaba más de lo que nunca imaginé.

Estaba muy sucia, sentía por ráfagas el olor a un sudor viejo, de siglos atrás, insoportable. Ese día había estado en las afueras de la ciudad, montando a caballo por los caminos inundados de polvo de la finca de una amiga. Ya por la tarde, empecé a sentirme incómoda. Quería marcharme. Ella no quiso dejarme ir. Me enredó de mil maneras y me dejé enredar. Llegué ya de noche a la casa con la urgencia de darme un baño. En la puerta, Don Asunción esperaba. No dijo mayor cosa y nos entendimos perfectamente. "Váyase al hospital." "¿Es Turín?", pregunté siguiendo una corazonada y él asintió.

En el camino, la conciencia de que algo en verdad terrible había pasado se volvía cada vez más clara. Una parte de mí trataba de calmarse, pero no me dejaba engañar. Yo sabía que había pasado algo malo como se saben estas cosas: a ciencia cierta.

Mi madre lo había encontrado. Estaba desnudo en el baño. Blanco, tendido, plácido en una tina sin agua, con los ojos cerrados, como si estuviera dormido, como si la muerte no hubiese sido un exabrupto sino un gesto sencillo, abrirle la puerta a un visitante esperado. Su pelo negro, largo, mojado le llegaba a los hombros.

—¡Llevémoslo al hospital!

—Pero si está muerto.

—No puede ser, ¡llevémoslo al hospital!...

—Ayúdenme, envolvámoslo en una sábana.

—Ponéle calcetines, mirá que la noche está fría...

Así, envuelto en una sábana blanca, mi madre cargó a su hijo muerto. Grande y largo era mi hermano, pero ella pudo cargarlo. Nunca es demasiado largo o grande un hijo. Con la autopsia supimos que mi hermano estaba muy enfermo. Una disentería que se había dejado avanzar sin medicamento.

"Pero ¿cómo qué estaba enfermo y no decía nada?...", se preguntaba la abuela. Lo cierto es que nunca decía nada cuando estaba enfermo. Aun así, las razones de lo acontecido nunca quedaron claras.

Eran los tiempos de la *Alianza para el Progreso,* también de los grandes proyectos de ampliación de la frontera agrícola en el norte de Huehuetenango y el Quiché, sobre todo en el Ixcán y la Zona Reina. Eran también los tiempos en que la Iglesia Latinoamericana definió en Medellín su opción por los pobres. En Guatemala, la Conferencia Episcopal manifestó su posición contra el régimen latifundista de tenencia de la tierra y la violencia política. La afluencia del clero extranjero fortaleció la postura beligerante de la Iglesia: los Padres Maryknoll fueron a trabajar a Huehuetenango; los Misioneros del Sagrado Corazón se centraron en el Quiché; los Misioneros del Inmaculado Corazón de María, en Escuintla; los Dominicos, en las Verapaces; los Franciscanos, los Carmelitas, los Capuchinos, los Jesuitas... todas las regiones del país estaban plagadas de catequistas. Surgieron otros proyectos respaldados por la Iglesia: el cooperativismo, las ligas campesinas, los comités pro mejoramiento, la construcción de escuelas. Después de Medellín, la Iglesia aparecía en el mapa nacional comprometida en el desarrollo social de los campesinos y las poblaciones marginales.

La colonización del Ixcán Grande fue entregada por el Instituto Nacional de Transformación Agraria a los Maryknoll, una orden religiosa católica. El padre Guillermo Woods fue el corazón del proyecto. A la par de los asuntos agrícolas, se impulsaron otras acciones de promoción en salud y educación con la participación de los religiosos. Surgieron las escuelas radiofónicas con el fin de promover la alfabetización, apoyadas desde emisoras de la Iglesia: Radio Chortí en Jocotán, Radio Mam en Cabricán, Radio Nahualá, Radio Atitlán en Santiago Atitlán, Radio Colomba, Radio Quiché. Los estudiantes de la Universidad de San Carlos se sumaron a estos esfuerzos.

Por ese tiempo, Turín estudiaba Medicina. Le pareció fascinante desde el primer día. Poblaron su cuarto decenas de libros gruesos que leía con fanatismo. Encerrado en su habitación, como de costumbre, otro universo intelectual le había abierto la entrada del mismo laberinto. La misma solución para una sempiterna soledad. Sin embargo, con la llaneza con la que llega lo extraordinario, las cosas tomaron un giro: en tercer año Turín se vio obligado a salir de su encierro, tuvo que incorporarse al proyecto universitario en Ixcán donde iniciaría sus prácticas.

Los estudiantes se iban todas las semanas. Las comunidades estaban allí recién establecidas. Una selva que empezaba a ser colonizada, infestada de parásitos y enfermedades tropicales de toda índole. No había ningún recurso sanitario, ninguna comodidad. Pero nada de eso molestaba demasiado a los jóvenes. El espíritu de religiosos y catequistas era contagioso. Regresaban sucios y descuidados, pero iluminados.

Con ellos, Turín encontró algo que no conocía: un sentido de pertenencia. Con sus conocimientos de Medicina, podía ayudar. Curiosamente, esa gente sencilla tenía algo de mucho valor que enseñarle. En ese abandono paupérrimo, él era necesario. Viéndose en esos ojos, pudo reconocerse. Ellos nunca detectaron la impotencia interior, que era para él una autocondena. Por el contrario, traía el don de la Medicina, era por tanto tan respetable como un chamán.

De uno de esos viajes me trajo un poncho de lana virgen, un *capishay* de manufactura rústica, negro y peludo, con los bordados tradicionales. Picaba mucho y nunca me lo quise poner. Él usaba el suyo todo el tiempo. Era el talismán que marcaba su distancia del orden de cosas que había abandonado.

¿Por qué no quiso curarse? ¿Andaría retando a la muerte? No es posible encontrar respuesta a las recónditas razones de un ser humano. Sin embargo, sé que en su mirada hubo desdén por apropiarse de cualquier cosa, incluyendo la más definitiva, que es la vida. "Si hubiera seguido por donde iba, hubiera terminado de guerrillero en la montaña", comentaron algunos.

No lo sé. Conociendo a mi hermano, deseché ese juicio. La guerrilla hubiera sido sólo otra estructura a desafiar. Escogí entender las cosas a mi manera: mi hermano murió de lo mismo que se moría la gente allá en el Ixcán. La gente que él quería. Comió de su comida, durmió bajo su techo y murió como ellos: de una disentería. Sin medicinas, sin cuidados, como ellos. Gesto impráctico, pero subraya su integridad frente a la obscenidad cotidiana de una sociedad como la nuestra. Puedo equivocarme. Quizá fue simplemente una muerte más, de las inútiles y absurdas.

Cuando terminaron de vestir a la abuela, supe que había llegado el momento del adiós. "La vamos a meter ya a la caja", anunciaron los empleados de la funeraria. Le di un beso y le dije despacio al oído: "Saludame a Turín... Decile de mi parte que el olvido no existe."

XIV

-1-

Los ataúdes sobre la cabeza, hombres y mujeres de Rabinal, marchan a enterrar a sus deudos. La exhumación de los restos hacinados en una fosa común, fruto de una masacre acaecida en tiempos de la guerra, les tiene la memoria caldeada por recuerdos funestos. El General vuelve en su eterno retorno. Quiere, y ¿por qué no?, ser Presidente de la República. Vino a convencer a la gente de Rabinal, a presentar su imagen de patriarca, de hombre fuerte, el rostro de Maximón. Ya no lleva el uniforme de fatiga del ejército como en aquellos días del Golpe: como camaleón, está 0en sintonía con los tiempos.

Con igual capacidad de adaptación al medio, el ex comandante guerrillero acompaña al General. Su enfrentamiento en tiempos de la guerra pareciera ahora una simple rencilla de cantina, pasajera, envuelta en la neblina del alcohol que, como la neblina del tiempo, trastorna los recuerdos volviéndolos confusos e inatrapables.

Curioso juego de la casualidad o cínica provocación, la gente que carga los ataúdes se encuentra con el mitin político organizado para el General. El cortejo fúnebre va acercándose a la tarima donde se celebra la reunión política, suben y bajan los ataúdes o alzan los puños con el coraje y la indignación marcados en sus rostros. "¡Asesino! ¡Asesino!, ¡aquí están las víctimas! ¿Dónde está el resarcimiento?"

Los agitadores del partido oficial lanzan improperios. El diputado llama a sus huestes a linchar a quienes agreden con sus vituperios al General. Ya hubo *tierra arrasada* en Rabinal. Podrían volver a arrasarla...

Atrás una gran manta con el rostro envejecido del General, que momentos después se vendrá abajo. Sobre ella, chorros de pintura roja serán vertidos, como ritual que quiere exorcizar la sangre derramada. Un periodista quiere captar las imágenes de la turba enardecida. El diputado lo empuja para que no suba a la tarima.

Los patrulleros de autodefensa civil, acarreados en camiones para nutrir el acto, empiezan a bajar los sombreros que antes enarbolaban en apoyo al candidato. Incrédulos miran y oyen el fragor de su propio pueblo, expresión de un dolor que conocen bien. Algunos, conmovidos, obedecen los llamados de las víctimas y se quitan las camisetas del partido de la manita, el partido del General.

"Quemaron nuestras infancias en el propio vientre de sus madres", grita una señora enardecida. Los ataúdes suben y bajan. Las piedras surcan el aire. Algunos especulan que salen de los propios ataúdes. "¡Son los muertos! ¡Son los muertos!", exclama la multitud.

El General sigue con su arenga, el ex comandante guerrillero protege a su protector con el propio cuerpo. Quieren aplacar a la turba, levantan la voz, alzan los brazos.

"Tenemos que respetarnos", grita el General.

"Tenemos que respetarnos", repite el ex co-mandante.

"Tenemos que respetarnos", reitera el dipu-tado.

El sombrero del General vuela cuando la piedra golpea. A continuación, una lluvia de ellas cae sin medida, sin parar, sin reparo, como oleada ciega. General, ex comandante y diputado bajan de la tarima más corriendo que andando, un vehículo sale rechinando llantas, el helicóptero se alista para despegar de inmediato. Sus súbditos le soban la leva, limpian sus ropas, limpian sus culpas. Corren a acusar a la oposición, a los instigadores de los derechos humanos, a los gringos.

Mientras, el fuego consume la efigie del Gene-ral. Las pancartas en su contra se levantan. Las del partido, arden. Los familiares de las víctimas secan el sudor y las lágrimas y con sus ataúdes a cuestas, dan la vuelta al Calvario. La zanja se prepara para recibir las osamentas. A medida que la turba se retira, se levanta un cartel que dice:

RABINAL, NUNCA MÁS

-2-

Yo tenía una casa en Vancouver, metida en las montañas infinitamente verdes. En los días azules, las águilas dibujaban círculos en el cielo mientras el viento resbalaba la palma de su mano sobre la suavidad de las laderas que se abrían a la caricia.

Por las enormes ventanas no dejaba de mirar el mar. Su omnipresencia marcaba los días con sentimientos cambiantes. A veces era una gota gris, pesada y densa como un mal presagio. Otros, reía y se rizaba en mil bailarinas que agitaban sus fustanes de ola y espuma, o, translúcido, se perdía en el horizonte, divagado y ausente. El cielo hacía juegos malabares sobre el manto oceánico, cambiando de parecer cada tarde. Sobre el lienzo liso y limpio, era ya un sombrero o una bufanda arrebolada.

El puente de Lions Gate atravesaba el estrecho. Esa marca en el horizonte era la cicatriz que dejaban mis pasos que querían alcanzar, a veces con agonía, la ciudad que habitaba en la otra orilla y que había dejado hacía tiempo de ser extraña.

Allá estaban las luces que por las noches parecían un altar. Conocía sus rincones y más de alguna vez me había asombrado, como aquel domingo, cuando caminando por Penderton, de improviso oí cantar a la escuela de ópera china que ensayaba en un segundo piso. Me senté en la acera a escuchar y no pude marcharme a pesar de una lluvia pertinaz que cayó toda la tarde.

Con los cambios de estación, las focas asomaban sus narices en la playa. En esta ciudad de náufragos que habían encontrado donde exiliar sus derivas, todos éramos migrantes y había en ello un raro consuelo.

A pocas cuadras de mi puerta, un bosque me pertenecía (o viceversa). No era una catedral, pero poseía las bóvedas más hermosas que jamás haya visto. Ningún coro o instrumentos y sin embargo la más bella música.

Su inmensidad albergaba kilómetros y kilómetros de veredas, en algunos lugares tan tupidos de vegetación que los rayos del sol se filtraban en la penumbra como agujas luminosas. Los árboles se adherían a las laderas de un gran barranco y al fondo del cañón tallado en piedra, estaba un río caudaloso que junto con los cuervos, águilas y otros pájaros del lugar llenaba todo de bulla. Y, sin embargo, lo que con mayor fervor recuerdo de ese sitio es el silencio. El poderoso silencio me vaciaba de mí misma.

Aún hoy, cuando camino por sus veredas con los pasos de la memoria, algo me abraza. ¿Será el aire lleno de olores? Pino, tierra húmeda, moho. ¿O esa llamada a ver pasar el tiempo mientras miro correr el agua?

A veces, cuando llovía, me adentraba en sus entrañas húmedas. Las raíces de los árboles eran ásperas y oscuras, como los pies de quien camina descalzo.

Vancouver... Es ya sólo recuerdo.

-3-

Soñé que lloraba y lloraba tanto... Hace tanto tiempo que no lloro. Pensé que había olvidado cómo.

A veces, veo la vida tan lejos... como que se escapa de mí. A veces, la vida es un río en el que me sumerjo. A veces, voy contra la corriente y tengo que dar doble brazada. En ese río turbulento, profundo y oscuro, hay momentos de luz, de claridad. Allí te encontré. Venías de otro mundo, de sabor distinto y colores irreales. Un aura llena de esencias y pétalos.

Sos como el océano grande de donde tanta vida se creó. Así es como te siento, Irene. Te pienso, mi corazón arde en deseos de vos...

Estoy empacando. Encontré tu carta en el viejo baúl. Toco tu caligrafía con el perfil de los dedos. Quiero corroborar que existías, así, como entonces te sentí.

Volviste a mí. Aquellos últimos días ocupábamos todo el tiempo en preparar tu huida, borrar las huellas de tu repentino regreso. La muerte de Linda era el torbellino que nos hacía movernos con frenesí. No podías darte el lujo de quedar enredado en un asunto tan oscuro, dijiste. Creí en tus motivos, mi lealtad era absoluta.

Desapareciste sin previo aviso. Una nota sobre la contestadora, pegada con cinta adhesiva, anunciaba con una terrible caligrafía: "No me busques, yo te encontraré. Deja las llaves en el buzón, apaga las luces, y... no contestes el teléfono." La última frase estaba borrosa, la tinta de la estilográfica se había corrido.

"No me busques, yo te encontraré."
Empiezo a pensar que no podrás   hallarme.

nunca más

El ol –
       vido (a)
            va despacito borrándote.

-4-

C vino esta mañana a verme. Conversamos largo rato de nuestras cosas. No pudo ocultar su inquietud por mi partida. Aceptó mi regalo: se llevaría las orquídeas que cultivamos juntos y que, como si les hubiera llegado la noticia, han florecido.

"¿Estás segura que querés irte ahora?... Estoy empezando a pensar que sos como las mujeres esas de las que habla tu novela. ¿Cómo fue que las llamaste? Necias, cimarronas."

Antes de marcharse me recordó algo que me había dicho tantas veces: "Podemos construir un mundo nuevo. ¿Dónde más podrías tener ese privilegio?"

No respondí nada por no lastimar su entusiasmo. No quise decirle que me cuesta creer en mundos nuevos o en mundos viejos. *El mundo* parece revolverse en su propia reiteración. Otras transformaciones son posibles, pero de ello apenas estaba aprendiendo las primeras letras. El tiempo había llegado de retomar el camino.

-5-

Mi abuela murió el 31 de diciembre. Despertó después de varios días de estar sumida en una semiinconsciencia. Pidió un café. Yo le había comprado un panettone. Ella lo abrió con un gran gusto. Partió los enormes pedazos, sin aceptar un no por respuesta. Le gustaba que comiéramos mucho, abundante, porque la comida es una bendición y así la repartía.

Nos sentamos con ella a conversar Ibis, Aura o las Violetas, mi madre y yo. Parecía restablecida por completo, como si hubiese despertado de un sueño. Lúcida, hacía gala del humor negro de siempre. "Si se casa, cásese con un rico, todos joden igual, pero se aguanta mejor con pisto", me dijo. Nos reíamos de sus comentarios, tajantes y absolutos.

Dijo también, ya seria, dirigiéndose a mí con atención, algo cuyo sentido no comprendí sino hasta hace poco: "Haga su vida, Irenita. Olvídelo todo, déjelo todo atrás, haga su vida."

Nos sentíamos felices teniéndola de vuelta, reconfortadas con su presencia. Más tarde, dejándola tranquila, resolví irme a pasar las fiestas a La Antigua, como eran mis planes. Sin yo saberlo, ella volvió a sentirse mal. Alrededor de las diez, un ataque cardíaco la fulminó.

"¿Qué hago ahora?"

Fueron sus últimas palabras. Nadie supo contestarle. La muerte los tomó desprevenidos.

Las exequias fueron sencillas. Nos sentíamos dueños de una paz extraña. Un ciclo de vida se había cerrado. Esa mujer que íbamos a enterrar hizo lo que tenía que hacer: no desperdició ni uno solo de sus días, porque nos amó sin pedir ni dar explicaciones. Fue su única y entrañable herencia. Ojalá todos pudieran tener alguien que los amara en forma absoluta. Es lo único que nos redime de la culpa de estar vivos.

"Haga su vida, haga su vida....", y yo, vacilando ante la encrucijada.

-6-

Siempre quise escribir. Cuando niña, fui con mi madre a hacer una visita. Los mayores se olvidaron de mi presencia y yo mataba el aburrimiento recorriendo la casa. En una librera encontré un libro muy hermoso. Era pequeñito, apenas más grande que mi mano. Tenía un adusto empastado de cuero color vino tinto y oro en la orilla de las hojas de papel cebolla. Al abrirlo me percaté de que casi todas las hojas estaban llenas de letras, a diferencia de los libros que yo conocía con muchas ilustraciones. *Sandokan, el Tigre de la Malasia*, el título en letras graves me impactó de inmediato. Lo hurté sin culpa. No sabía entonces que me fascinaría leerlo. Quise llevármelo simplemente porque era hermoso.

Abrirlo despacio en mi casa fue un paso decisivo. Ese pequeño objeto contenía un secreto alucinante: podía hacer que olvidara por completo quién era, podía tener otra, infinitas, inimaginadas formas. Me volví una niña solitaria. Así me verían los otros. Ciertamente, pasaba mucho tiempo a solas.

"Haga su vida...", era un mandato.

No podía desoír a mi abuela. Decidí escribir y que eso justificara el paso del tiempo. Nunca pensé que podría parar, dejar de existir, no hacer ninguna otra cosa, sino escribir, el latido vital enhebrado a las letras, enamorada de las letras.

Hoy sentí que la vida llegaba al final de esta historia. Las palabras dejaron de fluir como si se hubiera secado un torrente. Algo aprendí. Presa de mis pesadillas, no tuve antes la osadía de crearme, de parir a la hija de otro sueño, de otra idea, de otra historia. El pasado iba a matarme. Debía aniquilarlo: ésta es la historia de un asesinato. Sepulté un ayer que no tiene ya nada que decirme. Lo sepulté en este océano de palabras.

-7-

—¿Y entonces? ¿Puedo ser lo que yo quiera?

—Sí, un pensamiento, una brizna de heno que flota en el vacío, una mujer que besa en un trasatlántico a un hombre de ensueño... lo que tú quieras. El deseo es el límite."

-8-

Las vidas se van llenando de muertes. Son como trenes, en cada estación recolectando ausencias. ¿Triste? No, no es triste: está el camino, el interminable camino que desgasta la vista pero que nunca cansa. A cada recodo el corazón permanece expectante porque lo habita la esperanza.

Para conocer la inmensidad es preciso tocar sus ínfimos pedazos, sus más sutiles gestos. Nada es coherente. La realidad es una catedral que se levanta al alba con su altar sagrado, mientras en las puertas aún cerradas, un borracho se orina. Nosotros, que nombramos las cosas, andamos perdidos entre lo sublime y lo execrable, y quizá nos convendría saber que más allá de los juicios una inefable benevolencia nos abraza. La vida merece compasión absoluta.